Collection Médecine et Société

Françoise THEBAUD

Centre Pierre Léon
UA 223 du C.N.R.S.
Université Lumière Lyon II

Quand nos grand-mères donnaient la vie

La maternité en France dans l'entre-deux-guerres

Presses Universitaires de Lyon

6003711926

© Presses universitaires de Lyon, 1986
86, rue Pasteur — 69007 LYON

ISBN 2-7297-0294-6
ISSN 0757-1909

INTRODUCTION

L'histoire des femmes n'est plus un terrain inexploré : les travailleuses sont sorties de l'ombre, les luttes des féministes et leur expression littéraire commencent à être connues. Mais il est un domaine tout juste défriché : celui de la maternité (1). Il fut longtemps considéré comme dénué d'intérêt et même d'histoire : la maternité est une fatalité biologique qui répète la même épreuve à chaque génération et lie les mères et les filles dans le destin commun des femmes, ou bien c'est une expérience trop individuelle pour donner lieu à une interprétation collective, ou bien encore, façon plus subtile de nier une histoire autonome, les conditions de la maternité ne sont que le reflet de l'état des sciences et des techniques médicales. Or c'est un grand moment de la vie des femmes, de toutes les femmes; c'est l'expérience qui les singularise et qui ne peut être niée ni abolie. Qu'elle soit désirée, refusée, ou acceptée sans plaisir, la maternité est au centre de la condition féminine et le sort des mères traduit la place réelle des femmes dans la société. Tout comme le statut de l'enfant et le sentiment de l'enfant ne sont pas des données immuables mais historiquement déterminées, la maternité a une histoire. Faire surgir les éléments de cette histoire, c'est permettre sa réappropriation et mettre en perspective les multiples questionnements contemporains.

Les prises de parole féminines sur l'accouchement, les critiques balbutiantes contre le pouvoir médical ou le fonctionnement des maternités sont à l'origine de cet ouvrage. Il s'est d'abord proposé de prendre comme objet de recherche les maternités parisiennes entre les-deux-guerres et particulièrement Baudelocque, l'établissement modèle de l'époque, reconstruit et réorganisé dans la décennie vingt. Mais très vite une monographie hospitalière m'est apparue très réductrice d'une réalité complexe et foisonnante. Le terme même de maternité a plusieurs sens et désigne à la fois un état : la qualité de mère, une action : celle de mettre au monde un enfant, un lieu : l'établissement hospitalier où s'effectuent les accouchements. L'ampleur du sujet appelait des choix.

L'entre-deux-guerres s'impose comme une période bien individualisée entre deux conflits qui ont profondément bouleversé la société française. L'unité démographique sous le signe du malthusianisme est indéniable et cristallise une véritable obsession sociale autour de la maternité. C'est aussi une période où se développe à large échelle la médicalisation de la société française. C'est enfin celle où nos grand-mères ont donné la vie; proches par l'affection et l'héritage qu'elles transmettent, lointaines par la spécificité de leur condition, elles sont souvent injustement considérées comme des victimes résignées d'un monde dur aux femmes. Leurs témoignages peuvent compléter des sources écrites par une majorité d'hommes (2).

L'espace considéré est la France tout entière. Même si les sources parlent plus de la ville que de la campagne, il est intéressant d'englober dans le champ d'étude toutes les Françaises et de faire apparaître un «modèle» rural et un «modèle» urbain. J'ai par contre volontairement négligé la qualité de mère comme fonction d'éducation, et la relation mère-enfant comme relation qui se développe durant toute la vie. Mon histoire de la maternité est une histoire de la mise au monde — ses conditions, son vécu — et de l'élevage du tout-petit.

Cet ouvrage apparaîtra tantôt détaillé, tantôt allusif. Il voudrait être à la fois une contribution à l'histoire des femmes et à celle de la médecine dans sa lutte contre la mort des enfants.

PREMIERE PARTIE

SITUATIONS 1 et 2

«Dans la société moderne d'avant guerre, la décadence féminine se traduisait surtout par le refus de la maternité ou sa limitation excessive».

Prof. André Binet
Souvenirs et propos d'un gynécologue, 1946

«L'hygiène moderne a en vue la prophylaxie des maladies et la plus parfaite santé... Centre de diagnostic, de traitement, de médecine préventive, d'eugénisme, tel est le rôle d'avenir de l'établissement hospitalier».

Dr. M. Latier
Tendances actuelles pour la construction des hôpitaux, 1936

CHAPITRE I

LA MATERNITÉ REFUSÉE

«*Quel est le grand devoir de la femme ?*
Enfanter, encore enfanter, toujours enfanter !
Que la femme se refuse à la maternité, qu'elle
la limite, qu'elle la supprime, et la femme ne
mérite plus ses droits; la femme n'est plus
rien».

Dr. Doléris
Néo-malthusianisme. Maternité et
féminisme. Éducation sexuelle, 1918

Devoir des femmes, décadence féminine, le ton est donné et le problème posé. Approuvé ou critiqué, invoqué à l'appui d'une politique, le refus de la maternité est une donnée essentielle de l'entre-deux-guerres.

Une France Malthusienne

«Il faut faire naître» titre en 1924 la revue de l'Alliance nationale pour l'accroissement de la population française. Cri d'alarme et programme d'action.

De 1911 à 1918, malgré l'apport des Alsaciens-Lorrains (1,7 million), la population française n'a gagné que deux millions d'habitants, passant de 39,6 à 41,9 millions. Plus que la guerre qui a coûté la vie à deux millions de personnes, c'est la chute de la natalité qui explique cette stagnation. Déjà sensible dans la deuxième moitié du XIXe siècle, la restriction des naissances s'accentue pendant l'entre-deux-guerres et particulièrement dans les années trente : le taux de natalité qui est de 21,4o/oo en 1920 tombe à 18,3 en 1928 et à 14,6 o/oo en 1938. Comme la mortalité recule lentement, les naissances sont moins nombreuses que les décès à partir de 1935 et en 1938 le déficit atteint 35.000.

Donnée plus significative, la fécondité des Françaises n'est plus à même d'assurer le renouvellement des générations : le taux net de reproduction (nombre de filles que 1.000 femmes mettent au monde et qui les remplacent à la génération suivante) est inférieur à 1.000 et connaît une baisse régulière : 950 en moyenne entre 1921 et 1925, 870 entre 1935 et 1937. Les Français refusent les familles nombreuses : au recensement de 1936, il n'y a pour 100 familles que 180 enfants survivants de tous âges et les familles d'au moins trois enfants ne représentent que le quart de la population contre le tiers en 1911. La France vieillit comme ses voisins européens

.mais leur situation est différente : États souvent plus peuplés, naissances plus nombreuses, mortalité moins élevée; en 1922 par exemple, il est né 760.000 Français, 1.450.000 Allemands, 1.160.000 Italiens.

Dans ce contexte, la question démographique prend de l'importance, la dénatalité devient un «fléau social», la maternité un enjeu sur lequel s'acharne le mouvement nataliste. A côté d'organismes officiels comme le Conseil supérieur de la natalité créé en 1920 au sein du Ministère de l'hygiène, de l'assistance, et de la prévoyance sociale, naissent ou s'épanouissent de nombreuses ligues, groupes de pression plus ou moins influents. Certaines, notamment «Pour la vie», se réfèrent à la doctrine chrétienne et développent des liens avec l'Église catholique; d'autres reçoivent l'appui financier de riches entrepreneurs (Mrs. et Mmes. Michelin et Cognacq-Jay) ou le soutien de personnalités médicales souvent favorables à leurs thèses. Ces ligues militent soit pour une procréation généreuse, soit pour la défense de la famille nombreuse (3). La plus influente est l'Alliance nationale pour l'accroissement de la population française, fondée en 1896 par le docteur et statisticien Jacques Bertillon et reconnue d'utilité publique en 1913. Son action multiforme, sa volonté de régir la société française sont vivement dénoncées par le mouvement malthusien dont le principal organe d'expression est *La Grande Réforme* de Jeanne et Eugène Humbert au sous-titre évocateur : «Culture individuelle, réforme sexuelle, transformation sociale». L'entre-deux-guerres exacerbe, dans un conflit devenu très inégal, l'affrontement natalistes-malthusiens que connaissait déjà la Belle Époque.

L'affrontement natalistes-malthusiens (4) : *deux thèses antagonistes pour un combat inégal*

Pour les natalistes, la dénatalité signifie la guerre et la ruine de la France. «Sans enfant aujourd'hui, plus de France demain» annonce en 1924 une affiche tricolore de l'Alliance nationale. Cette prophétie devient plus virulente dans les années trente, quand la crise atteint la France, quand l'Allemagne revancharde porte Hitler au pouvoir et met en œuvre sa politique expansionniste. Elle s'accompagne de calculs prévisionnels alarmistes qui, en 1936, évaluent la population de 1985 à 29,5 ou 34 millions d'habitants.

Comment faire naître ? L'Alliance nationale propose d'abord de restaurer un climat favorable à la natalité. Dans une France «anesthésiée par le virus individualiste» il faut développer «l'idée familiale» par une répression sévère contre toute atteinte à la vie, par la célébration des mères, par l'instauration du vote familial (chaque chef de famille ou membre du couple disposerait d'un nombre de voix proportionnel au nombre d'enfants). Plus originale est la demande de péréquation des ressources de la famille à ses charges; si «le grand profiteur du monde moderne» est le célibataire ou le sans-enfant, le niveau d'existence de la famille diminue avec sa taille car l'enfant coûte cher; aussi est-il nécessaire de rétablir l'équilibre par la fiscalité et la distribution de substantielles allocations.

Pour les malthusiens au contraire, la surpopulation est à l'origine de la misère et de la guerre. «Un peuple qui étouffe chez lui est obligatoirement, mécaniquement contraint à la guerre, à la conquête». Les familles nombreuses sont misérables et une société prolifique interdit la fraternité sociale. Les malthusiens acceptent l'aide à la famille au nom de la justice mais ils s'insurgent «contre tout privilège abusif en faveur des familles nombreuses», notamment contre «le stupide vote familial faisant voter par l'intermédiaire des pères-lapins les enfants à la mamelle» ou contre les prix Cognacq-Jay qui récompensent la quantité au détriment de la qualité.

«La famille nombreuse assure la gaîté au foyer, la confiance entre les époux, la richesse le jour où les aînés atteignent l'âge du travail, la sécurité de la vieillesse, la fierté du devoir accompli». Parée de toutes les qualités, la famille doit, selon l'Alliance nationale, comprendre au moins trois enfants et le rôle des Pouvoirs publics est de la favoriser.

«Le néo-malthusianisme comporte deux branches essentielles, l'une négative : la limitation des naissances par l'emploi judicieux des moyens anti-conceptionnels et la stérilisation, l'autre positive : la procréation consciente et l'eugénisme» écrit Eugène Humbert dans *La Grande Réforme* de mai 1933. A l'échelle individuelle il s'agit de ne faire des enfants qu'en «parfait état de santé physique et morale», dans les meilleures conditions économiques et dans un

Alliance Nationale, 1937
Écart séparant le niveau d'existence des familles
du niveau d'existence des sans-enfants

(in *Revue de l'Alliance Nationale contre la Dépopulation*, 1937)

Après le mal, le remède

le dernier tract de l'Alliance Nationale

1.034.000 naissances en 1868, 638.000 en 1935,
475.000 en 1945, au train où nous allons.

Pourquoi les Français n'ont plus d'enfants

« A travail égal, salaire égal »

Ce qu'on appelle « l'égalité » ...et ses résultats

«Les avorteurs, nous les aurons»

(in *Revue de l'Alliance Nationale contre la Dépopulation*, 1939)

(Extrait de « Comment nous vaincrons la dénatalité »).

LES AVORTEURS TUENT UN PETIT FRANÇAIS SUR TROIS.

Ceux qui les protègent trahissent la France au profit de l'étranger.
Quel châtiment méritent-ils?

désir partagé. «Régénérateurs de l'espèce humaine», les néo-mal-thusiens veulent aussi débarrasser l'humanité «de ses scories et de ses indésirabl es» en empêchant par la stérilisation leur procréation. Élitistes, réclamant des individus une morale de vie très exigeante, ils s'inscrivent dans une perspective de révolution sociale.

Mais le mouvement malthusien et eugéniste de l'entre-deux-guerres n'est pas homogène. Les sélectionneurs intransigeants qui se réfèrent aux ouvrages de Charles Richet et du professeur Binet-Sanglé – *La sélection humaine* et *Le haras humain* – sont minori-taires et bien moins influents que les modérés, membres ou non de l'Association des Études Sexologiques comme le docteur Jean Dalsace et le sénateur Justin Godard; leur doctrine est «moins le nombre que la qualité», une qualité qui doit s'obtenir non par la contrainte mais par la persuasion fondée sur l'éducation sexuelle. Presque synonyme d'hygiène sociale, cette forme d'eugénisme re-joint les préoccupations des hygiénistes, des obstétriciens et des puériculteurs qui luttent contre la syphilis et prétendent diriger dans son intégralité la fonction de reproduction. Ces derniers souhaitent cependant une croissance du taux de natalité.

Il y a aussi ceux qui militent pour le birth-control et la libre maternité, comme Berthie Albrecht qui, de novembre 1933 à juin 1935, fait du *Problème sexuel* une tribune pour la libération des femmes en matière sexuelle. Tous trouvent un appui militant en la personne du romancier Victor Margueritte, auteur en 1927 de *Ton corps est à toi*, publication qui lui vaut d'être traduit en jus-tice par l'Alliance nationale, comme il a été rayé des cadres de la Légion d'honneur pour celle de *La Garçonne* en 1922.

Qu'il soit libertaire, libéral, féministe ou hygiéniste, le mouve-ment malthusien et eugéniste rencontre un faible écho pendant l'entre-deux-guerres. La loi «scélérate» de 1920 permet l'inculpa-tion en dix ans de 666 personnes, Jeanne et Eugène Humbert sont poursuivis et emprisonnés. Cependant l'acquittement le 17 décem-bre 1927 de l'institutrice Henriette Alquier, inculpée pour avoir demandé dans un article la libre maternité et l'enseignement des procédés néo-malthusiens, montre la détermination de ses mili-tants et ouvre une période plus clémente. La *Grande Réforme* paraît dès 1930 et Jeanne multiplie les conférences. Mais pas plus qu'un autre, le gouvernement Blum ne remet en cause la loi de 1920 et les eugénistes ne peuvent faire voter l'instauration d'un certificat prénuptial, même dans sa forme libérale de simple information du candidat au mariage.

Par contre la période 1919-1939 est un temps fort de l'activité et de la puissance de l'Alliance nationale. Grâce à sa fougue et à de perpétuels appels à l'opinion publique, elle passe de 1.321 adhérents en janvier 1914 à 25.335 au 30 juin 1939. Son secrétaire général Fernand Boverat est vice-président du Conseil supérieur de la natalité; il est invité à parler à l'Académie de médecine, aux congrès de la natalité, aux congrès internationaux de la population. Couronnement de sa carrière militante, il est nommé officier de la Légion d'honneur en août 1939.

La dénonciation de l'inertie des gouvernements et des hommes politiques de la IIIème République, qu'ils soient de droite ou de gauche, est un thème constant de l'Alliance : «on se préoccupe plus de venir en aide aux vieillards qui sont des électeurs qu'aux enfants qui ne compteront pas au point de vue électoral tant que n'existera pas le vote familial». Fascinée par l'efficacité démographique du régime nazi, elle ne peut accepter les stérilisations forcées. C'est finalement le régime de Vichy qui semble correspondre à ses aspirations politiques. Pourtant la IIIème République a satisfait quelques-unes de ses revendications, particulièrement au début des années vingt et à la fin des années trente, esquissant ainsi une politique familiale et nataliste.

La politique familiale et nataliste

Dans la France de la fin du XIXe siècle l'avortement est un crime mais la législation d'aide à la famille et de protection de la mère est très en retard sur celle des autres nations européennes. En contrepoint l'entre-deux-guerres apparaît comme une période riche en mesures législatives maniant répression et incitations (5).

Le crime d'avortement était pratiquement impuni au début du XXe siècle. Pour obtenir une répression plus efficace, les natalistes demandent sa correctionnalisation. Ils obtiennent d'abord le 31 juillet 1920 le vote d'une loi réprimant toute provocation directe ou indirecte à l'avortement et toute information sur la contraception; tous les procédés contraceptifs à l'exception des préservatifs masculins disparaissent des pharmacies. Puis la loi du 27 mars 1923 modifie l'article 317 du Code pénal; la réduction des peines (emprisonnement de un à cinq ans pour les avorteurs, de six mois à deux ans pour les avortées) permet son application par les tribunaux correctionnels.

Lois scélérates pour les malthusiens qu'elles condamnent, lois de salut public pour les natalistes, elles sont plus efficaces pendant la décennie vingt que pendant les années trente où se diffuse la méthode Ogino-Knauss, où paraît *La Grande Réforme*, où ne semble pas régresser le nombre d'avortements clandestins. L'Alliance nationale lance alors une campagne énergique écoutée des dirigeants politiques; le gouvernement Daladier met en place un «Haut Comité de la Population» et adopte le décret-loi du 29 juillet 1939 dit «Code de la Famille». Prélude aux mesures de Vichy, il renforce les peines contre les avorteurs et les avortées (jusqu'à dix ans de prison), dote chaque brigade de police mobile d'une section spéciale chargée de pourchasser les coupables, permet aux médecins de signaler à la police une affaire d'avortement dont ils auraient connaissance, réglemente l'avortement thérapeutique et réalise un véritable encadrement de la grossesse (du diagnostic biologique à la Maison d'accouchement). Mais de nombreux articles concernent les allocations familiales obligatoirement versées aux salariés depuis 1932.

Depuis longtemps l'initiative privée tentait de pallier les insuffisances officielles dans la protection des mères et l'aide aux familles. Nées avant la guerre les sociétés de charité maternelle, la Mutualité maternelle de Paris, des associations féminines poursuivent leur activité : distribution de secours et de primes, ouverture de consultations. Des industriels natalistes comme Michelin, persuadés que «pour se créer la famille nombreuse n'attend qu'une chose : la possibilité de vivre», agissent en précurseurs et distribuent des primes familiales progressives, attribuent des logements et des places en crèche. Les prix qui dotent les grandes familles se multiplient : il en existe au moins une cinquantaine dans les années trente, attribués au chef de famille prolifique, «le grand aventurier du siècle»; les plus célèbres et les plus généreux sont les deux prix Cognacq-Jay accordant 25.000 francs à 90 familles de neuf enfants nés du même lit, et 10.000 francs à 100 jeunes ménages ayant cinq enfants légitimes (6). Ils contribuent à créer un climat familial que les Pouvoirs publics soutiennent par la mise à l'honneur des mères.

La médaille de la famille française décernée à la mère est créée par décret au début de l'année 1920; elle est de bronze, d'argent ou de vermeil (dite médaille d'or) pour cinq, huit ou dix enfants. Si la célébration annuelle d'une fête des mères le dernier dimanche de mai est approuvée et recommandée par les Pouvoirs publics dès 1926, elle ne rencontre pas encore un grand écho national; Paris lui donne un grand éclat en 1933 et 1935, par un défilé de 20.000 femmes de la Concorde à l'Étoile, et inaugure le 23 octobre 1938 le Monument aux Mères, érigé boulevard Kellermann (7) sur le modèle du monument à la maternité de Berlin. Toutes ces mesures honorifiques ne coûtent pas cher et laissent indifférente une partie de la population qui souscrit plus volontiers à ces fortes paroles du Professeur J.L. Faure, médecin, chirurgien et gynécologue : «si l'État veut des enfants, il faut qu'il les paie».

L'entre-deux-guerres voit le passage de l'assistance aux femmes en couches à l'assurance-maternité et la naissance des allocations familiales. Le bénéfice de l'Assistance médicale gratuite, de l'allocation journalière de huit semaines (loi Strauss du 17 juin 1913 pour les salariées, loi du 12 décembre 1917 pour les autres), des primes d'allaitement relève de l'assistance car il ne concerne que les «nécessiteuses» et n'apporte qu'un faible revenu. Après de multiples débats qui soulignent l'argument démographique mais aussi les réticences tant patronales que médicales, la loi du 5 avril 1928, modifiée par celle du 30 avril 1930, crée les Assurances sociales pour les salariés. L'assurance-maternité accorde la prise en charge forfaitaire des frais de l'accouchement à toutes les familles assurées, le versement pendant douze semaines à la femme salariée d'une indemnité journalière égale à la moitié du salaire et celui d'allocations mensuelles d'allaitement. Comme les bénéficiaires sont les salariées en dessous d'un revenu-limite (30.000 francs annuels en 1938) et que la loi est mal appliquée, la part des naissances donnant lieu à des prestations est d'environ un tiers à la veille de la deuxième guerre. Seules les «dames fonctionnaires» ont

Monument aux Mères Françaises
(boulevard Kellermann – Paris 13ème)

(cliché F. Thébaud)

droit à un congé de maternité de deux mois à plein traitement.

Les lois d'aide à la famille se sont succédé à la mesure de l'inquiétude devant la dépopulation : assistance aux familles nombreuses en 1913, primes départementales de natalité en 1920, encouragement national aux familles nombreuses en 1923, mais ces aides sont versées seulement à partir du troisième enfant aux familles à revenus bas. Le sursalaire familial qui va devenir les Allocations familiales est né d'initiatives patronales sans demande ouvrière; il s'impose à toutes les entreprises par la loi du 11 mars 1932 et le nombre des allocataires ne cesse d'augmenter : moins d'un million en 1925, moins de deux en 1932 pour 5,4 à la veille de la guerre. Des décrets-lois de 1938 et le Code de la Famille étendent le système à toute la population, lui fixent un cadre réglementaire précis, suppriment l'allocation au premier enfant et créent l'allocation de mère au foyer. Ces allocations font de la France un pays pionnier mais elles ne réalisent pas la péréquation des ressources aux charges comme le dénonce l'Alliance nationale ou un militant comme Pierre Kula. L'allocation-logement prévue pour pallier la crise du logement considérée comme une cause de dénatalité n'est réalisée qu'en 1948. Pour certains médecins — Adolphe Pinard, Germaine Montreuil-Strauss... — l'essentiel serait d'envisager la maternité comme une fonction sociale et de lui assurer une dotation nationale : «la maternité doit être à la fois honorée et rémunérée par la nation».

Les Françaises et la maternité

L'idéologie dominante pendant l'entre-deux-guerres exige de la femme d'être une mère avant tout. Enfanter est un devoir («l'impôt du sang»), une nature («l'instinct maternel»), une source de santé; «il vaut mieux pour elle, dans un intérêt national bien compris, fabriquer des enfants que des fibromes» explique Adolphe Pinard. La jeune fille doit être préparée à ce devoir dans le respect de la virginité et la peur des maladies vénériennes; mariée, mère légitime, il lui est demandé de rester au foyer, «condition primordiale d'un relèvement de la natalité et d'une lutte efficace contre la mortalité infantile et juvénile». Une campagne pour le retour des femmes au foyer se développe. particulièrement vigoureuse dans les années

Extrait de P. Kula : *Les allocations-logement; le premier encouragement de la Mère au Foyer, c'est lui donner un Foyer*, Paris, 1939

MENAGE SANS ENFANT   FAMILLE NORMALE DE 3 ENFANTS

trente avec la crise économique; elle est menée par les milieux catholiques, l'Union féminine civique et sociale, les ligues natalistes et familiales, tandis que d'autres défendent avec moins de vigueur le droit au travail des femmes.

Le féminisme des associations qui se regroupent dans le Conseil national des Femmes françaises parle aussi de nature féminine qui induit le rôle de mère pour toutes, les communistes volent «au secours de la famille» (titre d'articles de l'*Humanité* en novembre et décembre 1935) et demandent pour la mère et la femme des possibilités réelles de choix entre le foyer et le travail. Large consensus social sur la division sexuelle des rôles, tragique décalage avec la réalité.

Toutes les femmes ne peuvent être mères; outre les femmes stériles il y a celles (plus d'un million au lendemain de la première guerre mondiale) que le déséquilibre des sexes condamne au célibat ou aux amours illicites. Le travail est une nécessité pour beaucoup et 8,6 millions de femmes travaillent en 1921; 7,3 en 1936. Comme le souligne le *Journal de la Femme*, hebdomadaire féminin qui paraît à partir de 1932, il est hypocrite de glorifier la mère alors qu'«elle n'est rien dans la famille», mineure juridique sans puissance maternelle, et «rien dans la nation». Si peu de femmes se sont exprimées publiquement sur leurs attitudes devant la maternité, beaucoup ont fait la grève des ventres.

Néo-malthusianiste et féministe, Nelly Roussel (1878-1922) milite pour la libre maternité. En 1920 elle invite les femmes à la «grève des ventres» si les conditions nécessaires à la procréation (paix durable, respect du corps de la mère, aide à la maternité) ne sont pas remplies. Pour toutes les féministes radicales de l'entre-deux-guerres, la maternité doit être consciente, choisie par les femmes mais elles s'opposent sur sa signification. Pour la doctoresse Madeleine Pelletier (1874-1939), la maternité rend esclave, met la femme «en état d'infériorité tant au point de vue physique qu'au point de vue intellectuel», «fait de l'amour une véritable duperie». Pour Madeleine Vennet (1878-1949), syndicaliste, fondatrice de la revue *La Mère éducatrice* et de la Ligue des femmes contre la guerre, elle est «l'apogée de l'individualité féminine» et une volupté. Raymonde Machard et ses collaboratrices du *Journal de la Femme* défendent la même conception et accusent l'homme et la société d'être responsable de la dénatalité; les témoignages des lectrices invoquent la difficulté à faire vivre une famille nombreuse, le chômage, l'insécurité internationale, le mépris envers les «filles-mères» et les «batards». Paroles de femmes dont il est difficile d'apprécier la représentativité mais dont nous voyons l'écho dans le comportement démographique de l'époque.

La propagande nataliste a un faible impact. Malgré les menaces et les exhortations, malgré la loi répressive de 1920, la contraception se pratique dans la France de l'entre-deux-guerres. Les «on se débrouillait», «on faisait attention» des témoignages recouvrent l'emploi du coït interrompu, de l'injection vaginale, plus rarement du préservatif masculin ou de la méthode Ogino dont l'efficacité ne tarde pas à être contestée. L'avortement clandestin aux statistiques bien évidemment imprécises reste le dernier recours; les chiffres donnés varient de 150.000 à un million d'avortements par an, responsables de 20.000 à 60.000 décès; il y a, au-delà, l'inégalité sociale, l'angoisse, la culpabilité et le châtiment : la mort, la maladie, la stérilité ou, fréquent, le curetage à vif à l'hôpital. (8).

CHAPITRE II

LA SOCIÉTÉ MÉDICALISÉE

«Une autre guerre reste à mener... La guerre contre les ennemis intérieurs : dépopulation, alcoolisme, tuberculose, syphilis... Le problème actuel, c'est non pas de savoir comment la France vivra, mais comment elle ne mourra pas, c'est d'écarter d'elle tous les germes de mort pour appeler à elle toutes les promesses de santé.»

G. Cahen
L'autre guerre, 1920

Même si les moyens d'action sont encore limités, l'entre-deux-guerres connaît l'émergence de l'hygiène sociale, nouvelle politique de la santé qui entend soumettre la population à une surveillance médicale généralisée et majorer son état de santé en luttant contre les «fléaux sociaux». En 1923 est créé l'Office National d'hygiène sociale qui coordonne les efforts de propagande hygiénique, tant pour la protection maternelle et infantile, que contre le mal vénérien ou la tuberculose. Parallèlement les Assurances Sociales permettent l'accès à des soins plus exigeants, en dehors de l'assistance, de nouvelles couches de la population. Et les hôpitaux, qui offrent des techniques efficaces et, pour certains, un confort acceptable, tendent à prendre une plus grande place dans le système sanitaire.

L'hygiène moderne et la lutte contre les fléaux sociaux

Le terme de «fléau social» surprend aujourd'hui par la vigueur de l'expression pour des problèmes qui nous paraissent solubles. Sont désignés comme tels la dénatalité, le taudis, l'alcoolisme ou certaines maladies comme la tuberculose ou le péril vénérien qui cristallisent alors l'angoisse morbide. Maladies contagieuses, elles sont en effet responsables d'une surmortalité française et tueuses de jeunes vies.

La tuberculose tue dans les années vingt près de 80.000 personnes par an, essentiellement dans les quartiers pauvres des villes. En 1931 elle est responsable de 1,5 décès pour 1.000 habitants contre 0,78 seulement en Allemagne.

La maladie n'est pas favorable non plus à la natalité. A Baudelocque, les mères tuberculeuses ont en moyenne de 1921 à 1927 un «déchet initial» (enfants morts pendant la gestation, l'accouchement et les trois premiers jours) de 10,6 % alors qu'il est de 4,5 % pour l'ensemble de la maternité; la mortalité du premier mois est de 14,4 % et certains enfants sont porteurs «du virus tuberculeux». Si l'action de la grossesse et particulièrement de l'accouchement sur la tuberculose est souvent considérée comme négative, peu de médecins sont prêts à l'interrompre. Couvelaire, le célèbre accoucheur de Baudelocque, n'est «pas convaincu que la tuberculose gravide puisse tirer un bénéfice certain d'un soi-disant avortement thérapeutique, ou d'une hystérectomie» et préfère «sauver au moins l'enfant», quitte à pratiquer des césariennes in extremis sur des femmes mourantes...

«Risquer sa santé, celle d'une épouse, celle d'un mari, celle de son enfant ! Voilà l'enjeu», le sous-titre de «*Gardez-vous*», publié en 1928 par le Dr. Cattier à l'usage des jeunes gens, résume l'ampleur du péril vénérien. Bénigne pour l'homme, la blennoragie ou chaude-pisse, due à l'infection par les gonocoques, provoque chez la femme, souvent infectée par son mari, vaginite, métrite et salpingite, infections douloureuses, qui la rendent stérile et nécessitent parfois une laparotomie. Plus grave encore apparaît la syphilis qui touche selon les médecins 10 % de la population, 13 % de femmes enceintes. Elle est responsable chaque année de 80.000 décès, de 40.000 avortements (avant le sixième mois de grossesse) et de 20.000 morts d'enfants dans le ventre de la mère ou dans les trois premiers jours de vie, soit en dix ans d'autant de victimes que la Grande Guerre. Pour Couvelaire il s'agit d'un véritable «massacre des innocents», d'autant que, même s'ils naissent vivants, les enfants de parents syphilitiques sont très souvent débiles et voués à une mort précoce. Comme tout le monde médical il partage cette croyance, effrayante et aujourd'hui démentie, en une héredo-syphilis pouvant frapper à distance, à la 2ème ou 3ème génération.

Alain Corbin (9) considère que le péril vénérien fut dramatisé avant la première guerre et que cette dramatisation correspond à une stratégie dissuasive en matière de sexualité, la crainte obsessive de la vérole prenant le relais de celle du péché. L'angoisse, la phobie de la syphilis ne semblent pas avoir disparu parmi la population des années vingt et trente comme en témoigne Cavanna dans *les Ritals* : «il y a deux grandes terreurs dans nos vies, deux menaces d'autant plus épouvantables qu'elles sont invisibles, sournoises, capricieuses, qu'elles frappent tout à fait au hasard, sans souci de la morale et qu'enfin elles sont répugnantes : la tuberculose et la vérole». Ce qui se dit des douleurs de la maladie et des horreurs du traitement peut avoir un aspect dissuasif mais médecins et hygiénistes insistent alors sur le caractère évitable de ce fléau, sur la nécessité de se soigner sans considérer ces maladies comme honteuses. Leur attitude n'en demeure pas moins ambiguë.

Le Dr. Queyrat qui anime, au début des années vingt, des conférences pour les «dames et les jeunes filles» dresse un tableau des plus noirs du fléau vénérien, de Mamzelle Syphilis : «La contagion syphilitique nous menace partout et à chaque instant : vous allez en voyage et descendez dans un hôtel, méfiez-vous du siège des water-closets. La zone inférieure du tronc est très souvent porteuse d'accidents syphilitiques virulents, particulièrement les plaques muqueuses et il est possible qu'un prédécesseur ait semé en abondance des tréponèmes sur le siège qui va vous servir et qui, si vous avez la moindre écorchure de la peau ou des muqueuses sera un intermédiaire malheureusement trop efficace de la dangereuse contagion. Je ne saurais assez y insister : ayez grand soin avant d'en user, d'essuyer avec soin le siège en question; mieux vaut encore après l'avoir essuyé en recouvrir les bords avec du papier... Il faut vous répéter, Mesdemoiselles et Mesdames que partout et de la façon la plus inattendue, la plus sournoise, la syphilis nous guette... Le domaine de la syphilis est immense, effrayant ! Sur cent malades pris au hasard, 35 au moins sont hospitalisés pour cause de maladie d'origine syphilitique». Frissons dans l'auditoire. Puis l'orateur décrit la mortalité, et avec force détails les risques pour la descendance, la naissance de morts-nés, d'enfants difformes (bec de lièvre, pied bot), ou tarés (méningite, surdité, ozène, tares sur la cornée, épilepsie, incontinence nocturne d'urine, variétés de chorée et de rachitisme). Il montre, figures à l'appui, que la syphilis peut frapper après plusieurs générations et produire «l'enfant avec des syphilides croûteuses des lèvres», «le petit vieux athrepsique», ou «le type avec écrasement congénital de la base du nez ou front olympien» : visions d'horreurs qui correspondent au vocabulaire du commentaire «fléau formidable et terrible», «monstre», «hydre», «lèpre syphilitique». Peut-il alors atteindre son but qui est de «renverser une bastille moisie de vieux préjugés», même en soulignant le rôle des femmes informées dans la lutte contre le mal ?

Du moins les fléaux sociaux ne paraissent plus invincibles; médecins, philanthropes, hygiénistes sont unanimes pour entreprendre contre eux une nouvelle guerre.Le vocabulaire qu'ils utilisent relève de la typologie militaire : il s'agit d'un combat pour repousser des ennemis, grâce à un armement, une stratégie, une mobilisation de la population.

Le combat est impulsé par des ligues ou sociétés comme la *Société Française de prophylaxie sanitaire et morale* fondée en 1901 par A. Fournier, la *Ligue nationale française contre le péril vénérien*, formée en 1923 et dont le Directeur général est Sicard de Plauzoles, ou encore le *Comité national de défense contre la tuberculose*. Leur premier objectif est de sensibiliser la population, de l'éduquer, de l'informer sur les moyens d'éviter le mal, sur les manifestations de la maladie (car de nombreux syphilitiques s'ignorent, 20 % pour les hommes, 50 % pour les femmes), sur la nécessité du traitement, enfin de vaincre les préjugés qui associent les maladies vénériennes à la honte au point que la grande presse remplace le mot syphilis par «avarie».

Pour faire de la propagande éducative, tous les moyens sont utilisés : les cours populaires, comme celui sur les maladies vénériennes organisé par la Société de prophylaxie à l'usage des pères et mères de famille, des éducateurs, des jeunes adultes; les conférences dans les grandes écoles et les écoles normales : en 1929, la Ligue contre le péril vénérien souligne le succès de ses 200 conférences qui ont rassemblé 150.000 auditeurs; les cours scolaires d'hygiène qui apprennent aux enfants à éviter la tuberculose; la vente du timbre antituberculeux, source financière; les tracts, les brochures, les affiches. Le beau bébé joufflu que regarde avec tendresse une infirmière dont le voile porte la croix de Lorraine invite à utiliser le B.C.G.. Les affiches de la Ligue contre le péril vénérien insistent sur les conséquences de la maladie et la possibilité de guérison : l'une, qui porte en grosses lettres «la syphilis c'est vraiment la grande meurtrière des enfants» montre de dos un homme à l'allure de boucher qui tire d'un orifice un être chétif pour le présenter au squelette de la mort; «la syphilis est un terrible fléau qui peut et doit disparaître» oppose la famille pauvre et maladive du syphilitique qui s'est mal soigné, à la famille saine et heureuse du mari guéri.

Le cinéma, instrument le plus moderne d'éducation, est mis aussi à contribution : la Ligue projette de petits films antivénériens, on utilise un des trois grands films d'hygiène sociale écrits par Louis Devraigne : «*Il était une fois trois amis*». Présentant son œuvre au congrès international du cinéma éducateur à La Haye le 2 mai 1928, l'accoucheur de Lariboisière expose son but : faire «une guerre à outrance contre ce tréponème international en éduquant les masses», et le thème du film : «l'apologie du traitement»; il supprime donc «les visions odieuses» et insiste sur l'héredo-syphilis et sa guérison. Le film présenté pour la première fois le 16 novembre 1927 à la Sorbonne raconte en une heure (à travers les paroles d'un médecin) l'histoire de trois amis de régiment dont deux sont contaminés : l'un se soigne et a deux beaux enfants; la femme de Jacques qui n'a pas suivi de traitement fait deux avortements; tandis que le troisième qui se croit sain a un enfant mal formé. Convaincu qu'il a transmis l'hérédo-syphilis, il accepte de se soigner au dispensaire auquel le film consacre de longues séquences, alors que Jacques perd un troisième enfant...

Les femmes et surtout les jeunes filles dont il faut vaincre les préventions, sont l'objet d'une attention particulière. En 1925, l'Association des femmes médecins crée, au sein de la Société de prophylaxie, sous la présidence de Germaine Montreuil-Strauss, un *Comité d'Éducation féminine* pour faire «l'éducation antivénérienne des milieux féminins», «aider la jeune fille à se conserver pure et saine et la préparer à son rôle d'épouse et de mère». En collaboration avec les organisations féminines (la Croix Rouge, le Conseil National des femmes françaises, l'Union française pour le suffrage des femmes, et même la plus à gauche Ligue pour le droit des femmes), à l'appel des foyers féminins, d'écoles, des syndicats d'ouvrières, des unions chrétiennes, le comité organise des conférences animées par G. Montreuil Strauss, Mme Blanchier ou Mme Eyraud Dechaux. Tous les moyens précédemment décrits sont utilisés ainsi que la carte postale illustrée, destinée à sensibiliser la jeune fille : «Jeune fille, pense à tes futurs enfants, épouse un homme sain», ou bien encore la vente d'un album à colorier «*Maman dis-moi*», pour aider les mères à faire l'éducation sexuelle de leurs enfants.

Mais le meilleur agent de propagande reste l'infirmière-visiteuse, personnage imposé pendant la Grande Guerre par les Américains et qui doit, selon le mot de l'hygiéniste R.H. Hazemann, secréter «une mystique de l'hygiène»; elle est l'intermédiaire entre la famille qu'elle «éduque» et contrôle, et le dispensaire, «piège à prophylaxie».

Doté d'une existence légale depuis que les efforts du radical Léon Bourgeois ont abouti en avril 1916, le dispensaire est au centre de la lutte contre les fléaux sociaux; affecté à une aire géo-démographique définie, il organise un quadrillage des quartiers qui permet de contrôler une collectivité, de dépister les maladies, d'envisager un traitement efficace, d'organiser la prévention.

Dans son ouvrage *L'hygiène publique en France*, paru en 1930, A. Landry évalue à 640 le nombre des dispensaires antituberculeux (20 seulement en 1918) : y travaillent 1.200 infirmières-visiteuses dont beaucoup sont sorties de l'école créée par le Comité national de défense contre la tuberculose. Le dispensaire dépiste les malades, les envoie à l'hôpital ou en sanatorium (dans la mesure des places disponibles : 34.000 en 1933), tente d'éviter la contagion et pratique le B.C.G., vaccination préventive de la tuberculose, mis au point par A. Calmette et C. Guérin. Après trente ans de recherche et d'expériences sur les animaux, ces deux médecins inoculèrent le vaccin en 1921 à un enfant qui venait de naître, à l'hôpital de la Charité, d'une mère mourante et qui devait être élevé par une grand-mère phtisique. L'expérience étendue donna de bons résultats. Dans *la Presse Médicale* du 16 novembre 1932, Calmette peut rendre compte d'une enquête réalisée auprès de 282 confrères ayant vacciné leurs 514 enfants et 7.000 autres; ces médecins concluent à l'efficacité et au caractère inoffensif du BCG (10). Il invoque aussi 46 rapports de savants étrangers publiés par l'Institut Pasteur en mai 1932 et qui soulignent l'innocuité du vaccin, la baisse de mortalité générale des enfants du premier âge, et l'absence de morbidité tuberculeuse chez les vaccinés, pour conclure à la nécessité d'étendre l'emploi du BCG à tous les enfants qui viennent au monde. Mais il se refuse à l'obligation : «nous pensons que le BCG doit pénétrer dans les mœurs avant d'être imposé par la Loi. Il en a été ainsi pour la vaccination antivariolique de Jenner». En 1932, la moyenne mensuelle des vaccinations est de 10.700, environ une pour cinq naissances.

Selon *L'Hygiène Sociale* du 30 juin 1928, «l'armement antivénérien» rassemble 1.157 services. A. Landry cite un chiffre analogue mais souligne qu'il recouvre pour moitié des dispensaires indépendants, et pour le reste des services affectés à des établissements de protection maternelle et infantile, dans le but de lutter contre l'hérédo-syphilis en traitant les parents avant la procréation, la mère pendant la gestation et après l'accouchement, l'enfant jusqu'à la guérison. L'examen sérologique (test de Bordet-Wasserman) est insuffisant car une réaction négative ne signifie pas dans tous les cas l'absence du mal; il faut l'accompagner de l'examen clinique et surtout de l'enquête familiale (sur les ascendants) et sociale.

Il n'y a pas encore d'antibiotiques et le traitement est long, dérivé des méthodes mises au point par le Dr. Cattier dès 1903 dans sa clinique vénéréologique. La blennoragie se traite par des lavages avec une solution chaude de permanganate. Le traitement du syphilitique dure au moins quatre ans, par séries de piqûres, chaque série comprenant vingt piqûres mercurielles quotidiennes et six hebdomadaires de néo-salvarsan (certains cas spéciaux étant traités au bismuth). La première année, le traitement se pratique vingt jours sur trente, la deuxième un mois sur deux, puis un mois sur trois, avec éventuellement ensuite un traitement de consolidation. Un tel traitement suscite réticences et abandons; aussi certains proposent-ils, pour ne pas affoler les mères ou détruire le ménage, de les soigner à leur insu. «A une époque où on use et abuse de ce qu'on est convenu d'appeler des piqûres, rien n'est plus facile que de traiter les mères à leur insu car la syphilis n'est pas toujours une vérité bonne à dire; ...il est à souhaiter que les mères puissent prendre l'habitude de ces femmes indigènes que j'ai vues se présenter il y a quelques années au Dispensaire de la Croix Rouge de Tunis au milieu de la ville indigène. Elles venaient, et souvent de très loin, demander au médecin les piqûres qui donnent de beaux enfants», déclare un médecin au 18e congrès de l'Alliance d'hygiène sociale en octobre 1931. D'autres élaborent des projets autoritaires pour rendre la déclaration et le traitement de la syphilis obligatoire, pour imposer un délit de contamination ou des garanties sanitaires du mariage. Si l'instauration d'un certificat prénuptial semble nécessaire aux eugénistes, il est considéré par une grande majorité comme «contraire à l'esprit indépendant des Français». Le consensus est plus large, sur l'examen prénuptial, «assurance si féconde pour le bonheur du foyer», que Marcel Pinard conseille de contracter «comme on s'assure contre les accidents, sur la vie, comme on demande au notaire lors d'un mariage de rédiger un contrat qui protégera, le cas échéant, les intérêts matériels de la jeune femme».

Ainsi la lutte est dirigée principalement contre la syphillis dite «héréditaire». De l'avis général, la formule la meilleure est le dispensaire antivénérien annexé à une maternité, tel qu'il fonctionne à Baudelocque. Mais la lutte antivénérienne n'a pas de statut légal comme la croisade antituberculeuse organisée par la loi Léon Bourgeois; le 2 avril 1930, est déposée au Sénat une proposition de loi contenant l'article suivant : «tout organisme départemental, communal ou hospitalier de protection maternelle et infantile est tenu de conclure avec le Service départemental antivénérien un accord, en vue d'instituer chez les femmes en état de gestation et les nourrissons, avec l'aide du dispensaire antisyphilitique le plus proche, le dépistage et le traitement de l'hérédosyphilis». Loi non votée puisqu'en 1936 *le Journal des accoucheuses* constate que la lutte est laissée à l'initiative des départements, communes et œuvres privées, tout en se révélant efficace comme le montre la diminution progressive de la mortinalité et de la mortalité infantile par débilité congénitale; le même journal affirme que la syphilis sera une maladie «rayée avant la fin du siècle».

Le contexte médical de l'entre-deux-guerres se caractérise avant tout par cette lutte contre la tuberculose et la syphilis. Certains hygiénistes sont plus ambitieux et expriment un idéal non réalisé dans les faits. «L'hygiène moderne tend de plus en plus à se condenser dans ces mots : médecine préventive» professe L. Devraigne dans ses leçons de clinique obstétricale. Prévenir en agissant sur les conditions d'existence d'une population, en la contrôlant sanitairement : tel est le programme idéal. Par l'extension de la notion d'hygiène, le pouvoir médical s'étend à tous les domaines de la vie; dépouiller *la Revue*

Philanthropique dont le sous-titre est «recueil médico-social de protection maternelle et infantile et d'hygiène sociale», est significatif à cet égard; à partir des années trente elle édite le répertoire bibliographique mensuel du service de documentation de l'Office national d'hygiène sociale dont voici les chapitres sur l'hygiène : «hygiène des habitations, alimentaire, coloniale, dentaire, des villes, hospitalière, préventive, du travail, maternelle et infantile, de l'eau, scolaire, mentale, militaire, du lait, rurale, publique, universelle» !

Les hygiénistes, partisans d'une médecine sociale, sont des minoritaires qui se reconnaissent dans des personnages comme le phtisiologue Léon Bernard, ou Henri Sellier, socialiste municipaliste, qui, avant d'être ministre de la Santé du Front Populaire, fait de sa municipalité de Suresnes un modèle d'organisation sanitaire et sociale, «avec le règlement sanitaire le plus sévère de France». Les membres de l'Association française des femmes médecins qui visitent Suresnes le 25 octobre 1936 sont enthousiasmés. La moitié du territoire de la commune sont des espaces libres; un quartier est consacré aux usines; le vieux centre rénové comprend le dispensaire et la crèche où sont accueillis les enfants dont les parents travaillent, ou ceux qu'il faut séparer de la famille malade; à côté des lieux de consultations prénatales ou de nourrissons qui utilisent des systèmes très modernes (le déshabilloir est équipé d'un système lumineux qui s'allume lorsque l'entrée du cabinet médical est libre !), existe une salle de distribution de lait. La ville a grandi par une cité-jardin formée d'habitations de quatre étages qui entourent le groupe scolaire; l'école maternelle pratique une pédagogie active (apprentissage de la lecture par la méthode visuelle, pratique de l'artisanat, leçons concrètes d'hygiène) et comprend pour les enfants frêles une salle de classe spéciale dont les vitres laissent passer les rayons ultra-violets. Le service social offre piscine, douches, salle de gymnastique, laboratoire de tests d'orientation professionnelle, et surveille régulièrement la santé des enfants dont chacun possède une fiche mise à jour; enfin l'école de plein air, maison de verre sur le Mont Valérien accueille les enfants fragiles. Il y a, à Suresnes, onze assistantes sociales pour 35.000 habitants. Ainsi rien n'est laissé au hasard, tout est organisé pour le bien-être social de la population; pour le promoteur de cette grande aventure, il n'y a pas opposition entre idéologie de gauche et pratiques d'encadrement.

Bien que minoritaire, l'esprit hygiéniste imprègne progressivement le monde médical (notamment les médecins qui s'occupent de protection maternelle et infantile) et le monde politique, pour marquer des points dans la décennie trente. La revue bimensuelle *L'Hygiène Sociale* paraît à partir de 1928 et offre ses colonnes aux mouvements d'hygiène sociale et «aux grands philanthropes» pour traiter toutes les questions d'hygiène et de vie sociale. En 1929 le sénateur Justin Godard fonde le Parti social de la Santé publique, tribune et groupe de pression. Enfin en mars 1930 est créé un Ministère de la Santé publique, appellation nouvelle qui souligne l'évolution des conceptions politiques en matière de santé : avant 1920, il y avait un Ministère du Travail et de la Prévoyance sociale et au sein du Ministère de l'Intérieur une Direction de l'Assistance et de l'Hygiène publique; en janvier 1920, l'Hygiène, l'Assistance et la Prévoyance sociale furent regroupées dans un seul ministère qui fusionna avec celui du Travail en mars 1924 pour donner, de 1924 à 1930 un Ministère du Travail, de l'Hygiène, de l'Assistance et de la Prévoyance sociale. Comme son nom l'indique le rôle du Ministère de la Santé publique est d'impulser une politique sanitaire par une organisation méthodique à l'échelle du pays et une propagande active. Or, comme le déplore le Dr. Triollet en janvier 1934 dans *les Annales d'hygiène publique*, c'est le «chaos» en matière d'hygiène et les œuvres privées se multiplient sans organisation rationnelle ni contrôle organisé; le Ministère de la Santé publique est un ministère «sans troupes», centre dénué de ramifications (11). D'autre part la prévention est négligée au profit de l'assistance : le budget de 1933 qui consacre un milliard aux dépenses d'assistance, n'a prévu que 82 millions pour la prévention; enfin prévention et propagande sont l'objet de mesures d'économie en 1934-35. Toutefois le Ministère institue «le carnet de santé» en 1938.

Ainsi le projet de santé publique, porté par une minorité d'hygiénistes et d'hommes politiques, ne se réalise que partiellement entre les deux guerres, mais il mûrit dans la lutte contre les fléaux sociaux. Ce même courant a milité pour le vote et l'application de la loi sur les Assurances sociales qui permettent une médicalisation de la société et une démocratisation de la santé.

Les Assurances Sociales : Médicalisation et démocratisation

La médicalisation de la société se manifeste d'abord par la croissance de l'encadrement médical. Comme le montre le tableau suivant, les professions de santé, à l'exception des sages-femmes qui sont, nous le verrons, un corps en crise, et des officiers de santé dont le diplôme fut supprimé en 1892, connaissent des effectifs en hausse.

Années	Docteur en médecine	Officiers de santé	Dentistes	Pharmaciens
1891	12.407	2.512		8.013
1896	13.412	1.605	1.679	8.910
1901	15.907	1.201	1.788	10.248
1906	18.211	928	2.149	11.105
1911	20.113	696	2.848	11.585
1921	20.364	345	3.591	10.587
1926	23.922	217	5.418	10.944
1931	25.410	217	7.057	11.019
1936	25.930	112	8.558	12.005

Au XIXe siècle, comme l'ont montré les travaux de J. Léonard et Th. Zeldin, le médecin vit mal, faute d'une vaste clientèle; il recherche un emploi officiel à temps partiel qui lui procure prestige et revenus fixes : place de consultant auprès de l'hôpital, de médecin des prisons, de médecin des pauvres de la commune, de médecin militaire, de médecin légiste. Au XXe siècle, il existe aussi quelques postes de médecins de l'hygiène publique, ou d'inspecteurs régionaux ou départementaux de la santé; avec la création du Ministère de la Santé publique, des médecins peuvent devenir hauts fonctionnaires ou administrateurs. Mais ce sont surtout les lois sociales qui permettent l'augmentation du nombre des médecins : plus de 25.000 en 1931 soit un pour 1.578 habitants, et le nombre des étudiants a doublé par rapport à 1913. La plus importante de ces lois, après l'Assistance médicale gratuite créée en 1893, et la loi sur les accidents du travail de 1898, est celle qui instaure en 1930 les Assurances Sociales pour les salariés.

Les Assurances Sociales ne sont pas seulement une mesure d'incitation à la natalité. Certes la Confédération des syndicats médicaux français, née en 1928, a refusé le conventionnement, et défendu l'entente directe sur le montant des honoraires, fondement de la médecine libérale. Si quelques conventions locales sont signées entre des caisses et des syndicats, dans l'ensemble les caisses ne peuvent fixer que des tarifs de responsabilité comme bases du remboursement (celui-ci est de 80 à 85 % des frais médicaux et pharmaceutiques dans le cas de l'assurance-maternité). Ce tarif est bien souvent inférieur aux honoraires effectivement versés par le client et qui ont été fixés par le praticien ou parfois déterminés par les syndicats de médecins. Certaines personnes, pour qui il est difficile de débourser une somme très supérieure au remboursement, peuvent hésiter à recourir aux services de la médecine. Certes la loi n'est pas appliquée dans son intégralité, puisqu'en 1935 les immatriculés sont presque deux fois plus nombreux que les cotisants (5,5 millions). Mais le système des Assurances Sociales permet à beaucoup l'accès aux soins, et médicalisant la société, joue un rôle positif sur la santé publique; avant d'être une réalité ce fut d'ailleurs l'argument des promoteurs de la loi qui soulignait les bas taux de mortalité générale et infantile en Alsace Lorraine où fonctionnait une sécurité sociale.

Le 1er février 1933, Marcel Martin, Directeur adjoint de la Caisse Interdépartementale de la Seine et de la Seine-et-Oise, déclare dans une conférence à la Bourse du travail : «Les Assurances Sociales doivent par tous les moyens, par l'éducation d'abord, par l'obligation ensuite, amener les futures mamans à déclarer leur grossesse le plus tôt possible et leur faire comprendre que leur santé et la vie de l'enfant qu'elles portent peuvent dépendre d'une déclaration précoce et d'examens médicaux réguliers». La méthode utilisée par les Caisses est de soumettre le versement des prestations, non seulement à des conditions de cotisations (60 jours pendant les trois mois précédents ou 240 jours l'année précédente), mais aussi à la participation à des contrôles médicaux : consultations prénatales ou de nourrissons (pour les primes d'allaitement) puisque le bénéfice de l'assurance-maternité s'étend du début de la grossesse jusqu'à six mois ou un an après la naissance. La bénéficiaire doit se plier à des formalités : la présentation à la Caisse au moins trois mois avant l'accouchement d'un certificat de grossesse signé par un médecin ou une sage-femme selon un modèle fourni;

l'envoi au plus tard 48 heures après l'accouchement d'un certificat d'accouchement; et pour toucher les indemnités journalières la présentation d'un certificat d'arrêt de travail et l'engagement de ne pas travailler.

«Le principe de la consultation prénatale pour les femmes assurées était né; il restait à éviter l'erreur de prendre le mot consultation prénatale dans un sens trop étroit et de faire de celle-ci une visite de «courtoisie», faite par la parturiente le mois ou la quinzaine précédant ses couches. Tout se borne alors à un palper rapide et une analyse des urines» écrit René Petit dans sa thèse, présidée par Couvelaire et consacrée en 1932 à la Caisse de la Seine et Seine-et-Oise. Le règlement de cette Caisse complète les dispositions de la loi et assure par un système d'incitations et de pénalisations une surveillance effective de la femme enceinte. Le certificat de grossesse doit être envoyé quatre mois avant l'accouchement; il est suivi d'un examen gynécologique complet (avec prise de sang et analyse d'urine) dans des consultations agréées ou chez l'un des médecins dont la liste est fournie par la Caisse. Deux autres examens doivent être faits aux septième et huitième mois; les trois sont gratuits et donnent lieu chacun au versement d'une prime de 10 francs tandis que le non-respect de cette règle conduit à la suppression des indemnités journalières. Celles-ci ne sont touchées qu'en cas de «repos complet» («en dehors des services du ménage» précise le texte) pendant les six semaines qui précèdent et les six semaines qui suivent l'accouchement, la preuve étant constituée par une déclaration visée par la visiteuse et envoyée tous les quinze jours après l'accouchement. Enfin la délivrance des primes d'allaitement ou des bons d'allaitement n'est obtenue que sur présentation régulière (chaque quinzaine pendant six mois, chaque mois ensuite jusqu'à un an) de l'enfant à la consultation de nourrissons.

L'assurée est guidée dans ses démarches par le *Livret de la Future Maman*, envoyé dès réception du certificat de grossesse, et contenant les renseignements et les pièces nécessaires pour toucher les prestations ainsi que la liste des consultations. Carnet jaune d'une trentaine de pages, il porte en couverture, outre le titre, une inscription doucereuse : «Un sourire d'enfant sèche bien des larmes». Suit, en page un, l'adresse que voici :

«Madame,

Vous attendez un bébé et vous avez la volonté qu'il devienne robuste et bien portant. Cependant vous ne pouvez ignorer les dangers qui menacent l'enfance.
Ces dangers peuvent et doivent être évités.
La loi sur les assurances sociales vous permet d'acquérir la quié-tude morale et de prendre toutes les précautions d'hygiène qui assureront à votre grossesse un heureux dénouement.
Pour cela il suffit que vous consentiez à suivre les conseils et les soins des praticiens expérimentés que nous vous invitons à consulter.
Le présent livret qui a pour but de vous faire connaître les for-malités que vous devez remplir pour obtenir le bénéfice de la loi contient en outre quelques conseils inspirés par l'expérience des hygiénistes et des médecins.
Nous espérons qu'il vous plaira de le feuilleter de temps à autre. Avec nos vœux, veuillez agréer, Madame, l'assurance de nos meilleurs sentiments».

Après un tableau résumant ce qu'il faut faire pour toucher les prestations, et des conseils à suivre (dessins à l'appui) avant l'accou-chement, trois pages sont consacrées aux observations recueillies lors des trois examens. Le souci d'une surveillance réelle de la grossesse se reflète à travers le nombre et la précision des cases à remplir, qui concernent pour le premier examen les antécédents généraux fami-liaux et personnels (le but étant de déceler les risques de syphilis «héréditaire»), les antécédents obstétricaux (nombre d'accouche-ments, de morts-nés, de fausses couches), les résultats de l'analyse d'urine (le but est d'éviter l'albumine, cause de nombreux accidents), de sang, la conformation du bassin, l'époque présumée de l'accouche-ment, enfin les renseignements spéciaux et les observations particu-lières. Les deuxième et troisième examens renouvellent l'analyse d'urine et précisent la présentation et les bruits du cœur du fœtus.

Le reste du carnet est constitué de feuillets détachables à en-voyer à la Caisse : feuilles de consultation, déclarations de repos, certificat d'accouchement, feuilles de comptes... Cette surveillance médicale de la grossesse est entièrement gratuite pour l'assurée ou la femme de l'assuré; la Caisse verse au dispensaire 70 F, 30 F pour les trois primes, 30 F pour les frais et la rémunération du médecin, 10 F pour la prise de sang. Ce système avec ses exhortations et ses contraintes constitue une véritable entreprise d'acculturation des femmes des classes populaires pour qu'elles ne considèrent plus l'état de grossesse comme un état ordinaire et qu'elles suivent les conseils des médecins. La seule imperfection selon René Petit est un début trop tardif de la surveillance médicale (5ème mois), qui n'autorise pas un long traitement de la syphilis avant l'accouchement.

La gratuité, si elle ne permet pas de vaincre toutes les réticences, permet l'accès à la surveillance médicale et aux soins. Elle n'est assurée que dans les consultations organisées par les Caisses, ou en accord avec elles, par les dispensaires et les hôpitaux. Les femmes enceintes et les jeunes mères peuvent consulter des médecins privés mais non des sages-femmes pour certaines Caisses, ce qui provoque la colère de la profession; dans ce cas le remboursement n'est pas intégral. De même, que l'accouchement ait lieu à l'hôpital public, dans une maison d'accouchement, une clinique privée, ou à domicile avec l'aide d'une sage-femme ou d'un médecin, les frais ne sont plus entièrement, grâce à l'assurance, à la charge de la parturiente; ce qui dans les années vingt constituait une gêne importante pour les familles ouvrières ou petites-bourgeoises qui ne pouvaient prétendre à l'A.M.G., c'est-à-dire à la prise en charge par la commune et le département.

Lorsque l'accouchement est effectué par une sage-femme privée, le remboursement est forfaitaire; la Caisse de la Seine a fixé en 1930 ses tarifs de responsabilité (desquels il faut déduire 15 à 20 % de ticket modérateur à la charge de l'assurée) à : 300 F pour un accouchement simple, 420 F pour un accouchement gémellaire, 360 F pour un accouchement avec forceps. La parturiente verse des honoraires fixés par la sage-femme et qui peuvent correspondre à un tarif syndical. Les tarifs votés en 1929 et approuvés les années suivantes jusqu'en 1937 par l'Association des accoucheuses et puéricultrices de France sont supérieurs aux indemnités forfaitaires et se présentent ainsi pour Paris et la Banlieue :

— accouchement normal et neuf visites .... 400 F
— accouchement gémellaire et neuf visites .... 700 F
— visite de grossesse ou de suite de couches (jour) .... 20 F
— visite de grossesse ou de suite de couches (nuit) .... 40 F
— consultations .... 15 F
— vaccination .... 20 F
— journée de garde .... 60 F
— accouchement et neuf jours de séjour chez la sage-femme   1.000 F

L'application de la loi donne lieu à de nombreux litiges et interrogations dont témoigne *Le Journal des Accoucheuses* qui donne la parole aux membres de l'association citée ci-dessus et à son conseiller juridique H. Noguères. Pendant de longs mois, le journal imprime l'encart suivant intitulé «Assurances sociales» : *«Collègues ne signez pas la feuille de Maternité avant d'avoir touché vos honoraires*. Nous rappelons aux collègues que l'application de la loi sur les Assurances Sociales ne modifiera en rien leurs rapports avec la clientèle. Les assurées choisiront librement leur sage-femme. Les sages-femmes conviendront du prix de leurs honoraires directement avec leurs clientes assurées. Les assurées paieront directement leur sage-femme qui signera ensuite la feuille rose de Maternité. La signature de la sage-femme apposée sur la feuille de maternité est considérée comme acquit par les Caisses d'Assurances Sociales qui remboursent sur le vu de ce paraphe la part des honoraires qui leur incombe». La Caisse ne connaît pas généralement le montant des honoraires perçus; dans le meilleur des cas, l'assurée de la région parisienne conserve à sa charge une somme de 145 F (avec le ticket modérateur), ce qui correspond à environ 20 % des plus bas salaires mensuels des années trente. Somme élevée qui pousse les femmes des milieux populaires vers l'hôpital.

L'hospitalisation des assurés sociaux est cependant un des points litigieux de la loi : reconnaissant les principes de la médecine libérale (libre choix du praticien, entente directe sur les honoraires, secret professionnel), elle entre en conflit avec la loi de 1851 sur le fonctionnement des hôpitaux. Celle-ci consacre le rôle de l'hôpital comme maison de santé des pauvres, accueillant gratuitement toute personne «privée de ressources», et vivant de la charité privée

et publique (dotations, rentes, subventions communales et départementales); elle donne également tout pouvoir à la Commission administrative vis-à-vis du corps médical et des tiers qui se font hospi-
taliser en payant : elle peut nommer les médecins ou admettre tous
les médecins de ville, fixer un forfait, ou laisser le corps médical
percevoir des honoraires. Après les accidentés du travail, les pen-
sionnés de guerre, les particuliers aisés, les assurés sociaux élargis-
sent la clientèle payante. De nombreux médecins et sages-femmes
voudraient percevoir les honoraires des hospitalisations payantes;
quelques-uns prévoient l'évolution vers un corps de médecins salariés. La plupart des Commissions administratives passent des conventions avec les Caisses, sans toujours consulter le corps médical;
les assurés paient des frais d'hospitalisation qui ne doivent pas dépasser «les tarifs pratiqués dans les établissements hospitaliers de
l'A.P. à l'égard des malades admis au tarif le plus bas des malades
payants». Il en résulte une grande diversité de cas qui n'est pas
moindre pour les assurés ayant recours à la médecine de ville, chaque caisse ayant une très large autonomie.

Les pouvoirs publics, à la fin des années trente, souhaitent
uniformiser et mettre de l'ordre; en ce qui concerne l'assurance-
maternité, deux circulaires de novembre 1937 et octobre 1938 précisent les droits de l'assurée et fixe à l'échelle nationale deux tarifs
limites de réassurance de l'indemnité forfaitaire selon la taille de la
localité (villes de plus de 200.000 habitants et circonscriptions in-
dustrielles pour le tarif le plus élevé, toutes les autres localités pour
le deuxième). L'assurée bénéficie :

1 — d'une prestation destinée à couvrir les frais des consultations prénatales, accordée dans la limite des dépenses réellement
engagées, et dont le tarif limite est fixé à 100 ou 75 F.

2 — d'une prestation destinée à couvrir les frais de l'accouchement :

. prestation forfaitaire dont le tarif limite de réassurance
est 425 ou 325 F, si l'accouchement a lieu à domicile, quelque
soit le praticien, médecin ou sage-femme;

. si l'accouchement a lieu dans un établissement public de
soins, le tarif de réassurance est fixé à 100 % du prix de journée

le plus bas exigé pour les accouchements payants, prix global remboursé pendant douze jours (à partir du treizième, les prestations de l'assurance-maladie sont accordées);

. si l'accouchement a lieu dans une clinique privée ayant passé convention avec la Caisse, ou ayant reçu son agrément, ou se soumettant au contrôle, le tarif limite de réassurance est celui d'un accouchement à domicile;

. lorsque la clinique ne rentre dans aucune des catégories citées, tout remboursement est supprimé.

3 — d'une majoration de 150 ou 100 F en cas d'accouchement gémellaire.

4 — d'une majoration en cas d'accouchement dystocique lorsque les interventions sont pratiquées par un médecin :

. l'accouchement avec grande extraction du siège ou version par manœuvres internes est majoré de 250 ou 200 F;

. les césariennes, la symphyséotomie, le traitement chirurgical de la rupture utérine, la réfection chirurgicale du plancher périnéal, le curetage dans les suites de couches, les embryotomies sont des interventions chirurgicales remboursées au titre de l'assurance maladie. En cas d'accouchement à l'hôpital, tous les frais sont pris en charge par la Caisse pendant une durée non déterminée.

5 — d'une prestation post-natale de 100 ou 75 F payée à l'œuvre qui assure des consultations, ou à l'assurée qui s'adresse à un praticien de son choix.

La circulaire précise enfin qu'en cas de multiplicité des tarifs dans un département, le tarif de réassurance le plus élevé est étendu à tout le département. Les sages-femmes ayant augmenté leurs tarifs syndicaux, l'accouchement à l'hôpital ou en maternité publique est incontestablement la formule la plus avantageuse pour l'assurée puisqu'elle est prise en charge intégralement même en cas de complication, et continue à toucher l'indemnité journalière (la moitié du salaire). Mais le discrédit jeté sur l'hôpital de par ses origines d'hospice pour indigents constitue un frein à l'élargissement de la clientèle. Pourtant, si les mentalités de la population et des cadres hospitaliers évoluent peu, l'hôpital change pendant l'entre-deux-guerres et certains esquissent une véritable politique hospitalière.

L'évolution des hôpitaux — L'esquisse d'une politique hospitalière

«L'hôpital n'est plus seulement le refuge de l'abandon et de la souffrance, mais l'instrument d'une politique d'hygiène et d'assistance qui veille sur la population entière» déclare le Dr. René Sand au 2ème Congrès international des hôpitaux à Vienne (12).

L'hôpital évolue sous la pression de nombreux facteurs, essentiellement l'enrichissement des connaissances médicales et la mise en pratique des lois sociales. La guerre de 1914-1918 est une époque de grande expérimentation chirurgicale et médicale, conduisant à la création de nouvelles spécialités et au développement de l'arsenal thérapeutique. L'hôpital peut parfois apparaître comme le lieu d'une médecine de pointe et ses dépenses s'en ressentent. Les dépenses hospitalières sont multipliées par six entre les deux guerres, surtout à cause des frais de pharmacie et de personnel dont la part passe de 25 % en 1910 à 48 % en 1938. En effet l'encadrement s'améliore passant de 3,4 hospitalisés pour un employé en 1898 à 2,3 en 1938; le personnel tant médical qu'infirmier augmente fortement; le poids du personnel religieux diminue, tandis que disparaît la rémunération au pair et qu'augmentent les salaires d'infirmières diplômées d'État (le diplôme est créé en 1922). Le tableau suivant résume l'évolution décrite :

	Nombre de médecins hospitaliers	Nombre de religieuses	Nombre d'infirmières laïques
1908	3.826	12.362	13.956
1939	6.107	13.719	28.818

L'augmentation des dépenses pose la question d'une participation financière des hospitalisés. Avec la création de l'assistance médicale gratuite, s'élabore lentement la notion de prix de journée, somme perçue par l'hôpital. L'assuré social, le malade admis à titre payant versent un prix de journée, mais selon M. Rochaix, les sommes sont loin de couvrir l'intégralité des dépenses, car le calcul reste fait sur le prix de revient des années antérieures et n'inclut pas l'amortissement (toutefois la *Revue Philanthropique* mentionne un décret de 1930 permettant de comptabiliser les dépenses de construction). L'entre-deux-guerres apparaît comme une période où les réformes nécessaires ne sont qu'esquissées car elles se heurtent à d'énormes résistances qui veulent maintenir la vocation traditionnelle de l'hôpital-hospice des pauvres. L'ouverture de l'hôpital aux malades payants est inscrite dans la charte de 1931, mais en 1934, Mourier, directeur de l'Assistance Publique, rappelle que, selon la loi de 1851, le rôle de l'hôpital est d'accueillir les indigents, à l'exception des assurés sociaux. La situation est donc très variable d'un établissement à l'autre. Le nombre des malades hospitalisés annuellement double entre 1901 et 1941, passant de 624.792 à 1,2 million pour environ 1.900 établissements; ils sont issus de couches sociales plus diversifiées (assurés sociaux, petits payants), mais la rigidité des administrations hospitalières conduit à la multiplication des cliniques privées, et freine la transformation de l'hôpital et de son image dans le public. Le Dr. Latier note une évolution réelle mais l'affirmation suivante est certainement trop optimiste : «l'hôpital a cessé d'être un objet de terreur pour le public, cette idée de déshonneur qui s'attachait à l'hospitalisé et à sa famille a disparu».

Pourtant, certains font de l'hôpital l'axe central dans la défense de la santé publique et élaborent des projets très modernes d'organisation hospitalière rationnelle. Pour le Dr. Latier, l'hôpital doit être un centre de santé avec services extérieurs et assistantes sociales et il souscrit à la proposition de Mme G. Getting, d'un examen médical à l'hôpital, complet et annuel, grâce auquel «chacun pourrait se renseigner sur sa santé, sur ses aptitudes physiques, dirigeant son orientation professionnelle d'accord avec ses possibilités. De même il pourrait aider et améliorer son développement physique par la pratique de sports appropriés qui lui seraient conseillés et par les préceptes d'hygiène qui lui seraient enseignés». Cette médecine de contrôle social n'est qu'en partie réalisée par les dispensaires et le projet de bilan de santé annuel et généralisé est très ambitieux; tout comme l'idée d'une politique hospitalière, prévoyant un plan de construction pour mettre sur pied une organisation rationnelle fondée sur une hiérarchie de fonctions (donc de taille et de technicité) liée au ressort de l'établissement. Le terme de rationalisation apparaît pour la première fois dans une circulaire du 15 octobre 1920 du Directeur de l'Assistance et de l'Hygiène Publique, mais le concept chemine très lentement au gré d'études novatrices mais à l'impact faible. En 1932 un rapport présenté au Conseil Supérieur de l'Assistance Publique évalue les besoins à un lit pour 500 habitants et souhaite, qu'outre les hôpitaux fonctionnant près des Facultés et dotés de nombreuses spécialités, chaque département comprenne «un grand hôpital équipé à la moderne», «des établissements répartis entre les arrondissements», «des hôpitaux intercommunaux ou cantonaux conçus comme des postes de secours avant transfert et abritant des lits pour vieillards et incurables». Ce projet qui présente une analogie avec l'organisation hospitalière des armées en campagne reçoit l'adhésion du Comité de l'inspection générale. Les recherches sont poursuivies, animées essentiellement par P. Nelson et Sarraz-Bournet (haut fonctionnaire) qui, sur le même principe, prévoient un Bureau central d'administration nationale et une organisation régionale comprenant une cité régionale de santé à l'usage de 5 millions de personnes, des centres divisionnaires pour 100.000 habitants et des unités de dispensaires pour 2.500 personnes. Évaluant avec précision les besoins en lits, ils proposent un lit de maternité pour 10.000 habitants...

***

L'entre-deux-guerres est une période de médicalisation de la société française. Même si les projets sont en avance sur les réalisations concrètes, la création des Assurances sociales et le développement des dispensaires sont des phénomènes importants. Le contexte est très favorable à la médicalisation de la maternité et c'est dans ce domaine, en fonction de l'impératif démographique, que l'évolution est la plus marquée.

A côté du mouvement nataliste qui se fige dans une obstination aveugle à l'inefficacité des remèdes et contraintes proposés pour obtenir «100.000 existences de plus chaque année», se développe un courant réaliste qui entend agir sur la mortalité infantile. Il rassemble tout au long de la période des moralistes observateurs de la vie sociale, des hygiénistes, des médecins qu'ils soient natalistes comme Pinard ou Couvelaire, ou malthusiens comme Sicard de Plauzolles. La répression est inapplicable, l'aide financière inopérante, parce que la dénatalité correspond à une évolution sociale irrémédiable; s'il est donc difficile de jouer sur les facteurs économiques et moraux de dénatalité, il est possible d'infléchir «les facteurs d'hygiène». Cette argumentation est souvent développée; je citerai Paul de Bellegarde qui présente en 1922 le projet de loi sur les Assurances sociales : «La restriction des naissances s'explique par des raisons de nécessité matérielle que des allocations pécuniaires fatalement limitées sont incapables de trancher dans la plupart des cas, sans parler des considérations de morale sur lesquelles l'argent n'a pas prise et des obligations de la vie contemporaine qui éloignent malheureusement mais trop réellement nos contemporains du désir de devenir chefs de nombreuses familles... On ne remonte pas de pareils courants. N'avons-nous pas d'ailleurs un moyen autrement efficace d'empêcher la diminution de la population en sauvant la vie des nouveaux-nés, décimés par la mort, notamment parce que l'allaitement maternel se donne de moins en moins, et que l'hygiène infantile est mal observée. Encourageons par des primes élevées l'allaitement au sein, armons le corps médical des moyens les plus puissants pour lutter contre la mortalité infantile et nous verrons bientôt le chiffre des naissances contrebalancer celui des décès pour le dépasser ensuite». Je pourrai reprendre aussi les propos du professeur d'hygiène infantile A. Marfan, devant le congrès international pour la protection de l'enfance en 1933 à Paris, ou ceux de A. Couvelaire à l'Académie de médecine en 1937 : «Les lois contre la vente des appareils anti-conceptionnels féminins, contre l'avortement délit sont inappliquées parce qu'au fond elles sont inapplicables..., (devant) le bouleversement apporté par la loi à la transmission de la propriété rurale, l'exode des populations rurales vers les agglomérations urbaines, l'organisation de plus en plus centralisée du travail collectif standardisé, l'aspiration par les usines d'un nombre croissant de manœuvres et hélas ! d'un sexe qui est fait pour autre chose que de gagner le pain quotidien à la sueur de son front». Couvelaire exprime son idéal féminin, la femme-mère dotée du droit de vote pour «collaborer à l'élaboration des lois et décider de la paix ou de la guerre», mais son action de médecin, conscient des réalités, est une lutte à la maternité Baudelocque contre la mort des mères et des enfants.

S'il est difficile de faire naître, il est possible de préserver non seulement l'enfant né mais aussi l'enfant conçu, de «sauver la graine» en diminuant le nombre d'avortements spontanés et les taux de mortinatalité et de mortalité infantile, taux qui sont élevés en France par rapport à ceux d'autres pays européens. En 1920, le taux de mortalité infantile (nombre d'enfants qui meurent avant un an pour 1.000 naissances vivantes) avoisine 100 o/oo; en 1929, 60.000 enfants sont morts avant un an, dont plus du tiers le premier mois de leur naissance. En 1934, les taux européens sont les suivants :

- France .... 69 o/oo
- Royaume-Uni .... 57 o/oo
- Allemagne .... 68 o/oo
- Italie .... 99 o/oo
- Pays-Bas .... 40 o/oo

Cette même année, il y a en France 25.722 morts-nés, soit un taux de mortinatalité (nombre de morts-nés pour 1.000 naissances totales) de l'ordre de 36 o/oo. Les taux de mortalité infantile et de mortinatalité sont particulièrement élevés dans le département de la Seine : respectivement 88 o/oo et 49,3 o/oo en 1930 pour des moyennes françaises de 78 et 36,3 o/oo; de même, chez certains groupes d'enfants, comme les enfants illégitimes où la mortalité infantile atteint alors 129 o/oo. Il est possible aussi de préserver la vie et la santé de la mère, et d'agir contre la stérilité pathologique qui touche environ 10 % des couples. En 1936, le professeur André Binet chiffre le gain possible de naissances à 30.000.

Ainsi la solution réaliste à la question de la dénatalité est de sauver la graine et d'aider les mères volontaires, c'est-à-dire de protéger la maternité. Hors les mesures sociales, la protection de la maternité signifie sa médicalisation, essentiellement à travers l'institution maternité.

DEUXIEME PARTIE

LA MATERNITÉ MÉDICALISÉE :
L'INSTITUTION MATERNITÉ

> *«La naissance d'un enfant n'est jamais entourée de trop de soins».*
>
> G. Montreuil Strauss,
> *Avant la Maternité*

> *«C'est peut-être dans l'ordre des maternités que la France a fait le plus d'efforts et accompli les progrès les plus réels».*
>
> *Le Journal de la Femme*, 1938,
> enquête sur l'assistance maternelle

Traditionnellement, la maternité et l'accouchement sont une affaire de femmes et une aventure dangereuse tant pour la mère que pour l'enfant. En 1806 fut créée la chaire d'obstétrique, première chaire de spécialité médicale que Napoléon confia à Baudelocque. Les hommes éliminèrent progressivement les femmes des fonctions enseignantes mais, devant la pudeur des parturientes, leur laissèrent la pratique jusqu'en 1882, date de la création par l'Assistance Publique d'un corps de médecins accoucheurs. Ceux-ci s'imposent à la faveur de la révolution obstétricale qui touche la France après les découvertes pastoriennes et permet une forte réduction de la mortalité maternelle. Devant la baisse de la natalité française (13), certains proposent, par dessus les appels à la répression, de lutter contre la mortalité infantile, en organisant une véritable protection maternelle et infantile. Elle prend corps progressivement dans les trente à quarante années qui précèdent la Grande Guerre : lois nouvelles, de la loi Roussel de 1874 sur la protection des enfants du premier âge, à la loi Strauss de 1913, œuvres privées de protection des mères dans le besoin, et surtout structures nouvelles de médicalisation de la maternité et invention de la puériculture.

Ainsi, comme l'écrivent Yvonne Knibiehler et Catherine Fouquet dans leur ouvrage de synthèse *L'Histoire des Mères du moyen-âge à nos jours*, «on voit renaître en force, à la fin du XIXe siècle, le même désir de protéger, d'éduquer, d'investir les mères, qui s'était déjà manifesté à la fin du XVIIIe siècle parmi les philosophes et les médecins; après Rousseau, ils avaient échoué, mais après Pasteur, ils vont réussir».

De ce mouvement de médicalisation de la maternité se détachent de fortes personnalités politiques et médicales comme Paul Strauss, ou Pierre Budin (1846-1907) qui, après ses voyages d'études sur le fonctionnement des maternités européennes, organise à la Charité la première consultation de nourrissons en 1892, avant de remplacer Tarnier comme accoucheur à la Maternité en 1898. Dans *Maman* de mai 1932, Marie-Thérèse Pierre Budin raconte que c'est aussi en demandant aux femmes des nouvelles de l'enfant qu'il avait mis au monde et en entendant souvent : «il est mort», qu'il eut l'idée de faire revenir les nourrissons toutes les semaines; en 1900 son livre *le Nourrisson* révolutionne le monde médical et en 1909 Strauss crée la Fondation Pierre Budin qui accueille 150 enfants par semaine et donne des conseils pour la création d'une consultation. Citons aussi les médecins Dufour et Variot qui fondent les premières Gouttes de lait à Fécamp en 1894, à Belleville en 1896, et surtout Adolphe Pinard (1844-1934) qui, par sa communication sur la «puériculture intra-utérine» à l'Académie de médecine en 1895, est à l'origine des consultations pour femmes enceintes et fut toujours un militant actif pour la protection des femmes en couches et le développement de la puériculture.

Ébauchée à la fin du XIXe siècle, la médicalisation de la maternité est accélérée par la guerre. L'appel à la main-d'œuvre féminine et la vie difficile des mères ouvrières posent avec acuité la contradiction travail-maternité (14), tandis que la recrudescence de la tuberculose et de la syphilis ajoute aux hécatombes du front une forte morbidité des adultes et des enfants. En réponse au cri d'alarme de Pinard, le sénateur P. Strauss termine une communication à l'Académie de médecine le 2 janvier 1917 par ces mots : «Eh bien Messieurs, c'est à nous, demain, pour l'après guerre, quand le déficit de la main-d'œuvre masculine sera encore plus considérable, plus émouvant et plus douloureux, à ne rien négliger pour que la femme qui nous apporte sa contribution précieuse et indispensable à la vitalité du pays soit de plus en plus protégée dans sa maternité et ménagée comme puissance de race». Pour l'heure, la Croix Rouge américaine de l'Enfance qui arrive avec des crédits considérables et des méthodes rôdées, montre aux Français ce qu'est une action intensive d'éducation des mères pour sauver les bébés : exposition à Lyon sur la santé de l'enfant, création de dispensaires, formation d'infirmières-visiteuses, spectacles divers.

«Sauver la graine», expression employée par Pasteur à propos des vers à soie et reprise à propos des enfants devient une nécessité

de l'entre-deux-guerres. Les Français s'y emploient avec leurs propres méthodes et plus ou moins de succès.

***

CHAPITRE I

LA RÉORGANISATION DES MATERNITÉS

> *«Une maternité ne doit pas être seulement une maison d'accouchement mais un centre d'assistance médico-sociale et de travail scientifique consacré à la fonction de reproduction».*
>
> A. Couvelaire, accoucheur
> de Baudelocque

> *«Baudelocque, la maternité Adolphe Pinard comptent parmi les établissements les plus modernes d'Europe».*
>
> Le Journal de la Femme, 1938

> *«Il n'est pas d'œuvre d'hygiène à grand rendement sans service social».*
>
> Le Préfet de la Seine,
> E. Renard, 1932

Le rapport d'ensemble sur la tournée des inspecteurs d'hygiène en 1919 conclut qu'«en bien des endroits, les maternités sont insuffisantes comme nombre et comme importance». Aussi la circulaire du 28 décembre 1927 de P. Strauss aux préfets préconise-t-elle de «poursuivre dans chaque département la création des institutions et des œuvres d'hospitalisation pour les femmes enceintes, pour les mères convalescentes de couches, pour les mères nourrices sans abri» et précise que «l'aménagement des maternités fait naturellement partie de ce programme de protection maternelle avec l'adjonction d'un service social d'entraide et de patronage». De même, en 1923, dans un rapport au Comité national de l'enfance, L. Devraigne demandait la généralisation des consultations prénatales, la création d'une maternité par ville de plus de 10.000 habitants, et une action dans les campagnes pour lutter contre les matrones, multiplier les postes de sages-femmes instruites, créer de petites maternités, agrandir les dortoirs pour femmes enceintes malades, mais précisait-il, «en aucun cas, ces dortoirs ne doivent se transformer en refuges ou asiles de femmes enceintes saines». La maternité ne saurait être un lieu de charité, comme elle l'était au XIXe siècle, en même temps qu'un mouroir sans pitié. Elle ne saurait être non plus une simple maison d'accouchement.

En 1938 une étape est franchie; dans sa thèse de médecine parue cette année-là – *Les maternités, la puériculture et la prophylaxie* – A. Valero Bernal constate avec enthousiasme l'évolution : «avec ses services de consultation, la maternité constitue non seulement l'œuvre fondamentale pour la prophylaxie contre la mortalité infantile et la mortinalité mais aussi une grande école, tant pour les mères que pour le personnel qui doit se spécialiser dans la puériculture». De l'avis quasi général, celui des professionnels — accoucheuses, femmes-médecins, praticiens —, celui de la presse qui se penche sur la question, la maternité Baudelocque dans le 14e arrondissement de Paris est le modèle de ses nouvelles maternités tant par son équipement que par son fonctionnement. Le Professeur Lacomme qui dirigeait alors le service pour «femmes tuberculeuses», évoque encore aujourd'hui le «palais Baudelocque». Le modèle se diffuse entre les deux guerres, effaçant progressivement les réalités anciennes.

La maternité au XIXe siècle : refuge des pauvres et mouroir

Dans *Germinie Lacerteux*, édité en 1865, Les Goncourt consacrent quelques pages à la Maternité de Paris, où Germinie accouche, faute de pouvoir payer la sage-femme de la rue de la Huchette, car son amant vient de lui extorquer 40 francs. «Elle mit au monde une petite fille. On roula son lit dans une autre salle. Elle était là depuis plusieurs heures, abimée dans ce doux affaissement de la délivrance qui suit les épouvantables déchirements de l'enfantement... Tout à coup un cri... Presque au même instant, d'un lit à côté, il s'éleva un autre cri horrible, perçant, terrifié, le cri de quelqu'un qui voit la mort... Il y avait alors à la Maternité une de ces terribles épidémies puerpérales qui soufflent la mort sur la fécondité humaine, un de ces empoisonnements de l'air qui vident, en courant, par rangées, les lits des accouchées et qui autrefois faisaient fermer la clinique : on croirait voir passer la peste, une peste qui noircit les visages en quelques heures, enlève tout, emporte les plus forts, les plus jeunes, une peste qui sort des berceaux, la Peste noire des mères ! C'était tout autour de Germinie, à toute heure, la nuit surtout, des morts telles qu'en fait la fièvre de lait, des morts tourmentées, furieuses de cris, troublées d'hallucination et de délire, des agonies auxquelles il fallait mettre la camisole de force de la folie, des agonies qui s'élançaient tout à coup, hors d'un lit, en emportant les draps et faisaient frissonner toute la salle de l'idée de voir revenir les mortes de l'amphithéâtre». Sur les conseils d'une élève sage-femme, Germinie quitte la maternité le sixième jour pour échapper à la contagion et se soigner chez elle.

Derrière l'emphase de romanciers naturalistes, ces lignes décrivent la maternité-mouroir d'avant Pasteur. Aucune précaution n'était prise lors de l'accouchement. Semmelveis, médecin autrichien (1818-1865) eut, comme pionnier, beaucoup de difficultés à imposer un minimum d'asepsie (se laver les mains...) et les accouchées étaient placées avec d'autres dans de grandes salles communes. La fermeture des tours dans les années soixante provoqua la fondation de maternités, lieux d'accueil des pauvres, mais l'hygiène n'y était pas meilleure. Les témoignages contemporains, de Le Fort, du Dr. Charrier ou du célèbre Tarnier sont accablants. En 1856, Tarnier, interne à la Maternité voit mourir d'infection puerpérale 132 femmes sur 2.237 accouchées soit 1 sur 19, alors qu'au même moment la mortalité des accouchées du 12e arrondissement n'est que de 1 sur 322; en 1861 la mortalité atteint 10 %. L'hôpital de la Charité est encore plus meurtrier : sur les trois années 1859-1861, 12,6 % des accouchées ne sont pas sorties vivantes. Chaque année, la fièvre puerpérale fait périr 500 femmes de Paris admises dans les hôpitaux. Pour Charrier, «l'agglomération des nouvelles accouchées engendre fatalement le poison puerpéral», et il demande le remplacement des grandes maternités par de petits services dirigés par des accoucheurs. Dans ces conditions, la maternité, véritable mouroir de femmes, n'est peuplée que de pauvres qui ne peuvent faire leurs couches à domicile ou chez une sage-femme, et elle offre une image terrifiante.

Tarnier supputait et déclarait que la fièvre puerpérale est contagieuse; il en a la confirmation grâce aux recherches sur l'étiologie de Pasteur qui le 11 mars 1879 fait connaître l'agent infectieux : le streptocoque. Dès 1875, Tarnier faisait construire un pavillon d'isolement dans les jardins de la Maternité, et la mortalité des accouchées tombait de 10 % à 2,3 %; dès lors il se fait l'apôtre de l'antisepsie en obstétrique : en 1882, seulement 1,1 % des femmes mourut de fièvre puerpérale. La décennie quatre-vingt consacre «une véritable révolution» selon les termes du Professeur Couvelaire dans sa leçon inaugurale le 6 novembre 1919 à Baudelocque : progrès de l'antisepsie, création par l'arrêté du 18 octobre 1881 de services spéciaux d'accouchements confiés à un corps de médecins spécialisés : les accoucheurs (les chefs de service se désintéressant auparavant des lits d'accouchées).

Mais, malgré les tentatives décrites précédemment d'une organisation de protection maternelle et infantile, les maternités restent des maisons d'accouchement charitables. L'interview d'une joueuse de harpe, née en 1895, mariée au lendemain de la guerre à un étudiant en médecine, et qui est accouchée en 1919 dans la maison de ses beaux-parents, par Devraigne en personne, confirme cette donnée : «à l'époque on accouche chez soi» dit-elle et sur mes insistances elle ajoute : «la maternité c'était pour les filles-mères et les femmes de besoin». Ce terme recouvre toutes celles nombreuses, qui ne peuvent prélever sur le revenu familial le prix d'un accouchement à domicile. Selon P. Delaunay qui consacre au début du siècle une thèse aux maternités parisiennes, il y a en 1900 22.861 accouchements dans les quinze services obstétricaux, pour 65.000 naissances; le livre historique édité par l'A.P. pour fêter son centenaire — *Cent ans d'Assistance Publique à Paris, 1849-1949* — donne la proportion d'un accouchement sur deux opéré par l'A.P., moitié dans les maternités, moitié par les sages-femmes agréées par l'Assistance Publique.

Outre des services hospitaliers, Paris dispose au début du siècle de trois établissements spécialisés : la Maternité de Port-Royal, la plus ancienne et la plus grande (160 lits d'enfants, 280 lits d'adultes, 4.977 accouchements en 1900), la clinique d'accouchement ouverte en 1881 et qui prend le nom de Tarnier à la mort du grand accoucheur en 1895, enfin la maison d'accouchement Baudelocque depuis 1889. En 1886, un accord entre la Faculté de médecine et l'A.P. stipulait que les bâtiments en construction sur les terrains de la Maternité serviraient à l'installation d'une nouvelle clinique d'accouchement, avec chaire de clinique obstétricale : Baudelocque. La chaire est confiée à Adolphe Pinard qui prononce sa leçon inaugurale le 21 mars 1890 et s'oppose fréquemment, querelle d'école et de personnes, aux professeurs de la Maternité : P. Budin (1898-1907) puis P. Bar.

Baudelocque ne comprend alors qu'un bâtiment central et quatre baraques dont l'une est un refuge-ouvroir pour 24 femmes enceintes; au total 74 lits d'enfants et 104 d'adultes (8 au service d'accouchement, 56 pour les accouchées, la plupart en dortoirs, 14 au service de gynécologie, le reste pour les cas septiques). Grâce à A. Pinard, Baudelocque assure une consultation de femmes enceintes, longtemps la seule à fonctionner, et elle est la première à s'adjoindre en 1909 un service opératoire. En 1914, son gendre, Alexandre Couvelaire, lui succède et en 1922 débutent les travaux de construction qui font de la maternité Baudelocque (ce terme remplace alors «maison d'accouchement») un modèle d'organisation.

Le modèle Baudelocque : architecture et fonctionnement

Le principe qui préside à l'organisation des maternités entre les deux guerres a été si fortement exprimé par Couvelaire, dans sa brochure explicative de 1930, «*La Nouvelle maternité Baudelocque*», que les termes suivants sont repris dans de nombreux ouvrages et rapports : «*une maternité ne doit pas être seulement une maison d'accouchement, mais un centre d'assistance médico-sociale et de travail scientifique consacré à la fonction de reproduction*; c'est la conception dont nous devons poursuivre la réalisation dans nos maternités françaises, groupant autour du service d'accouchement à l'ancienne mode, des services de gynécologie et de puériculture». Le champ d'action de la maternité s'étend donc de la procréation au sevrage, dans la pratique d'une médecine préventive. Ce que le Pr. G. Roussy, doyen de l'Académie de médecine, un des laudateurs de Couvelaire, appelle l'*obstétrique moderne* n'est plus seulement l'art d'assister les femmes en couches mais «la science de l'heureuse et bienfaisante reproduction».

L'origine des travaux de Baudelocque est assez complexe. Un testament olographe du 7 décembre 1912, au montant de 1,439 million, est dédié par Mr Eugène Valancourt à l'A.P. pour qu'elle édifie, avec l'accord de son ami le Pr. Debove, une clinique portant son nom et affectée à la Faculté de Médecine. Le Pr. Debove, ayant échoué dans son projet d'Institut de recherche pour la tuberculose confie le legs à Pinard. Celui-ci, ne pouvant l'affecter à l'École de Puériculture de la Faculté qui est une fondation privée franco-américaine, propose la reconstruction de Baudelocque, en affectant à la demande de Couvelaire, une partie du capital au fonctionnement d'un laboratoire. Il s'ensuit une procédure classique : la proposition, acceptée en principe par G. Mesureur, directeur de l'A.P., est adoptée unanimement, le 8 juillet 1920 par le Conseil de la Faculté, puis le 30 décembre par le Conseil de Surveillance de l'A.P., enfin par le Conseil municipal (mars 1921), grâce au rayonnement de Pinard et de Couvelaire. L'appui du directeur de l'Institut Pasteur permet l'obtention de crédits complémentaires et le Dr. Louis Mourier, Directeur général de l'A.P. depuis octobre 1920, résout les difficultés juridiques. La maternité doit garder le nom de Baudelocque, la policlinique s'appeler Valancourt et les laboratoires être placés sous le patronage de Mr Debove.

Pendant les travaux, la clinique fonctionne dans les lambeaux de l'ancien service et dans les baraques du pavillon Chaussier mises à la disposition de Couvelaire. Elle offre déjà de multiples services : consultations obstétricales permanentes, consultations gynécologiques, consultations pour nourrices et nourrissons ouvertes en 1919, un dispensaire antisyphilitique annexé en 1919 et un centre obstétrical réservé aux tuberculeuses ouvert en 1921. La clinique neuve, achevée en 1929, ne complète cet arsenal médical que par une consultation prénuptiale (1930) et un centre de donneuses de lait (1936); elle accroît légèrement sa capacité mais elle est surtout la traduction architecturale d'un fonctionnement rationnalisé : les services d'hospitalisation sont dotés de «dispositifs nouveaux», et la policlinique a «le développement que mérite ce rouage essentiel d'une maternité, au point de vue assistance médicale, assistance sociale et enseignement clinique». L'aspect extérieur de l'actuelle maternité est encore celui issu de ces travaux.

— Les services d'hospitalisation

Le plan général ci-après montre la disposition d'ensemble des bâtiments et leurs dimensions. Doté d'un seul étage, la policlinique a une entrée sur le boulevard de Port-Royal, près de la crèche du personnel et du pavillon de convalescence. Le grand bâtiment central sur quatre niveaux, comprend les services d'enseignement, de recherche et d'hospitalisation. «Les services obstétricaux aseptiques et septiques jouissent d'une complète autonomie, non seulement du point de vue architectural mais au point de vue personnel soignant. Au fond du jardin, un pavillon isolé est réservé aux «tuberculeuses». La nouvelle maternité est d'abord l'application des règles élémentaires pour éviter la contagion. Dans la brochure citée, A. Couvelaire décrit avec précision et enthousiasme le fonctionnement interne de son établissement qu'il se charge lui-même de faire visiter à de nombreuses personnalités ou groupes comme les congressistes admiratives de l'Association internationale des Femmes médecins en avril 1929.

Maternité Baudelocque — Rez-de-chaussée

(Cliché C.M.T. Assistance Publique)

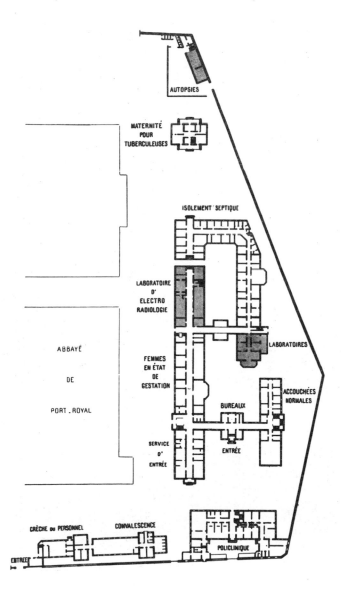

Baudelocque : entrée de la maternité

(Cliché F. Thébaud)

Les services d'hospitalisation dotés de 175 lits et 125 berceaux, comprennent cinq sections : la réception, le service obstétrical aseptique, le service gynécologique, le pavillon d'isolement pour malades septiques, le pavillon pour «tuberculeuses».

L'entrée de la maternité est à l'image de son fonctionnement général; la femme qui pousse la porte doit trouver un personnel capable de la renseigner et de l'orienter vers les services adéquats et un minimum de commodités : vastes salles d'attente et sanitaires. Sous la direction d'une sage-femme, le rôle du service de réception est de commander les services obstétricaux. Il comprend une salle d'attente avec deux boxes de déshabillage, que jouxte une salle d'examen où, «après ébarbage des poils péri-vulvaires et la toilette savonneuse des organes génitaux externes, on pratique l'examen obstétrical (palper abdominal, auscultation, toucher vaginal), l'examen des urines, la prise de la température et du pouls». Trois cas peuvent alors se présenter : si la parturiente est admise dans le service septique ou des tuberculeuses, elle quitte immédiatement la réception, la toilette se faisant en dehors de ces lieux où le risque de contagion serait grand. Les autres parturientes passent dans la salle de toilette où, «déshabillées complètement dans une cuve pour bains de pieds et douche générale avec siège, une infirmière procède au nettoyage de leur corps, après quoi elles sont habillées avec le linge de la maternité», prêtes à devenir des corps souffrants et anonymes, livrés aux spécialistes du lieu. La priorité accordée à l'hygiène, à une époque où la salle de bains est un bien rare et luxueux, fait oublier les sensibilités individuelles.

Si le travail est commencé, la parturiente passe en service d'accouchement, sinon en salle d'observation dont la nécessité s'impose à double titre : «éviter l'admission prématurée dans le service d'accouchement et dans le service des femmes enceintes, au milieu de femmes dont le repos doit être protégé contre les allées et venues inutiles». Ainsi le souci primordial est de mettre chacune à la place qui convient le mieux à son état, place définie par le spécialiste, de lutter contre l'anarchie et la promiscuité qui caractérisent alors encore de nombreux établissements hospitaliers.

Les salles d'hospitalisation des femmes enceintes font suite au rez-de-chaussée au service de réception : 26 lits répartis en deux dortoirs de 7, un dortoir de 5, trois chambres de 2, deux chambres à un lit. Les dortoirs semblent vastes (environ 15 m^2 par personne) et lumineux, mais les critères d'attribution de tel ou tel lit (en chambre individuelle ou non) ne sont pas précisés. Couvelaire mentionne toujours avec exactitude les annexes sanitaires (les bains sont au sous-sol) et les offices qui permettent à chaque chose d'avoir sa place. Ces salles sont sous la surveillance d'un chef de clinique, assisté de l'interne du service et d'un externe.

Les salles d'accouchement sont au premier étage : dix chambres individuelles, gloire de Couvelaire qui n'a pas voulu de l'ancienne salle de travail où «un plus ou moins grand nombre de parturientes réunies ont sous les yeux pendant de longues heures le spectacle de leurs sœurs en souffrance et assistent angoissées à tous les incidents parfois dramatiques de la parturition de leurs compagnes». Crainte que l'angoisse ne gêne le déroulement de l'accouchement, mais aussi respect des femmes, attention à leur confort matériel et moral. Chaque chambre dispose d'un équipement très simple et fonctionnel : un guéridon roulant, un porte-cuvette mobile, un seau à pansements et surtout un lit spécial «susceptible de se séparer en deux parties pour permettre grâce à deux porte-pieds spéciaux d'examiner la parturiente en position obstétricale ou de diriger plus commodément l'accouchement dans les cas de présentation du siège par exemple».

La configuration du service, en trois parties, est très étudiée. Les deux chambres du fond sont réservées aux parturientes ayant besoin de soins particuliers (travail prolongé, éclamptiques, cardiaques). En face la salle d'opérations obstétricales par les voies naturelles, munie d'une lampe scialytique (la parturiente qui doit subir une césarienne est transférée au deuxième étage dans le service opératoire aseptique qui sert aussi à la gynécologie). Le règlement impose un délai de deux heures après la délivrance avant de transporter les femmes dans le service des accouchées et ce transport n'est jamais effectué la nuit «pour ne pas troubler le repos». Pour respecter cette délicate attention, une chambre spéciale a été prévue pour les nouveaux-nés en attendant l'heure du transport. Dans une salle contiguë, les placentas sont examinés «minutieusement» pour en contrôler l'intégrité ainsi que celle des membranes ovulaires. Ainsi

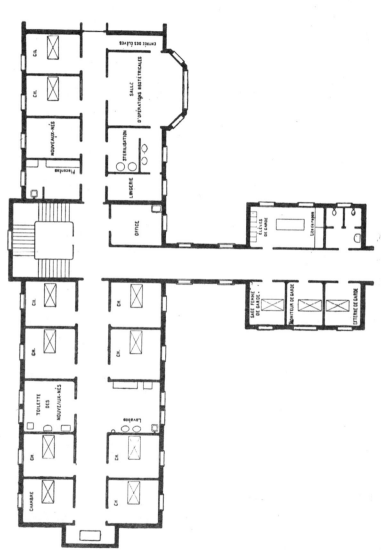

Plan du service d'accouchement, avec ses chambres individuelles, sa salle pour nouveau-nés
sa salle d'opérations obstétricales et les chambres réservées au service de garde
(cliché C.M.T. Assistance Publique)

deux préoccupations semblent avoir guidé cette organisation : confort et sécurité. Le service est sous la surveillance d'un chef de clinique assisté d'un interne. L'équipe de garde — peu nombreuse (une sage-femme, un moniteur, un externe) — dispose de trois chambres 'dans la galerie qui relie le service à celui des accouchées.

Les salles d'hospitalisation des accouchées «normales» s'étendent sur trois niveaux; l'espace prévu pour 17 lits et 17 berceaux est généralement plus densément occupé par l'adjonction de lits supplémentaires. Deux principes de base sont appliqués : une hospitalisation en petits dortoirs ou chambres séparées (par étage, un dortoir de dix, deux chambres à deux lits, trois chambres individuelles) et la présence de l'enfant dans un berceau près de la mère. Couvelaire rappelle une vérité première qui lui tient à cœur : «Il n'est pas inutile d'insister sur les inconvénients des grandes salles qui ont fait l'orgueil d'une génération oublieuse des leçons de Tarnier; le compartimentage permet, dans les cas où apparaît une infection contagieuse d'éteindre sur place les risques de dissémination». Un local est prévu pour le linge sale avec des hottes mobiles. Le change des nouveaux-nés se fait dans une salle spéciale, mais ils reposent la plupart du temps près de leurs mères; la séparation est jugée mauvaise du point de vue psychologique. «Il est bon que la mère participe, dans une certaine mesure à la surveillance de son enfant» dit Couvelaire; phrase un peu énigmatique mais riche de sens : il ne faut pas favoriser l'abandon, ou l'indifférence maternelle, il faut habituer la mère à la présence de son enfant, aux soins nécessaires, à l'allaitement au sein, tout en la soumettant aux prescriptions des spécialistes, tout en limitant son autonomie. Les suites de couches et l'allaitement sont surveillés par la première sage-femme, assistée d'une aide sage-femme, toute complication étant signalée à l'interne ou au chef de clinique. Seul un motif impérieux justifie la séparation, qu'il soit dû à l'état de la mère (opérée ou tuberculeuse) ou de l'enfant (soins spéciaux aux prématurés).

Les opérées disposent de six chambres (à un ou deux lits) au deuxième étage près du bloc opératoire; au bout de trois ou quatre jours, elles sont transférées au service des accouchées normales au même étage. Les enfants ayant besoin de soins spéciaux sont au premier étage; les mères y ont 13 lits et les enfants 33 berceaux répartis dans des locaux adaptés aux besoins de chacun : 7 dans les chambres des mères, 5 dans une chambre de prématurés chauffée à 24°, 8 dans une chambre à 20°. Pour les prématurés, Couvelaire a préféré aux couveuses qui parfois chauffent mal et constituent un milieu difficile à désinfecter, le système que J. Renault a installé dans sa crèche de l'hôpital St Louis : des pièces à température constante avec soufflerie d'air filtré réchauffé ou refroidi. Les autres berceaux des chambres collectives sont pour l'accueil des enfants nés de mères tuberculeuses; enfin il y a deux chambres d'isolement pour les enfants dont on craint le début d'une infection non encore confirmée. Le lait de quatre nourrices est recueilli dans des verres pour être donné aux enfants qui en ont le plus besoin. L'ensemble de ce service est placé sous la surveillance d'un assistant et d'un externe. Il est complété, dans un pavillon indépendant, par une salle de 14 lits et berceaux, recevant les mères et enfants ayant besoin d'une surveillance prolongée avant leur sortie ou leur envoi en convalescence : lieu intermédiaire entre l'hospitalisation à la maternité et l'hospitalisation dans un asile de convalescence ou une Maison maternelle. Enfin les accouchées qui ont perdu leur enfant ont un dortoir de 6 lits et une chambre de 2 lits au premier étage.

Ainsi le service obstétrical fonctionne sur le principe de la séparation de toutes les catégories possibles définies par le monde médical dans le but d'assurer la sécurité des patientes et de sauver les enfants.

La maternité n'est pas qu'une maison d'accouchement, elle doit pouvoir traiter dans un service de gynécologie les maladies des femmes. Celui-ci est au deuxième étage, tout près des chambres d'opérées et compte 17 lits. Le service opératoire est très moderne : autour de la salle d'opération sont groupées une salle pour le nettoyage des instruments, une pour la préparation des boîtes de pansements avec autoclave, une autre pour le Poupinel électrique servant à la stérilisation sèche des instruments et pour les vitrines à matériel stérilisé. Ce service qui accueille environ 200 femmes par an est placé sous la direction de L. Portes (assistant en premier) puis A. Levant.

Comme je l'ai souligné dès le début, les malades septiques, dont on craint la contagion, sont isolées dans des locaux séparés formant un grand L au rez-de-chaussée. Y sont dirigées toutes les femmes arrivant du dehors avec une élévation de température et les femmes du service général présentant au cours de leurs suites de couches une infection. Ce pavillon comprend, pour un petit nombre de personnes, tous les services décrits auparavant : un service d'entrée avec une salle de toilette, une chambre d'accouchements avec salle de toilette pour nouveau-né, une salle d'opérations avec ses annexes, 19 chambres la plupart pour une seule personne; à une extrémité quatre chambres sont réservées aux affections gynécologiques septiques. Deux grandes chambres pour enfants (six et quatre berceaux) accueillent les biens portants; quatre autres, d'un berceau, ceux qui présentent une infection. Le service est sous la surveillance d'un assistant spécial aidé par un externe.

C'est Mr Lacomme (à la tête de Baudelocque de 1957 à 1967) qui dirige tous les services pour tuberculeuses, dont la maternité; elle est installée dans le pavillon Tarnier remanié, au fond du jardin, petite maison d'un étage, très ouverte sur le soleil avec des galeries en terrasses sur ses deux faces. Les 8 chambres à un lit ouvrent sur les terrasses et sur un vestibule qui dessert aussi les annexes nécessaires : un office médical, un office ménager, une salle de bains, des sanitaires. Chaque chambre est réservée à une malade qui y reçoit les soins médicaux (en particulier l'entretien du pneumothorax artificiel), y accouche et y demeure pendant sa convalescence. La mortalité de ces femmes, autrefois terrassées par des accès de fièvre en suites de couches, a un peu baissé, mais il n'est pas question qu'elles gardent leur nouveau-né, immédiatement séparé. Ce dispositif mis en place en novembre 1921, dont Couvelaire expose fréquemment les mérites dans la presse médicale ou dans des conférences en France ou à l'étranger, est l'application dans une maternité des principes du programme défini par Grancher en 1899 : «secourir les malades, sauver les enfants de la contagion». La maternité collabore étroitement avec le dispensaire Léon Bourgeois dirigé à l'hôpital Laennec par Léon Bernard et E. Rist : elle lui adresse des femmes pour examen, et accueille celles qui lui sont envoyées. Elle collabore également avec l'œuvre de *placement des tout-petits*, dont le rôle est de donner à l'enfant de tuberculeuse une «seconde mère». Constatant une véritable hécatombe des nouveaux-nés de tuberculeuses (33 % le premier mois), la maternité améliore en 1923 leurs

Pavillon Tarnier
Maternité pour tuberculeuses

(Cliché Assistance Publique)

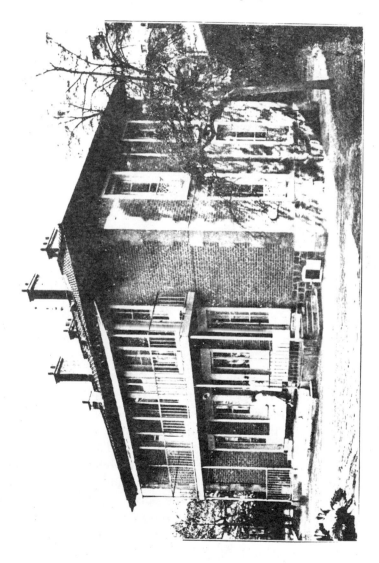

conditions d'hospitalisation : allaitement mixte avec du lait de femme, injections de sulfarsénol, soins «d'infirmières attentives et disciplinées sous la surveillance éclairée des assistants»; la mortalité du premier mois tombe à 13,2 % pour les années 1923-1925 et à 7,2 % en 1926.

La maternité pour tuberculeuses connaît un développement spectaculaire pendant la décennie vingt : 25 parturientes en 1922, 125 en 1925 et 180 en 1929. Elles n'en constituent pas moins une très faible minorité parmi les usagers de Baudelocque. Les services d'hospitalisation de la maternité ont accueilli de 1919 à 1939 plus de 60.000 femmes, Baudelocque étant ainsi l'une des plus grandes maternités de Paris. Plus encore y sont venues pour consulter, car ce qui fait avant tout de Baudelocque une maternité modèle, c'est la policlinique Valancourt, citée dans tous les ouvrages de l'époque ayant trait à la protection des mères et des enfants.

— La policlinique Valancourt

La policlinique est le rassemblement en un même lieu, pourvu du maximum d'efficacité, de tous les services de consultations nés, nous l'avons vu, à la fin du XIXe siècle, à l'initiative de quelques novateurs agissant isolément, ou innovations récentes. La configuration de la policlinique Valancourt est telle que les trois groupes de locaux forment un dispositif à sens unique dont toutes les sorties convergent vers le service social.

La consultation pour femmes enceintes est permanente, ouverte chaque jour de 8 heures à 18 heures. De la vaste salle d'attente, les femmes passent individuellement dans le bureau de l'infirmière qui détient le fichier et opère le premier «triage» (mot de Couvelaire) de celles qui ont besoin du service social : elles vont ensuite dans de petites salles pour l'examen des urines, le prélèvement du sang pour une analyse sérologique et la prise de tension. Un espace libre sert de salle d'attente régulatrice et donne accès par trois portes à la salle de consultation en trois parties, comprenant chacune deux cabines de déshabillage et un boxe individuel d'examen, petite «révolution», comme me le disait le Professeur Lacomme. Couvelaire insiste sur la possibilité d'utiliser pleinement le temps : trois équipes examinent en même temps trois femmes, pendant que trois autres se déshabil-

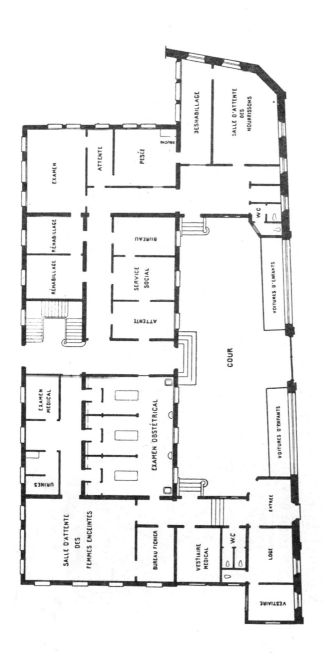

Policlinique Valancourt — Rez-de-chaussée
(Cliché C.M.T. Assistance Publique)

Baudelocque : policlinique Valancourt
(cliché F. Thébaud)

lent ! Des sages-femmes spéciales assurent cette consultation mais elles réservent les cas pathologiques à l'examen d'un chef de clinique, assistant spécial de la consultation.

Couvelaire souhaite une surveillance maximale de la grossesse. Les thèses de médecine sur Baudelocque, nombreuses à cause de la notoriété de l'établissement et de son accoucheur permettent de rendre compte annuellement de l'activité de la policlinique. De onze à vingt mille consultations pour femmes enceintes sont assurées chaque année; certaines consultantes (le nombre des consultantes étant bien plus élevé que celui des femmes inscrites au registre d'entrée de la maternité) n'accouchent pas à Baudelocque mais profitent de la gratuité des consultations. Le nombre moyen de consultations par femme consultante, inférieur à trois jusqu'en 1930, dépasse ce chiffre ensuite, soulignant ainsi le rôle des Assurances sociales et de la réglementation des caisses pour une meilleure surveillance de la grossesse. La consultation permet de traiter l'albuminurie, de rectifier par manœuvres externes de mauvaises positions de l'embryon, de dépister les femmes suspectes de syphilis ou de tuberculose; les cas graves sont dirigés vers les services d'hospitalisation.

De l'autre côté, dans l'aile droite de la policlinique, a lieu la consultation pour mères nourrices et nourrissons, assurée trois fois par semaine par un assistant et la première sage-femme. Des hangars sont prévus pour les voitures d'enfants. Les dangers de la contagion sont résolus comme suit : dans le vestibule, une petite salle d'isolement est aménagée pour un enfant suspect; la salle d'attente est faite de petits boxes individuels, mesure d'hygiène mais qui isole les mères. A côté, la salle de déshabillage est pourvue de chaises basses et de petites tables-crèches, les mères pouvant, selon leurs habitudes, être debouts ou assises pour déshabiller l'enfant. Il passe alors à la pesée, à la douche si besoin est, puis, la mère étant munie d'une fiche, à l'examen médical. Couvelaire souligne le caractère organisé de sa consultation : «ce dispositif adapté aux différentes étapes, avec circulation à sens unique, a l'avantage d'éparpiller les nourrissons et d'éviter les entassements et la confusion dont souffrent nombre de consultations de nourrissons». Mais elle est moins fréquentée que la consultation de femmes enceintes. Le nombre

80

Consultation des mères nourrices et nourrissons
Salle d'attente

(cliché Assistance Publique)

d'enfants présentés (entre 800 et 1.600 selon les années) est très inférieur (entre un tiers et la moitié) à celui des enfants nés et sortis vivants de la maternité. Les mères venues parfois de loin pour accoucher utilisent des consultations plus proches de leur domicile; certaines considèrent aussi que le soin aux enfants est un domaine qui leur est propre.

Le premier étage de la policlinique est consacré à la consultation de gynécologie, assurée trois fois par semaine (dont une fois pour stérilité) et dirigée par un assistant aidé de deux aides de clinique qui se chargent des examens en laboratoire et des traitements. Chaque année, la consultation accueille environ un millier de femmes dont 10 à 15 % sont hospitalisées pour subir certains traitements. Ce n'est pas Baudelocque qui ouvre la première consultation pour infécondité, mais elle suit en 1926 l'exemple de l'hôpital Lariboisière et de son accoucheur L. Devraigne. Mais ce ne semble pas être une priorité à Baudelocque : seule la thèse sur l'année 1932 indique le nombre de consultantes : 70.

Une grande importance est par contre donnée à la lutte contre les deux fléaux sociaux : la syphilis et la tuberculose. La maternité Baudelocque est la première à annexer en 1919 un dispensaire antisyphilitique : la consultation est reconnue par l'A.P. en 1920 et Couvelaire reçoit, après un rapport, l'appui propagandiste du Dr. Paul Favre puis du Dr. Cavaillon. «Nous ne voulions pas seulement, écrit-il, développer et perfectionner les conditions du traitement de la syphilis chez les femmes gravides et chez les accouchées, comme cela était fait dans toutes les maternités parisiennes, nous voulions réunir dans le même lieu et dans les mêmes mains l'ensemble du traitement familial des syphilis que nous étions en mesure de dépister à l'occasion de la gestation et de la parturition». La répugnance des femmes est vaincue par l'emploi d'un mot neutre «maladies héréditaires», par le «lien moral» qui les lie à l'accoucheur, par l'utilisation de lieux familiers : pour l'examen les locaux de la consultation des mères, pour le traitement ceux de gynécologie. Les malades reconnus atteints ou suspects sont envoyés par les différents services de la maternité ou par des médecins et des sages-femmes de ville : femmes, nourrissons, enfants, hommes. Ils subissent un examen clinique et sérologique et une véritable enquête familiale assurée par une assistante sociale Melle Jeanne Jager; mais seuls les femmes et les enfants sont traités sur place. Le dispensaire met en œuvre une grande idée de Couvelaire : la collaboration des médecins spécialistes, des accoucheurs, des sages-femmes et du service social : ceux qui assurent les consultations généra-'es assistent aux séances, le tout étant sous la direction de Marcel Pinard. Les enfants de parents gravement atteints sont envoyés à Montgeron, dans les environs de Paris, où la Société d'Assistance maternelle et infantile de la clinique Baudelocque gère une maison de 24 lits.

Pour sauver d'autres enfants, il faut «résoudre avec le maximum de précision tous les problèmes que pose la coexistence de la gestation et de la tuberculose pulmonaire». En 1921, Léon Bernard et Mme Arnold Seligman fondent à Salbris le premier centre de placement familial des tout-petits pour les enfants de familles tuberculeuses, élargissant l'œuvre Grancher qui ne s'adressait qu'aux plus de trois ans. Reconnu d'utilité publique en 1922, le *Placement familial des Tout-Petits*, place les enfants chez des paysans nourriciers qui doivent les présenter régulièrement au centre médical, suivre les prescriptions alimentaires et recevoir les infirmières-visiteuses. Pour les parents les conditions sont draconiennes : seules quatre visites sont autorisées par an et l'enfant ne peut être repris qu'avec l'avis de l'œuvre, le placement durant normalement quatre ans. Les enfants (384 en 1925, 720 en 1930) sont placés par l'Office public d'hygiène sociale ou par Baudelocque.

Pour Couvelaire la séparation doit intervenir dès la naissance grâce au centre obstétrical pour tuberculeuses. Une fois par semaine, dans les locaux de gynécologie, M. Lacomme, assistant qui gère le pavillon Tarnier, dirige la consultation pour tuberculeuses, femmes envoyées par la maternité ou par les dispensaires de l'O.P.H.S. Les femmes suspectes sont envoyées au dispensaire Léon Bourgeois pour un examen plus approfondi capable de préciser le diagnostic. Couvelaire insiste sur la précision du diagnostic qui peut être lourd de conséquences , interruption de la grossesse, séparation du nouveau-né même vacciné selon la méthode Calmette qui «doit être sentimentalement et matériellement préparée avant l'heure de la naissance». Les parturientes tuberculeuses, dont une partie est envoyée par d'autres hôpitaux de l'A.P. ne disposant que de salles communes, accouchent au pavillon Tarnier. Leurs enfants, dans une crèche spéciale, reçoivent, grâce à la présence de trois nourrices, deux à trois semaines d'allaitement mixte avant l'envoi dans un centre rural.

Dans sa logique de lutte contre les fléaux sociaux, et d'action préventive, Baudelocque et son professeur Couvelaire innovent, en ouvrant *la première consultation prénuptiale en France*. Autorisée par un arrêté du Directeur Général de l'A.P. du 29 mars 1930, elle fonctionne tous les mercredis à 10 heures à la policlinique Valancourt et requiert le concours de médecins spécialisés dont les services sont peu éloignés de la maternité : le Dr. M. Pinard, syphiligraphe à Cochin, le Pr. L. Bernard phtisiologue à Laënnec, le Dr. O. Crouzon neurologue à la Salpêtrière, le Dr. M. Chevassu urologue de Cochin. La consultation ne délivre aucun certificat, seulement des conseils; suscitant encore de nombreuses réticences, elle est peu fréquentée : les thèses de médecine ne lui prêtent attention qu'en 1932 où il y eut 81 consultants, même pas deux par semaine : 67 hommes et 14 femmes seulement.

L'activité sociale qui prolonge l'action de la maternité est ancienne à Baudelocque : à la fin du XIXe siècle les Dames charitables, pendant la guerre les Dames de l'Office Central d'Assistance maternelle et infantile du gouvernement militaire de la ville de Paris, prenaient en charge les femmes les plus défavorisées. Dès 1919, se crée la *Société d'assistance maternelle et infantile* de la Clinique Baudelocque; à partir de 1922, elle travaille avec le *Service Social à l'hôpital*, œuvre nouvellement fondée et utilise à la policlinique les services d'une assistante chef, de trois assistantes et d'une secrétaire. Voici, selon Couvelaire, leurs qualités et leur rôle : «femmes de tact et de cœur, elles s'ingénient à pénétrer la mentalité de la future mère, à peser ses ressources morales et matérielles, personnelles et familiales, à chercher d'après ces données, le compromis nécessaire entre l'accomplissement du devoir mternel et les conditions sociales d'existence». L'assistante sociale fait une enquête sur chaque femme enceinte ou nourrice, elle donne des explications sur les demandes médicales, facilite l'obtention des allocations, surveille la fréquentation des consultations : en particulier elle établit une liaison constante avec les dispensaires antisyphilitiques et antituberculeux et la malade qui abandonne un traitement est recherchée. Pour les plus démunies, notamment les femmes seules, le service social peut fournir des possibilités de travail, obtenir des secours d'urgence (de la caisse de secours de la Société d'Assistance) ou le placement dans des institutions d'accueil publiques ou privées, pour elles-mêmes ou leurs familles.

Sous le contrôle indirect de Couvelaire fonctionnent *le refuge-ouvroir de l'avenue du Maine* (femmes enceintes), *la Maison maternelle nationale de St-Maurice* (femmes enceintes et mères nourrices), *le Pavillon d'allaitement de l'école de puériculture de la Faculté* (54 rue Desnouettes) pour les cas d'allaitement difficile, *les centres ruraux de placement familial* (enfants de tuberculeuses), *la pouponnière de Montgeron* (enfants de syphilitiques) que gère la Société d'Assistance avec *la Villa Hélène* de Boulogne (accueil temporaire des jeunes enfants de femmes indigentes venant accoucher ou se faire soigner à Baudelocque); ceux-ci peuvent aussi vivre quelque temps à *l'asile infantile* du Dr. Paquy.

Le tableau suivant, établi à partir des thèses de médecine, donne pour la période 1929-1934, l'activité du service social. Toutes les consultations de la policlinique Valancourt débouchent sur le service social où chaque femme peut se faire inscrire. Les cas suivis correspondent à une consultante enceinte sur cinq en 1929, 1930 et 1931, mais à une sur quatre en 1932, une sur trois en 1934, années de crise en France. L'aide est multiforme mais consiste surtout en un placement dans des institutions, dont, nous le verrons, le fonctionnement est souvent dirigiste. Pour les assistantes sociales et le personnel de la clinique, le résultat se mesure avant tout en abandons conjurés.

La policlinique Valancourt offre ainsi une gamme complète de consultations pour la protection maternelle et infantile. Baudelocque y adjoint en 1936 un centre de donneuses de lait.

– *Le centre de donneuses de lait* (15)

Le 30 novembre 1936 s'ouvre, dans les locaux de la Maternité (121 boulevard de Port Royal), mais dépendant de Baudelocque, le premier centre organisé spécialement pour la vente du lait de fem-

Activité du Service Social de la maternité Baudelocque

Années	1929	1930	1931	1932	1934
Inscrits	1.131	1.110	1.286	2.466	2.085
Cas suivis	1.317	1.370	1.185	1.420	2.366
Visites à domicile	479	439	592	425	1.731
Placement des femmes	553	576	501	463	395
Avant couches	242	237	245	219	184
Après couches	275	272	201	212	184
Pour travail	36	67	55	32	27
Femmes dirigées					
Sur cantines maternelles	105	95	98	59	87
Sur consultations de nourrissons	362	343	571	331	1.999
Signalées au fichier central	76	112	67	72	74
Placement d'enfants	17	16	14	91	
En abri temporaire	15				6
En placement familial	2				
Placement des nourrissons	64	88	88	86	89
Pouponnière	5	6			15
Centre d'élevage surveillé	45	73			
Placement familial	3				5
Nourrices privées	8				
Adoption	3				
Résultats					
Abandons conjurés	16	9	16	10	7
Secours : – francs		11.025	3.969	2.467	
– layette (pièces)		251	120	178	

mes. Plusieurs centres de donneuses de lait, dépendant de services hospitaliers, de centres maternels et infantiles ou d'organismes privés fonctionnaient en France, mais le lait était à usage interne, rarement vendu au public, comme à Boston ou à Magdebourg.

Je développerai dans le chapitre suivant tous les enjeux de l'allaitement maternel. Les médecins de l'entre-deux-guerres, confèrent au lait de femme une incontestable supériorité, et devant la diminution de l'allaitement maternel, proposent des solutions de remplacement comme les centres de donneuses. Une campagne de presse dans *le Journal* en 1935 et 1936 donne la parole à de nombreux professeurs. Comme l'écrit Suzanne Barot-Herding : «le lait de femme devrait être considéré comme un véritable médicament et ordonné à ce titre. Nous considérons que non seulement les enfants seraient plus robustes mais encore que beaucoup d'enfants qui meurent seraient sauvés». Le gouvernement de Front Populaire, sensible à ces problèmes, réagit : une circulaire d'Henri Sellier, ministre de la Santé Publique et de l'Éducation physique, datée du 12 août 1936, invite les préfets à susciter la création de centres de donneuses : *«le Secours Blanc»*. Celle du 8 mars 1937 précise les modalités de fonctionnement, notamment le traitement des nourrices (elles doivent être rémunérées, nourries et logées avec leurs enfants), leur choix (elles doivent être en bonne santé et disposer d'un excédent de lait), les précautions à prendre quant à la qualité du lait.

Baudelocque est la première maternité à suivre ces recommandations. Son centre est décrit avec une grande froideur médicale par Suzanne Barot-Herding. Il met en œuvre deux idées directrices : tout d'abord les donneuses de lait résident en internat et «au point de vue technique, les manipulations de lait sont réduites au minimum».

Le personnel comprend un médecin placé sous l'autorité de Couvelaire, une surveillante chargée de la discipline, une infirmière qui «surveille la traite» et assure la vente, enfin les quatre à cinq nourrices, sélectionnées après «deux mois d'épreuve» comprenant un examen médical chaque quinzaine; elles viennent de la Maison maternelle de St-Maurice, doivent être françaises et avoir un casier judiciaire vierge. Pour Suzanne Barot-Herding, qui vante les louanges du centre sans s'interroger sur le vécu des mères, «les places sont très recherchées». Si elles apportent la sécurité matérielle et un petit pécule, les nourrices y sont traitées comme de bonnes laitières. Logées dans des chambres individuelles au dernier étage des bâtiments de la Maternité, elles ne les occupent que la nuit; de 7 heures à 19 heures, elles séjournent au centre qu'elles ne doivent pas quitter durant toute la période de lactation. L'enfermement est quasi total : «si elles sont absolument obligées de sortir, elles sont accompagnées par une infirmière; pour des cas particulièrement graves, une autorisation de sortie avec leur enfant peut leur être accordée par l'Administration qui vérifie d'ailleurs l'exactitude du motif invoqué». Les visites ne sont autorisées que le jeudi et le dimanche de 13 à 15 heures, dans une pièce spéciale, au Pavillon des débiles, «la porte de cette pièce restant ouverte et permettant ainsi une discrète surveillance». Ce régime est «strict» mais «il offre toutes les garanties dont on a besoin», garanties sanitaires et morales. Sans astreinte de travail autre que l'entretien de leur chambre et du centre, suralimentées (leur repas de midi ajoute à celui des accouchées un plat de viande, un deuxième dessert et un demi-litre de bière), elles ont comme unique rôle (et seul droit) de fournir du lait lors des quatre «traites» de la journée.

Le centre comprend une vaste salle de repos où les enfants disposent de berceaux séparés par des cloisons de verre et les mères de fauteuils. «Elles se tiennent là, travaillant selon leur goût et s'occupant de leur enfant; c'est un charmant spectacle de les voir auprès de ces berceaux où les petits bébés jouent avec leurs premiers jouets» : c'est la seule phrase où Suzanne Barot-Herding se départit d'un ton distant dans un attendrissement nécessaire sur l'image de la femme-mère comblée près du berceau. A côté, se trouve la petite salle de traite comprenant seulement une armoire avec matériel de change et biberons non stériles, et une table portant une caisse de biberons stériles et le tire-lait électrique de Abt. Les flacons où est recueilli le lait sont, d'après l'auteur, une des particularités du centre, parce qu'ils sont conçus pour se transformer en biberons en remplaçant le bouchon par une tétine et qu'ainsi le lait ne subit aucun transvasement. A la fin de chaque séance de traite, les flacons obturés sont portés par l'infirmière dans la glacière.

Chaque quantité de lait fournie par chaque nourrice est consignée sur un cahier quotidien; un minimum de 500 grammes est exigé par donneuse; son enfant ne tète qu'après la traite et reçoit si nécessaire un complément d'alimentation (lait sec ou condensé avant six mois, bouillies ensuite).

Les nourrices, considérées comme agents temporaires, reçoivent un salaire mensuel faible (à peine 600 F) que doublent les avantages en nature. A la fin de la période d'allaitement, de huit mois en général (de l'âge de 2 mois à 10 mois pour le nourrisson), elles peuvent demander à être employées dans les établissements de l'Assistance Publique. Malgré le long enfermement, certaines filles-mères (ainsi les appelait-on) peuvent considérer que ces places sont un moyen de sortir du dilemme misère ou assistance, d'autant que l'A.P. dispose de crèches pour les enfants de son personnel. Suzanne Barot-Herding ne cherche pas, par ses précisions, à rendre compte de la condition des nourrices, mais, dans un souci très moderne, encore peu partagé à l'époque par les médecins ou les administrateurs, à montrer que le centre peut être rentable et équilibrer son budget par la vente du lait au public. Les dépenses annuelles totales s'élèvent à environ 60.000 francs.

La vente a lieu chaque jour de 10 à 11 heures et de 16 à 17 heures au guichet de vente qui fait communiquer la salle d'attente simplement munie d'un banc, et la salle où l'infirmière sort de la glacière le lait désiré et inscrit sur un cahier les quantités et le nom des acheteurs. Le lait n'est délivré que sur présentation d'une ordonnance médicale qui spécifie la quantité à fournir et doit être renouvelée tous les quinze jours. Médicament, le lait de femme est cher (vendu 10 F les 100 grammes, alors qu'un litre de lait de vache coûte à peine 2 F), mais remboursé à 80 % par les Assurances sociales et son prix peut être réduit pour les indigents (16).

L'ouverture du centre, «événement d'une haute portée sociale», donne lieu à une certaine publicité : elle est signalée dans les journaux, inscrite en réclame pendant les entractes au théâtre et les Actualités cinématographiques de décembre 1936 montrent au public quelques vues de l'inauguration. Pourtant deux ans après, il est encore peu connu et peu utilisé. Sauf à quatre reprises où il fut fait appel aux nourrices du pavillon des débiles, la production du centre est excédentaire, l'excédent étant fourni gratuitement aux services de maternité ou à d'autres services d'enfants. Les 164 dossiers d'enfants établis du 1er avril 1937 au 1er juillet 1938 ne correspondent qu'à une trentaine de médecins (dont deux de province), accoucheurs ou pédiatres (et rarement omnipraticiens), cinq ou six sages-femmes et trois ou quatre maisons de santé. D'autre part, dans près de 50 % des cas, on vient chercher le lait moins de huit jours, ce qui rend le traitement peu efficace.

Ainsi le centre de donneuses de lait de Baudelocque est une innovation en France. Suzanne Barot-Herding en souligne la supériorité : le régime d'internat, la distribution de lait cru et non mélangé. Mais ce centre reste, à la veille de la guerre, une annexe peu développée, par rapport à la policlinique et aux services d'hospitalisation. Baudelocque est aussi une clinique de la Faculté de médecine, dirigée par A. Couvelaire.

– Baudelocque, la maison du professeur Couvelaire (17)

Baudelocque est un centre d'enseignement et de recherche. Le plan général montre la grande place occupée par les laboratoires; d'un côté le laboratoire de radiologie ouvert à toutes les maternités de Paris et bien équipé pour la radiographie obstétricale et la radioscopie; les trois salles pour l'utilisation des rayons ultra-violets, la diathermie, l'électro-diagnostic et les traitements électriques sont réservés à la clinique à qui elles assurent un caractère de pointe. De l'autre, les laboratoires d'anatomie pathologique, de bactériologie et sérologie, de chimie.

S'inscrivant dans une continuité, la nouvelle maternité abrite le Musée Henri Varnier, installé par Pinard, Varnier, Potocki, et qui possède la collection des forceps de Tarnier. Elle conserve en archives les observations recueillies par Pinard auxquelles s'adjoignent celles de Couvelaire. Sa bibliothèque est à la fois un musée (manuscrits de J.L. Baudelocque...) et un instrument de travail (revues et livres modernes) pour les professeurs et les étudiants. Couvelaire assure un enseignement régulier à deux séries trimestrielles de 30 élèves, stagiaires de quatrième année, répartis en petits groupes dans les services : cours théoriques avec présentation de cas d'obstétricie, de pathologie du nouveau-né, de gynécologie (le vendredi, les malades sont amenées à l'amphi...), et applications pratiques (par exemple, manœuvres obstétricales sur mannequin). Le rayonnement de Baudelocque est tel qu'un enseignement complémentaire élémentaire ou de perfectionnement est donné à des médecins français ou étrangers. Ainsi se diffusent l'obstétricie moderne et les nouvelles conceptions en matière de protection des femmes et des nourrissons. A la demande de Couvelaire, les murs de *l'amphithéâtre* portent un hommage à A. Pinard sous la forme de deux aphorismes qui résument sa pensée :

— «La basiotripsie sur l'enfant vivant a vécu»,

— «Le lait de la mère appartient à son enfant»
ainsi que les lignes suivantes destinées à fixer dans l'esprit des élèves les principes généraux qui dirigent l'activité de la clinique :

— «L'obstétricie est la somme des connaissances relatives à la fonction de reproduction»,

— «L'état des procréateurs au moment de la fécondation commande l'avenir de l'enfant»,

— «De la procréation au sevrage, la symbiose de la mère et de l'enfant doit être protégée au double point de vue médical et social»,

— «La plupart des dangers qui menacent les organismes solidaires de la mère et de l'enfant peuvent être écartés par des mesures d'hygiène ou par des traitements institués en temps utile»,

— «Le nouveau-né a d'autant plus de chances de se développer normalement qu'il est né à terme et sans traumatisme»,

— «Le droit naturel de l'enfant au lait et aux soins de sa mère est le fondement de la puériculture après la naissance».

Ces principes de la clinique sont aussi les conceptions d'Alexandre Couvelaire qui en assume la direction technique et relève en tant que professeur, de la Faculté de médecine de l'Université de Paris, en tant qu'accoucheur des hôpitaux, de l'administration de l'A.P. Il dispose d'un personnel nombreux : huit assistants, deux chefs de clinique et cinq aides, un interne, sept externes, six moniteurs, sept sages-femmes (dont la première Madame Orsat), onze surveillantes, trente-trois infirmières soignantes, une panseuse, quatre-vingt-deux filles et sept garçons de service, les assistantes sociales, enfin le personnel de laboratoire et de bibliothèque.

Il n'est pas facile de cerner la personnalité de Couvelaire qui conserve toujours la distance de sa fonction et n'exprime jamais ce qu'il ressent lors d'une mise au monde, près d'une femme souffrante. L'originalité et le comportement de l'accoucheur apparaissent plus clairement dans ses écrits, ses prises de position, les hommages qu'il reçoit après sa mort en 1948, ou de son vivant (hommage littéraire sous une forme emphatique et humoristique de la part de L. Dartigues, hommages publics le 15 décembre 1935 de ses collègues qui lui remettent dans l'amphithéâtre de Baudelocque une médaille offerte par souscription à l'occasion de sa vingtième année de professorat), enfin dans les témoignages de ceux qui se souviennent.

Né à Bourg en 1873 d'un père professeur de lettres et d'une mère... au foyer, interne en 1897, Couvelaire a suivi les leçons de maîtres illustres : Henri Varnier, Adolphe Pinard; filiation spirituelle que campe avec humour L. Dartigues : «Ils (Pinard et Varnier) firent tout d'abord un sacrifice à la déesse (Vénus Genitrix), un sacrifice placentaire pour la remercier de cet enfant de leur amour et de leur pensée eutocyque, appliquèrent ensuite un stéthoscope léger et hyperphonique sur la poitrine du nouveau-né, et après avoir palpé d'un long doigt flexible de sages-hommes la fontanelle frontale qui leur montra qu'il n'y avait pas d'hydrocéphalie, Pinard patriarcal... d'un doigt mouillé de ce vin qui fit supporter les grands froids à nos poilus, humecta la bouche enfantine qui était appelée à devenir celle d'un chrysostome de l'Obstétricie. Ils le tinrent ensuite sur les fonds baptismaux de la vasque obstétricale et ils le baptisèrent Alexandre, pensant qu'il serait grand et conquérrait le Monde Maternel. Ils hésitèrent à le nommer César parce que cela évoquait trop les cas de dystocie». La grandiloquence atteint ensuite le ridicule et le chauvinisme; dégageant «quelque chose de hunnique dans la figure» de Couvelaire, l'auteur ajoute : «à travers d'innombrables générations qui ont façonné admirablement son clair cerveau de Français, Couvelaire n'a gardé de ces lointains aïeux que le goût de la lutte et de la bataille pour faire triompher, guerrier scientifique des temps modernes, la Maternité et la Vie».

Effectivement sa carrière est rapide; en 1899, il soutient sa thèse de médecine sur le fonctionnement de la maternité de l'Hô-tel-Dieu; il est chef de clinique en 1901, chef de laboratoire en 1903, agrégé et accoucheur en 1907, enfin nommé professeur d'obs-tétrique en 1914. Mobilisé pendant la guerre, où il gagne la Légion d'honneur et la Croix de guerre, il ne prononce sa leçon inaugurale à Baudelocque «l'enseignement obstétrical à Paris» que le 6 no-vembre 1919 : «l'Obstétricie n'est pas seulement l'heureux accou-chement, c'est l'heureuse gestation suivant les règles de la puéri-culture intra-utérine, l'heureux allaitement suivant les lois de la puériculture après naissance». Le remaniement de Baudelocque, son œuvre, est l'application de cette conception; d'une part, Couvelaire s'attache, par son action et ses écrits, à lutter contre la tuberculose et la syphilis responsables de la mortinatalité et de la mortalité infantile et L. Dartigues qui assortit toutes ses figures d'une caricature campe l'accoucheur en grand maître d'une reproduction saine; d'autre part son objectif est, comme le lui rappelle le 15 décembre 1935 le Dr. L. Portes accoucheur des hôpitaux, non de diriger la fonction de repro-duction mais de la protéger car dans la majorité des cas c'est «une fonction physiologique et normale qui n'exige de nous qu'une sollicitude attentive». Pour Couvelaire, nataliste convaincu, mais qui ne croit pas en l'efficacité de la répression, la sollicitude souhaitée est non seulement celle du médecin attentif à la sécurité et au confort, mais aussi celle du promoteur du service social, prolongement néces-saire du service hospitalier; il favorise ce service à Baudelocque, déve-loppe chez ses élèves «le sens social» et accepte à partir de 1932 la présidence de la section Maternité de l'œuvre *Le Service Social à l'hôpital*. Il est aussi vice-président de la section prénatale du Co-mité national de l'Enfance pour lequel il écrit une étude sur la mortalité infantile en collaboration avec MM. Lesage et Moine.

L'enseignement, troisième axe de son action, lui paraît très important; il appelle à y collaborer médecins, chirurgiens et ac-coucheurs, ouvre son amphithéâtre à des cours de perfectionne-ment pour praticiens et sages-femmes de villes, est un des princi-paux artisans avec A. Pinard de la création de l'École de Puéricul-ture de la Faculté en 1926. Pour Couvelaire, «la culture médicale doit être générale, la maîtrise technique doit être spécialisée»;

Caricature d'Alexandre Couvelaire

(Dessin extrait de «Silhouettes médico-chirurgicales humoristiques»,
par L. Dartigues, 1923. Cliché Assistance Publique)

Ultimes Conseils

— « Et maintenant.... préparez-moi du bon travail. »

la connaissance peut être partagée mais la hiérarchie des fonctions au sommet de laquelle se situe l'accoucheur doit être respectée; M. Lacomme souligne que Mme Orsat, très influente du temps de Pinard, perd une partie de son rôle avec Couvelaire, et que la sage-femme, évincée, garde essentiellement la surveillance et la responsabilité de la salle de travail. Couvelaire, personnage reconnu et actif qui ajoute à toutes les fonctions citées celle de Secrétaire général de la Société d'Obstétrique et de gynécologie, est décrit par deux sages-femmes qui l'ont cotoyé comme «autoritaire» et «pas commode» avec le personnel et les «clientes». Ces images ne sont pas contradictoires, ce sont celles d'une profession qui monte, dans une société qui fait de la femme un être secondaire. Le 15 décembre 1935, Couvelaire est louangé dans les discours de ses pairs tandis qu'une sage-femme et la surveillante générale lui apportent des fleurs !

Ainsi la nouvelle maternité Baudelocque élargit considérablement les fonctions de l'ancienne maison d'accouchement. Si Couvelaire se plaît à souligner qu'elle reste «la Maison de Pinard», Vallery-Radot médecin-historien, contemporain de la mutation peut écrire : «organisé à la fois pour instruire les élèves et protéger la maternité, cet établissement remplit parfaitement le but pour lequel il a été créé» (18). Les leçons de Baudelocque, maternité-modèle et de renom mondial, se diffusent en France et à l'étranger, pour une meilleure protection maternelle et infantile.

Sa diffusion : des maternités plus efficaces

Les maternités deviennent l'axe central de la protection maternelle et infantile. Beaucoup sont créées, notamment à Paris, et adoptent les principes de fonctionnement de Baudelocque, organisant un véritable arsenal de consultations avec service social; elles luttent contre l'infection puerpérale et pour la survie des prématurés; elles adoptent et permettent les progrès de l'obstétrique.

— Le développement des maternités parisiennes

L'Assistance publique de Paris qui disposait de 900 lits de maternité en 1850 et de 2.000 en 1910, en a environ 2.800 en 1930 et 3.800 en 1948, ce dernier chiffre traduisant le niveau d'avant guerre. Sa capacité d'accueil a donc presque doublé entre 1910 et 1940.

Aux trois établissements spéciaux s'ajoutent à Paris onze maternités hospitalières dont beaucoup sont créées après 1920 : celle de Lariboisière en 1923, de Bretonneau en 1929, des Enfants assistés en 1934, celle de Beaujon enfin. C'est Louis Devraigne, chef de service à Lariboisière qui entreprend à partir de 1923 la réalisation d'une maternité moderne de 168 lits et d'un institut de puériculture complet; il la décrit, très semblable à Baudelocque, dans une brochure de 1934 : *La nouvelle maternité Lariboisière*. Pour M. Lacomme, Louis Devraigne ne fut «pas un promoteur mais un vulgarisateur très actif»; né le 28 mai 1876, nommé accoucheur des hôpitaux de Paris en 1915, il fut élève de Bonnaire, moniteur de Budin et exprime donc des conceptions obstétricales parfois divergentes de celles de Pinard et Couvelaire; mais il est surtout le personnage qui a le plus dit et écrit (sans hésiter à se répéter) sur la protection maternelle et infantile : cours, conférences publiques, conférences dans les écoles, articles, brochures, manuels... (19). Nataliste et favorable à l'Alliance Nationale, son objectif essentiel est cependant l'éducation des mères par la puériculture, et nous le verrons utiliser les moyens les plus modernes comme le cinéma.

Dans l'enclos de l'Hospice des Enfants Asisstés (aujourd'hui Saint Vincent de Paul), est achevée, en 1934, une nouvelle maternité qui prend le nom d'Adolphe Pinard, l'illustre maître venant de s'éteindre à l'âge de 90 ans. Comprenant un bâtiment central sur deux étages, et deux ailes d'un étage, elle intègre tous les aspects novateurs de Baudelocque : un service d'accouchement en chambres séparées, deux salles d'opérations (aseptique et septique), un service pour tuberculeuses (à l'extrémité de l'aile gauche), des chambres d'isolement. Les consultations en sous-sol sont moins développées (femmes enceintes, nourrissons et service social seulement) mais les dortoirs sont plus rares qu'à Baudelocque. Les chambres individuelles apportent hygiène et confort, mais elles nécessitent plus de personnel et ne donnent à la maternité que 107 lits. Dirigée par H. Vignes, qui s'entoure d'une pléiade de collaborateurs, la maternité Adolphe Pinard est aussi considérée par le public et les visiteurs comme un établissement modèle. Dans un esprit très moderniste, P. Desfosses qui la décrit dans *le Journal des Accoucheuses* en août 1935, insiste sur l'importance de son aspect agréable tant extérieur (briques jaunes et stores) qu'intérieur : «la sensation agréable offerte par cette maison est à signaler; car dans cette très complexe question des constructions et des aménagements hospitaliers, l'on doit compter sur les premières impressions que reçoivent ceux qui y doivent être soignés ou hospitalisés». Mais ce souci louable et novateur s'accompagne du couplet traditionnel sur le rôle et la nature de la femme, être émotif et hypersensible en période de grossesse : «les menus détails ont leur importance parce qu'ils contribuent à créer un état psychologique favorable chez les malades, à plus forte raison quand il s'agit de la femme, être sensible par excellence, surtout quand elle est à l'apogée du rôle qui lui est assigné dans le plan universel de la Nature : la maternité».

Plus modeste est la maternité ouverte rue Eugène-Millon par Mr et Mme Cognacq-Jay au début des années vingt et mise à la disposition des femmes d'employées de commerce et de banque. Pour une somme modique, elles peuvent y accoucher et y séjourner quinze jours dans des chambres à un ou deux lits, «confortables, spacieuses, nettes et gaies». Elle n'offre, à la différence des autres, qu'une consultation pour les futures mamans. Si Baudelocque assure le plus grand nombre de consultations prénatales et vénériennes (respectivement plus de 20.000 et plus de 14.000 en 1931), si Lariboisière et Boucicaut tiennent les premières places pour la consultation de nourrissons, cette activité n'est nulle part négligeable.

— La maternité et son arsenal de consultations. Le service social

Décrites dans la thèse de médecine de A. Valéro-Bernal datée de 1938, les consultations de maternité sont abondamment commentées, dans leur rôle et leur fonctionnement, par les accoucheurs comme A. Couvelaire et surtout L. Devraigne; dans des brochures ou lors de congrès parisiens, comme le congrès international de protection maternelle et infantile en 1922, ou celui pour la protection de l'enfance en juillet 1933.

La consultation fondamentale «arme admirable» de «médecine préventive», celle dont «l'État doit offrir l'usage à toutes les futures mères» selon les mots de Couvelaire, rapporteur de la section maternité au congrès de 1933, est *la consultation prénatale*. Aussi est-elle, dans les maternités, souvent dirigée par un médecin, dont le rôle, décrit par Devraigne dans la première leçon de *Cliniques obstétricales* est immense. Il fait d'abord œuvre d'obstétricien, par le palper, le toucher, la percussion, et éventuellement la radiographie; «il surveille le développement de l'œuf et prépare l'accouchement dans les meilleures conditions de sécurité pour la mère et l'enfant», repérant les causes de dystocie et rectifiant les mauvaises présentations. Gynécologue, son souhait d'une première consultation précoce, n'est pas toujours réalisé. Avant tout médecin, il pratique un examen complet de tous les appareils physiologiques et enquête sur les antécédents pour dépister les maladies vénériennes, la tuberculose, la colibacillose, l'albumine et y remédier.Il prend appui sur le laboratoire (réaction de Bordet-Wasserman, examen bactériologique des sécrétions vaginales, examen d'urine que Devraigne souhaite mensuel au début de la grossesse, bi-hebdomadaire le dernier trimestre) mais «en clinicien très averti», il doit avant tout compter sur l'observation.

Si Couvelaire fait confiance à une sage-femme pour diriger cette consultation, pour Devraigne son sérieux nécessite la présence du médecin. D'autant qu'elle doit jouer un grand rôle éducatif; éducatif pour le médecin en personne qui y apprend le sens social et des comportements corrects envers les femmes enceintes. Devraigne recommande à ses élèves l'exactitude «car ces clientes, moins que les clientes payantes n'ont pas de temps à perdre, ayant un intérieur à tenir», et la douceur pour gagner la confiance et être obéi; «les femmes enceintes privées de ressources ont droit à autant d'égards que les femmes fortunées; la consultation d'hôpital ne doit en rien les blesser ou choquer leur pudeur; elles y viendront d'autant plus volontiers comme elles iraient au domicile d'un médecin de leur choix qu'on leur offrira un local confortable, plaisant où elles seront bien reçues». Le respect de la femme a ainsi une visée stratégique d'acculturation progressive des classes populaires : «bien conseillées, elles reviendront..., elles lutteront contre les préjugés stupides et répandront les bons conseils..., elles amèneront des parentes, des amies voisines pour consulter «leur médecin» auquel elles sont profondément reconnaissantes». (Dès 1922, au congrès de protection maternelle et infantile, Devraigne qualifiait les consultantes bien soignées de «propagandistes», «rabatteuses actives des consultations de maternité»). Quant aux aides et aux assistants, ils reçoivent en participant aux consultations prénatales «le meilleur enseignement» et «le meilleur entraînement pour la clientèle».

La consultation de maternité s'adresse à celles qui veulent accoucher dans l'établissement, mais aussi aux femmes envoyées par des praticiens et des sages-femmes de ville. Devraigne conseille d'être «un très bon confrère», «se gardant de toute parole imprudente qui pourrait être interprétée comme une critique, les tenant au courant par écrit de ses impressions, tant au point de vue du diagnostic qu'au point de vue du traitement, sans prescrire lui-même, ne s'offrant à garder pour l'accouchement que les cas dystociques et cela en complet accord avec ses correspondants qui bien loin de le jalouser lui seront reconnaissants de leur éviter des désastres ou des accidents». Ainsi présentée, avec un peu trop d'optimisme quant à la docilité des femmes et la multiplication des examens, la consultation pour femmes enceintes, peut, en préparant «la naissance d'enfants sains», jouer un grand rôle dans la lutte contre la mortinatalité et la mortalité infantile; elle s'oppose plus efficacement aux causes d'origine congénitale qu'à celles liées à la misère mais la consultation s'adjoint les services d'une assistante sociale et constitue une véritable «prise en charge du futur enfant» par l'éducation technique et... morale de la mère : Valero Bernal propose, dès la première consultation, d'envisager la nécessité de l'allaitement au sein et les dangers de la mise en nourrice.

Le même auteur reconnaît le zèle des médecins français qui utilisent un critérium large pour affirmer le diagnostic d'une «maladie héréditaire», le mot «syphilis» et son cortège de honte étant volontairement évité. Sur le modèle de Baudelocque, les dispensaires antisyphilitiques annexés à la maternité se multiplient : il en existe dans 583 maternités en 1930. Par une étroite collaboration entre l'accoucheur, le syphiligraphe et le pédiatre, ils dépistent la maladie et traitent parents, enfants et nourrissons.

Les consultations pour nourrissons débordent largement le cadre des maternités, où elles fonctionnent dans les meilleures conditions. Notre candidat au doctorat de médecine en 1938 les évalue à 5.000 en France avant de se permettre un hommage lyrique, et certainement apprécié du jury, à Pierre Budin : «ces services ont transformé les cimetières d'enfants du passé en jardins où la vie s'épanouit, peuplés d'innombrables petits oiseaux qui chantent, voltigent pleins de gaieté, un hymne au fils du laboureur des landes».

Les maternités organisent aussi une consultation gynécologique et à partir de 1930 une consultation prénuptiale «dans le but de mettre en œuvre les notions essentielles de l'eugénétique». Certaines s'intéressent particulièrement, «dans l'intérêt des consultantes et dans l'intérêt de la nation» (Valéro-Bernal) à la lutte contre la *stérilité* qui touche 10 % des couples en 1938. En 1925, deux affiches annoncent à Lariboisière l'ouverture de la première consultation pour infécondité; huit jours après une femme ose se présenter; un mois après un journal communiste dénonce ceux qui veulent «fabriquer de la chair à canon». Devraigne, initiateur et propagandiste, et Valero-Bernal en soulignent au contraire le succès auprès des femmes, dont «beaucoup viennent de province, amenées par un désir intense de maternité, parfois en cachette du mari qui parle de divorce si l'enfant ne vient pas» : 800 consultantes pour les trois premières années de fonctionnement, de 6 à 700 par an dans la décennie trente. La consultation reçoit aussi la visite de médecins étrangers qui ouvrent des centres similaires dans leur ville d'origine comme Pozzi à Turin. Pour «mettre en confiance» les clientes, les stagiaires de service sont exclus de la consultation, assurée comme les traitements par les mêmes assistants.

Dans toutes les consultations pour infécondité, le mari est systématiquement examiné avant son épouse car «il serait bien imprudent d'imposer à la femme certaines opérations même bénignes en apparence sans avoir vu le mari et avoir fait un examen complet de son sperme» (Devraigne). «Quand l'homme refuse de se prêter à cette investigation, précise Valero-Bernal, on prend le sperme resté au fond du vagin après le coït». Dans la France de l'entre-deux-guerres, la susceptibilité masculine a droit à des égards; elle peut conduire à des affirmations douteuses scientifiquement : la responsabilité du mari dans la stérilité conjugale varie de 5 à 60 % selon les auteurs ! Il est difficile de dire à l'homme qu'il est stérile; à Lariboisière, si l'azoospermie persiste malgré le traitement arsénico-phosphoré, l'équipe médicale «renvoie mari et femme sous un prétexte quelconque» !

Pour la femme la recherche du diagnostic commence par un examen gynécologique permettant de déceler une malformation de l'appareil génital ou une affection acquise (métrite ou salpingite) traitable (par diathermie souvent) : c'est le temps de la gynécologie pure. Si la cause n'est pas décelée, Devraigne procède à une exploration tubaire pour mesurer la perméabilité des trompes : ayant renoncé aux insufflations de gaz trop «brutales», il ne pratique dans les années trente que l'injection intra-utérine de lipiodol avec contrôle radiographique et hospitalise la patiente pendant deux jours. Lorsque l'exploration tubaire est positive (en cas contraire «le pronostic est mauvais»), une intervention chirurgicale ou un traitement sont pratiqués; lorsque la cause n'est pas découverte, on tente un régime de désintoxication (type «régime blanc» de Pinard) «pénible et peu efficace», ou, «en désespoir de cause», après plus d'un an de recherche, une laparotomie exploratrice. Il semble que des abus aient été commis les premières années; en 1934, le Dr Seguy, collaborateur de Devraigne souligne l'importance pour la fécondation des glaires claires secrétées lors de l'ovulation et demande qu'on évite «les opérations inutiles»; en 1937 le Professeur Brindeau rejette devant l'Académie de médecine «les procédés dangereux» comme la dilatation du col. La fécondation artificielle par insémination est peu pratiquée (sur 3 à 4 femmes par an à Lariboisière), moins en raison des difficultés techniques que des blocages mentaux qui conduisent à des discussions médicales et morales, notamment sur l'insémination par un sperme étranger.

Le bilan de cette lutte contre la stérilité n'est pas un cri de victoire. Pour Devraigne, qui évaluait dans les années vingt le taux des couples stériles à 15 %, il y a 20 % seulement de résultats positifs, et il est nécessaire de créer un Centre national autonome de recherches sur la stérilité conjugale involontaire; comme lui, Valero Bernal souligne «l'infidélité» des patientes qui «se découragent et ne reviennent plus après quelques tentatives infructueuses», «l'imperfection des moyens de recherches», et «l'insuffisance des certitudes biologiques acquises» qui empêche «la mise en train de nouveaux procédés thérapeutiques plus agissants».

Les consultations de maternité gagnent une bonne efficacité médicale grâce au concours du Service Social dont l'idée est ancienne et la réalisation, un héritage de la Croix Rouge américaine (20). Si St Vincent de Paul est l'illustre ancêtre, les initiateurs sont les Professeurs Calmette et Grancher qui prétendaient «soigner la maladie (la tuberculose) simultanément au domicile et au dispensaire».

Après la publication d'un volume sur ce qui se passe à l'hôpital pour enfants de Boston, Marfan tente un essai en avril 1914 à l'hôpital des Enfants Malades. En mai 1918 le Dr Adair, médecin chef du service prénatal de la Croix-Rouge américaine fait placer trois assistantes sociales dans les maternités de St Antoine, Lariboisière et Baudelocque. Au départ de la Croix-Rouge américaine, en avril 1919, se crée le Conseil d'administration du service médico-social des maternités. En juin 1920 et février 1921 naissent deux associations du service d'assistance pour les tuberculeux et les enfants des hôpitaux de Paris. Les trois associations forment le 31 mai 1921 une fédération intitulée *Le Service Social à l'hôpital*; reconnu d'utilité publique l'année suivante, elle comprend alors six sections (maternité, enfance, tuberculose, chirurgie, médecine générale, dermatosyphiligraphie) et elle édite un bulletin du même nom qui est le compte-rendu des assemblées générales.

Implanté en 1923 dans vingt services dont sept de maternité, le Service Social à l'hôpital se développe progressivement : 52 services dans 26 hôpitaux en 1929, 110 services en 1935, mais il semble concerner essentiellement la région parisienne et le vœu de Devraigne formulé en 1922 devant le Comité National de l'Enfance (1 service d'assistance sociale pour toute maternité et tout dispensaire d'hygiène maternelle et infantile) ne se réalise pas. Le Service Social est «né du sentiment de l'insuffisance de l'œuvre purement médicale à l'hôpital»; les buts, rappelés chaque année par Edouard Rist lors de son allocution inaugurale, manifestent l'esprit moderniste de certains hospitaliers (médecins ou administratifs comme Mourier, directeur de l'A.P.) qui parlent en termes d'économie et de politique de santé : «Le Service Social n'est pas une œuvre charitable. C'est un instrument simple et pratique conçu pour améliorer le rendement économique et social du travail hospitalier et pour rendre aussi productives que possible les dépenses que s'imposent les collectivités en vue d'entretenir leurs hôpitaux. L'assistante coûte 20.000 francs par an. En secours obtenus, en aide intelligente et humaine, en récupération de vies et de santés, en économie de journées d'hôpital, en gain de journées de travail, elle rapporte infiniment plus». L'assistante sociale fait le lien entre le malade et le médecin, l'informant des causes sociales de la maladie et prolongeant son action à domicile; et la liaison entre le malade et les œuvres d'assistance. Son rôle est particulièrement important dans les maternités.

Le but de la section Maternité dont le Secrétaire général est Devraigne est selon ses statuts :

«1°) d'amener les femmes en état de gestation au terme de leur grossesse dans les meilleures conditions physiques et morales;

2°) de conserver la mère à l'enfant en favorisant l'allaitement maternel».

Comme le dit Valero-Bernal qui partage l'idéologie tradition-nelle, le travail féminin est un «facteur indésirable» et pour lutter contre la mortalité fœto-infantile, l'assistante doit «neutraliser les effets de la misère, de l'ignorance, de la condamnation au travail de la mère». Si l'assistante est attachée aux consultations, elle s'enquiert des besoins de chaque consultante et l'aide matériellement en la diri-geant vers des œuvres publiques ou privées; elle note et explique les prescriptions médicales, s'assure que la femme peut les exécuter et fréquenter régulièrement les consultations; elle la signale au service de visiteuses et s'il n'existe pas, suit elle-même à domicile les cas les plus importants. L'assistante attachée aux services d'hospitalisation visite les salles, suit et aide les sortants à «reprendre une vie norma-le et saine», organise des causeries pratiques pour les futures mères clientes des consultations ou admises dans les dortoirs d'expectan-tes. Quant aux visiteuses, en dehors des quinze jours suivant la nais-sance réservés à la sage-femme, elles assument une tâche fondamen-tale : diffuser les principes de l'hygiène, empêcher le développement des «troubles que les mères attendent de voir augmenter pour consul-ter le médecin», enfin mener les enquêtes sur les conditions de vie, comme les enquêtes préventives d'abandon dont le Service Social est chargé par l'A.P. depuis 1923.

Si l'action du Service Social est indéniablement d'aider les mè-res et de sauver les enfants, elle a aussi, pour certains une fonction d'acculturation des «barbares» des classes populaires; Valero Bernal décrit avec mépris les taudis où règne l'alcool pour souligner «le mé-rite de cette prophylaxie poussée depuis les installations modernes de la Maternité, jusqu'aux bas-fonds de la société dans les faubourgs». Elle reflète au moins chez tous ceux qui l'encensent ou le pratiquent (avant la création du diplôme national d'assistante sociale en 1932, en qualité d'infirmière-visiteuse ou d'assistante formée par l'œuvre) une idéologie normative de la femme, bonne mère au foyer, et docile au monde médical. Melle Ducroux, infirmière-visiteuse à Lyon, décrit comme le pire cette «situation étonnante : la mère à l'usine, le père en chômage au foyer, préparant les repas et s'occupant des enfants», et comme le quotidien la lutte «contre les préjugés ou l'influence d'une grand'mère ou d'une voisine dite expérimentée». Une autre assistante, Melle Hardouin, énumère les qualités nécessaires à sa fonction : «jugement et discernement, tact, discrétion, persuasion plus qu'autorité, bonté plus que pitié, indulgence sans faiblesse, initiative et pondération, le tout complété par une valeur professionnelle éprouvée». Commentées par des médecins comme Valero-Bernal ou E. Janin, ces qualités deviennent le moyen d'atteindre un objectif, par des méthodes adaptées à «la culture intellectuelle»; mais ils recommandent de rester neutre sur «les questions de religion, de croyance ou de politique» et d'éviter chez l'assistée l'habitude de paresse; elles doivent aussi garantir que l'assistante n'outrepasse pas son rôle, ne se transforme pas en visiteuse d'hygiène de la gestation (rôle de la sage-femme) et garde une bonne entente avec le médecin (21).

Les résultats obtenus se mesurent pour les promoteurs du Service Social, en abandons conjurés (E. Rist calcule l'économie réalisée en fonction du coût de treize années d'Assistance publique), en naissances sauvegardées, en allaitements au sein, en réconciliations de filles-mères avec leurs familles. Statistiques impersonnelles que le rapport annuel agrémente de cas réels comme celui rapporté par Devraigne en 1924 : «une jeune fille de dix-neuf ans, soudeuse en bijouterie, vient au Service Social en mai 1923; elle est enceinte de six mois et le père de l'enfant, maçon âgé de vingt ans est prévenu à la Roquette pour coups à un agent dans une bagarre. Ont été obtenus : 1°) l'entrée de la jeune femme au refuge de l'Avenue du Maine; 2°) la libération immédiate du maçon; 3°) le mariage le 7 août et l'accouchement normal d'un beau garçon le 9 août». Résultats exemplaires puisque la morale et la natalité sont sauvées, une aide réelle ayant permis à ce couple de sortir d'une mauvaise passe. L'action est multiforme mais les résultats souvent plus modestes : aide financière et matérielle, et très souvent simple distribution de lait. En 1929, E. Janin considère que, pour une plus grande efficacité de l'action sociale, il est nécessaire de créer des comités de patronage (afin de distribuer une aide plus substantielle), et de favoriser la fusion des œuvres d'assistance sociale; cinq œuvres se partagent encore les maternités parisiennes : le Service d'Entraide sociale de Port Royal, l'Appui maternel de la clinique Tarnier, les Volontaires du service social de la Charité, les Amis de la maternité à Boucicaut, le Service Social à l'hôpital pour toutes les autres.

Malgré quelques insuffisances, les maternités sont devenues des centres efficaces de médecine préventive. Elles sont aussi des lieux où la mise au monde peut s'accomplir «avec le minimum de risques et le maximum de sécurité pour la mère et pour l'enfant», la fièvre puerpérale étant partiellement vaincue, et la survie des prématurés améliorée.

— La lutte contre la fièvre puerpérale et pour la survie des prématurés

La fièvre puerpérale, maladie infectieuse, répandait autrefois la mort dans les maternités. Après l'échec de Semmelveiss, les découvertes de Pasteur et la pratique de l'antisepsie par Tarnier et ses adeptes ont permis une réduction importante de la mortalité maternelle. Mais elle reste, pour l'entre-deux-guerres, un problème d'actualité, débattu en congrès international en 1923 à Strasbourg, où Couvelaire est rapporteur pour la France. L'origine du mal est bien connue; les agents pathogènes sont le streptocoque (découvert par Pasteur) et le perfringus, micro-organismes dont la virulence est variable car ils se trouvent souvent de façon inoffensive dans les voies génitales. L'infection peut être exogène par contamination, ou endogène lorsque les germes du corps deviennent virulents au moment de l'accouchement, sans que l'organisme affaibli ne réagisse. «Autant qu'une question de microbe, le problème de l'infection puerpérale est une question de terrain» explique le Dr P. Balard, accoucheur des hôpitaux de Bordeaux devant le 8ème Congrès international des accoucheuses en avril 1938 à Paris.

Aussi souligne-t-il les atouts actuels de la maternité dans la lutte contre la fièvre puerpérale. Favorisant par ses consultations une hygiène de la grossesse, «elle sauvegarde et augmente la résistance de la femme à l'infection»; elle a les moyens d'améliorer les accouchements laborieux qui épuisent la parturiente; enfin elle tend vers un idéal d'asepsie toujours plus parfaite, alors que le corps des accoucheuses, qui pratiquent les accouchements à domicile, ne maîtrise pas encore dans son ensemble cette technique. Toutefois une faute d'asepsie légère est moins grave à domicile et l'éducation peut améliorer la situation.

A la maternité professe Balard, «l'asepsie n'est pas un luxe, c'est une nécessité pour la parturiente, ce doit être un réflexe pour l'accoucheur». Pour ne pas apporter de germes au niveau de la vulve et du vagin, l'accoucheur(se) évite le toucher vaginal, et pratique toute manœuvre d'exploration avec un doigtier ou des gants stérilisés tout comme les instruments. Le Dr L. Portes exige deux paires de gants stérilisés, une pour l'accouchement, l'autre pour la délivrance; quant à Le Lorier, il interdit dans son service le toucher et rappelle que Pinard, lorsqu'il professait, invitait une sage-femme agréée de Baudelocque, qui n'avait pas vu d'infection pendant trente ans de service, pour dire publiquement «je n'ai jamais touché». D'autre part la désinfection des organes génitaux est minutieuse (à la teinture d'iode qui fixe les germes cutanés) et extérieure seulement car les antiseptiques sont peu efficaces in vivo et entravent les défenses naturelles. Plus difficile à faire admettre est le port du masque pendant la période d'expulsion, et l'idéal d'asepsie se heurte dans certains établissements à la routine des accoucheurs et des sages-femmes qui se cantonnent dans la pratique d'une antisepsie à la Tarnier.

Il subsiste dans les maternités une mortalité par infection puerpérale de l'ordre de 1 à 2 o/oo. A Baudelocque, elle oscille de 1921 à 1935 entre 2,9 et 1,4; à Boucicaut entre 1,7 et 0,4 de 1924 à 1931 pour rester à ce niveau de 1932 à 1936; à Berlin entre 2,2 et 1,5 o/oo (chiffres donnés par P. Balard). Le non-respect des règles d'asepsie n'est qu'une cause partielle, à côté de l'infection endogène; ainsi à Baudelocque, sur 43 femmes mortes entre 1928 et 1934, 24 ont eu un accouchement normal sans infection exogène possible. Aussi les sommités médicales des maternités cherchent-ils des moyens biologiques et chimiques pour prévenir et traiter la fièvre puerpérale. Les moyens biologiques comme la serothérapie ou la vaccinothérapie se sont avérés peu probants, à la différence de la chimiothérapie; dans les années vingt, à partir de 1923 à Bordeaux, l'injection sous-cutanée ou intra-veineuse de sulfarsénol permet de traiter efficacement de nombreux cas, mais «certains incidents» (Balard n'est pas plus explicite, bien que derrière il y ait des femmes cobayes) font abandonner la méthode. A partir de 1936 se déroule à Paris une large expérimentation sur l'usage du rubiazol (carboxyl de sulfamido-chrysoïdine), à Baudelocque sous le contrôle de Lacomme et à la Maternité dans le service du Professeur Le Lorier : les parturientes absorbent dès l'admission en salle de travail huit comprimés par 24 heures pendant cinq jours. Les résultats que Balard juge non décisifs semblent très encourageants à Lacomme : sur un an (plus de 7.000 accouchements pour les deux établissements), une seule femme, avortée déjà infectée, est morte de fièvre puerpérale, et le nombre des infections graves et légères (à l'exception des phlébites) a baissé.«Les faits, écrit Lacomme, ont comme conséquence de transformer réellement de façon considérable l'aspect du pavillon d'isolement du service; alors que dans les années précédentes, nous avions presque toujours dans les chambres d'isolement, une, voire même plusieurs malades qui, avec leur température continue ou leurs frissons, réalisaient le tableau bien connu des grandes infectées et à propos desquelles se posait chaque matin la question de leur survie ou de leur mort, nos visites quotidiennes depuis un an ne nous montrent rien de semblable». C'est le début de la victoire sur ce fléau des maternités qu'était la fièvre puerpérale.

De même, naître prématuré ou débile (22) n'est plus une condamnation à mort, du moins si l'enfant est sain, alors qu'en 1900, selon Pinard, sur 2.000 prématurés, 1.700 mouraient. Le prématuré était alors enveloppé dans du coton et (ou) placé dans une couveuse, pour éviter le refroidissement. Écoutons Devraigne, raconter, dans une conférence à la clinique Baudelocque le 8 mai 1925, les débuts difficiles de la couveuse : «la couveuse est une cage de verre chauffée par en dessous, en général, à l'aide de boules d'eau chaude que l'on devait renouveler toutes les deux ou trois heures. Un courant d'air passait sur ces boules d'eau chaude et venait à l'entresol, où était le prématuré sur un plan quelconque, et ressortait par de petits trous à la partie supérieure. Au début, des prématurés sont morts parce qu'on avait oublié de faire des trous; il n'y avait pas d'aération, ils sont morts en milieu clos. Il fallait y penser... Pour empêcher la dessication de l'atmosphère, on mettait une éponge humide. Pour savoir la température de cette couveuse, on y mettait un thermomètre. Au début on s'est demandé combien il allait falloir obtenir; ces enfants devaient avoir 37°, on les mettait dans un milieu à 37° et ils en mourraient rôtis, desséchés, déshydratés au maximum, ayant eu trop chaud. On a tâtonné; on est arrivé à 26, 25°; c'est une bonne température. Puis certains auteurs ont dit «mais si on pouvait leur laisser faire cette culture physique dont ils ont besoin». Mais où les mettre ? Dans un milieu encore plus chaud ? On a chauffé à 28° et pour bien isoler l'enfant du milieu extérieur, on a décidé de faire une double paroi de verre : c'est la couveuse type Bonnaire; le petit enfant était nu dans cette couveuse bien chaude et gigotait à l'aise s'entraînant pour les futurs jeux olympiques». On peut voir aujourd'hui ce type de couveuse sur le monument dédié à Tarnier, rue d'Alsace à Paris.

Même si les risques d'asphyxie et de déshydratation n'existent plus, les couveuses, explique Devraigne, chauffent mal et constituent un milieu difficile à désinfecter. Aussi les maternités des années vingt leur préfèrent-elles une grande salle chauffée à 23 ou 25° : la couverie. Ainsi en est-il dans la nouvelle maternité Baudelocque, mais les deux systèmes semblent coexister, la couveuse ayant la faveur des petits établissements comme le suggère *Maman* en 1936. La couveuse des années trente est souvent en métal avec une porte vitrée, et le système d'aération s'est perfectionné : «1 tuyau s'ouvre à l'air libre et comporte une hélice de métal souple qui tourne sous l'action de l'air chaud sortant de l'appareil». On a essayé la couveuse à gaz mais elle est dangereuse car il y a un feu allumé; le modèle le plus courant est le modèle à eau chaude car «la plus perfectionnée, la couveuse électrique branchée sur le courant est la plus coûteuse». D'autre part il est donné un soin particulier à l'alimentation du prématuré : lait de la mère de préférence et souvent à la demande, à la rigueur lait condensé sucré ou babeurre. Les enfants les plus fragiles subissent un traitement mis au point dans les années vingt par Gueniot et Seguy à Lariboisière et que confirme le *Journal des Accoucheuses* de juin 1934 : transfusion intracrânienne de 10 à 20 cm^3 du sang de la mère en plein sinus longitudinal, ou des injections de sang maternel ou de sérum (glucosé et chloruré).

Monument à Tarnier, rue d'Assas — Paris. La couveuse

(cliché F. Thébaud)

Je n'ai malheureusement pas de chiffres de survie ou de mortalité des prématurés. Mais les accoucheurs considèrent qu'il est primordial de limiter la prématurité par une bonne surveillance prénatale. Comme le professe le Dr L. Portes aux accoucheuses dans sa conférence à Baudelocque le 1er mars 1931, «la surveillance de la grossesse, c'est ce qu'il y a de plus important dans l'obstétrique»; il ajoute : «c'est ce qui permet de prévoir ce que l'on fera en général au moment de l'accouchement», accouchement qui, surtout en maternité, bénéficie des progrès de l'obstétrique.

— Les progrès de l'obstétrique

Je ne veux pas étudier ici les aspects de l'accouchement qui seront envisagés du point de vue du vécu féminin : problème de la douleur, de l'environnement, du respect du corps... Je me propose seulement de présenter succinctement les possibilités nouvelles de la technique médicale de l'entre-deux-guerres (23) et les débats des accoucheurs.

Des découvertes nouvelles comme la radiographie ou les hormones, les progrès de la chimie biologique et de la physiologie, la sérothérapie et la vaccinothérapie éclairent des chapitres encore obscurs du fait de la seule clinique et permettent une meilleure surveillance de la grossesse, des traitements plus efficaces. Le palper et la version par manœuvres externes restent cependant des pratiques utiles et usitées; le forceps de Démelin à branches convergentes et à grande courbure céphalique représente un progrès sur celui de Tarnier; les applications de forceps au détroit supérieur ont disparu depuis la sévère condamnation de Pinard et «les applications élevées sont facilitées par la position de Devraigne-Descomps : hyper-flexion des cuisses et extension des jambes». Mais ce qui domine la période (depuis la fin du XIXe siècle) c'est l'évolution chirurgicale de l'obstétrique, déterminée par l'antisepsie et l'asepsie.

Si les embryotomies se font de plus en plus rares, l'opération la plus fréquente entre-les-deux-guerres est la césarienne basse. Avant sa généralisation en France au début des années vingt, la pratique en cas de viciations pelviennes ou autres anomalies consistait :

— soit en des opérations prophylactiques (avant le début du travail), comme l'accouchement prématuré provoqué (à l'aide de petits ballons) préconisé par Tarnier puis Budin mais responsable d'une forte mortalité infantile. Ou la césarienne corporéale bien lancée en France par Bar dans les années quatre-vingts; pratiquée sur la partie haute du corps de l'utérus, région fortement contractile, elle présentait des risques d'infection et de rupture de la cicatrice; elle donnait lieu aussi à trop d'opérations inutiles dans des cas limites;

— soit des opérations de nécessité (quand l'épreuve du travail avait été tentée) : intervention par voie basse (application du forceps); agrandissement du bassin par symphyséotomie (celle-ci fut vivement préconisée par Pinard, mais condamnée par Bar qui soulignait les risques de déchirures et les troubles graves ultérieurs de la marche); et en cas d'infection, amputation utéro-ovarique mise au point par Porro en 1876 mais qui restait meurtrière.

Au congrès international de St-Pétersbourg en 1910, le Dr Doleris fait l'apologie de la césarienne corporéale et de son praticien : «Maître de son heure, sûr de son terrain, ayant préparé, aseptisé sa malade et l'ayant habituée à la pensée de l'intervention, ce qui entre pour beaucoup dans le maintien de l'équilibre nerveux pendant les heures qui suivent immédiatement l'opération, ayant enfin, par là, éloigné tous les dangers d'infection et réduit au minimum le péril du choc, l'opérateur peut envisager la section césarienne comme une intervention d'une simplicité parfaite et d'une sécurité presque absolue». Au même moment, à la suite des Allemands et des Suisses, les Français Brindeau, Couvelaire, Jeannin adoptent la césarienne basse segmentaire; elle a l'avantage d'opérer sur le segment inférieur, zone peu exposée aux ruptures ultérieures ou à la péritonite et de permettre de tenter l'épreuve du travail, donc de «n'opérer qu'à bon escient», en conservant l'utérus. Intervention conservatrice, sans «risques excessifs» et avec une bonne suite opératoire, elle se répand rapidement malgré les difficultés de la technique et permet de sauver des mères et des enfants. Pour les extractions fœtales difficiles, le professeur Audebert met au point en 1931 les césariennes segmento-corporéales. Si la symphyséotomie est encore défendue par certains auteurs comme Le

Lorier, elle est maintenant sous-cutanée et n'a pas en France la faveur que lui confère Zarate en Amérique du Sud.

La chirurgie obstétricale met fin à des procédés dangereux; ceux déjà cités ou encore la dilatation rapide du col, manuelle ou instrumentale. L'objectif est, selon Devraigne, de «sauver l'enfant en faisant courir le moins de risques à la mère». Mais lui-même dénonce «les exagérations opératoires de nombreux praticiens» (24), tandis que Portes oppose «l'esprit chirurgical» (illustré par la pratique d'appuyer sur l'utérus et de tirer sur le cordon pour obtenir une délivrance rapide) à «l'esprit obstétrical» ou «physiologique» «qui n'a comme idée que de n'agir que lorsque la nature est insuffisante». De même l'accoucheur Brindeau déplore les méfaits de cette «période de transition où trop de femmes sont opérées de césariennes alors qu'une expectative bien surveillée aurait pu favoriser un accouchement spontané». Bien que novateur en la matière et disposant d'un bloc chirurgical moderne, Couvelaire ne semble pas un fanatique de la césarienne. Les thèses de médecine sur le fonctionnement annuel de Baudelocque montrent que sur 100 accouchements le taux de césariennes est variable mais faible : de 4 % en 1924 à 0,25 % en 1932; la tendance à la baisse dans les années trente est le signe possible d'une plus grande prudence et d'une meilleure surveillance des femmes enceintes.

C'est encore Devraigne qui rend compte des débats qui opposent les accoucheurs sur le fait d'intervenir ou non, systématiquement. En 1939, dans une nouvelle revue «*Cinq enquêtes cliniques et thérapeutiques*» qui se propose «d'apporter aux médecins de France une aide efficace» en «condensant les principales acquisitions» (sous forme d'articles ou de résumés de travaux), il rédige une synthèse : «accouchement médical, accouchement dirigé, accouchement surveillé». Contrairement à la doctrine classique qui prône le respect de la poche des eaux jusqu'à la dilatation complète, Kreis à Strasbourg pratique «l'accouchement médical» : pour accélérer l'accouchement, il rompt artificiellement la poche des eaux à un franc de dilatation et injecte de la spasmalgine, pour éviter les spasmes; en 1936, dans *Obstétrique et gynécologie*, il propose la généralisation de sa technique, «instrument merveilleux pour le praticien compétent par son titre de docteur en médecine et qui accouche à domicile». Plus prudents, Voron et Pigeaud à Lyon ne rompent les membranes qu'à 4 cm de dilatation, injectant de la spasmalgine s'il y a «douleurs exagérées», et plus rarement des extraits hypophysaires si le travail se ralentit avant la dilatation complète ou lors de l'expulsion. Qualifiant leur méthode «d'accouchement dirigé», ils ne la conseillent que «dans un service hospitalier bien surveillé». Quant à Burger, élève du même maître allemand que Kreis, il constate que l'accord n'existait pas parmi les auteurs allemands, et pose comme priorité une «surveillance étroite» qui permet une réponse adaptée à chaque cas, et non un «traitement systématique».

«Dans le siècle où nous vivons, où la vitesse est reine, des spécialistes accoucheurs de marque s'ingénient à accélérer la marche de l'accouchement : cinq à six heures pour une primipare au lieu des dix-huit à vingt-quatre heures classiques», écrit Devraigne en le déplorant; il se situe nettement du côté des modérés, considérant que l'interventionnisme ne doit pas être systématique et surtout «rester du domaine des cliniques et des spécialistes». Devant la Société d'obstétriquc et de gynécologie de Paris, Couvelaire a défendu une position analogue : «le fait de vouloir systématiquement, à titre préventif, dans la crainte de complications imprévisibles mais rares, entreprendre de diriger artificiellement *tous* les accouchements, en privant le fœtus de la protection du sac amniotique et en injectant à la mère des poisons médicamenteux, ne peut que heurter la vieille tradition des accoucheurs modestes − dont je suis − qui se font une règle de ne pas contrarier inutilement, dans les cas normaux, le mécanisme naturel de la parturition» Tradition qui est aussi celle de Démelin, maître de Devraigne et auteur du manuel médical : *La pratique de l'accoucheur en clientèle*, où qualifiant l'accouchement «d'acte naturel comme la déglutition», il recommande à «l'hygiéniste» de respecter «l'évolution normale» et «d'éviter toute intervention périlleuse ou inutile».

Si ces controverses sont pour Devraigne une simple et éternelle «querelle des anciens et des modernes» où «le temps mettra les choses au point» (lui-même conseille la prudence mais pratique parfois en fin de travail une injection d'hypophyse et un léger chloroforme à la reine) il y a derrière des femmes qui ont rarement les moyens de de choisir leur accoucheur en connaissance de cause, et qui subissent des expériences parfois dangereuses ou les douleurs de «l'accouchement naturel». Ces divergences recoupent en effet celles qui s'expriment sur les méthodes chirurgicales et sur la limitation de la douleur. Elles s'opposent à l'unanimité qui règne sur la question de la surveillance pré et post-natale, principal enjeu de la médicalisation de la maternité.

***

La réorganisation des maternités qu'illustre Baudelocque constitue un modèle hygiéniste qui se diffuse entre-les-deux-guerres, y compris à l'étranger, et traduit l'émergence d'une médecine sociale, alliant une pensée politique de gauche et une pratique autoritaire. Il n'est pas étonnant que le pays des Soviets en offre des exemples. L'organisation de la maternité Clara Zetkin de Moscou, décrite par Berthié Albrecht dans le n° 5 du *Problème Sexuel* (1935) ressemble fortement à celle de Baudelocque (25).

La clinique Clara Zetkin, dont la capacité est de 150 lits de femmes et 125 berceaux et qui emploie 187 personnes, «personnel spécialisé presqu'entièrement féminin», comprend une aile spéciale pour les femmes tuberculeuses ou contaminées; des recherches sont faites sur l'effet de la grossesse sur la tuberculose et le traitement Calmette est appliqué aux enfants. Les femmes menacées de couches compliquées viennent se reposer à la clinique quinze jours avant la date prévue. La femme saine, qui arrive plus tardivement, pénètre dans une salle de nettoyage où «elle est douchée, savonnée, rasée, manucurée, pédicurée et où on la revêt d'une chemise stérilisée»; après un examen et une analyse d'urine et de sang, elle passe dans la salle «des petites douleurs», où elle peut «se coucher ou s'asseoir à son gré» avant d'entrer en salle de travail. Berthie Albrecht souligne avec enthousiasme que les femmes sont «traitées avec une exquise bonté» : le médecin chef à cheveux blancs est une «admirable femme qui a fondé la clinique il y a quinze ans» après avoir «connu la Sibérie et les épouvantables conditions dans lesquelles accouchaient autrefois les paysannes, les prolétaires et surtout les filles-mères»; pendant la grossesse, les femmes font des exercices de gymnastique pour «fortifier les muscles des cuisses, du ventre et le périnée» et reçoivent pour les seins un traitement aux rayons ultra-violets dans le but d'éviter les crevasses, «maternel souci d'éviter aux femmes, à toutes les femmes, l'inutile et abominable souffrance des gerçures du sein». Mais à la différence de Baudelocque, les femmes accouchent ensemble dans une salle de six à huit lits, et sont séparées de leurs nourrissons qu'elles voient lors des tétées à heures fixes. L'avortement (Berthie Albrecht manque là d'esprit critique) se pratique sans ménagement mais la fille-mère est protégée; la mère non mariée, qui fait encore scandale à la campagne, est envoyée deux mois dans une maison de convalescence : «on la soigne au physique et au moral; on la débarrasse des idées préconçues qu'elles pouvait avoir au sujet de l'enfant; ensuite on la fait raccompagner chez elle par une assistante sociale qui est chargée d'expliquer aux vieux qu'on n'est plus au temps des tsars et qu'ils n'ont qu'à accepter le petit enfant avec joie et amour» ! D'autre part pendant ses huit jours de clinique (séjour très court), la jeune mère bénéficie de conférences quotidiennes sur le birth-control, l'avortement et bien évidemment l'hygiène.

Volonté éducative, qui, tout comme la surveillance pré et postnatale, peut s'exercer de façon plus systématique qu'à Baudelocque car la clinique Clara Zetkin est intégrée dans une organisation sanitaire d'ensemble. La ville de Moscou est divisée en dix districts disposant chacun d'un grand dispensaire dont relèvent généralistes (à raison d'un pour 2.500 personnes) et spécialistes et où chaque habitant a un dossier médical. Les gynécologues du district où se trouve la clinique sont responsables de l'état de santé des femmes enceintes et doivent les envoyer régulièrement consulter (une visite tous les dix jours); les contacts avec le personnel de la clinique sont réguliers, des infirmières visiteuses et des actifs sanitaires (un délégué dans chaque maison) complètent le contrôle sanitaire. La travailleuse dispose de quatre mois de congés payés et de la gratuité des soins. A la sortie de la maternité, elle reçoit un petit livre de conseils de puériculture; elle dispose, si elle n'allaite pas, de «cuisines de lait» où elle peut obtenir, contre une somme modique proportionnelle au revenu, les biberons de la journée pour un régime adapté à son enfant selon prescription médicale. L'enfant doit être régulièrement présenté à la consultation de nourrissons. Entrons dans celle de

Clara Zetkin : «de gentils petits meubles blancs et des jouets de jardins d'enfants sont installés dans la salle d'attente. On fait passer les enfants paraissant malades dans une salle de consultaton spéciale où les mères les déshabillent dans des isoloirs vitrés; s'ils sont reconnus malades, ils ressortent par une porte donnant directement sur la rue. Toute cette clinique est claire, nette et même élégante à force de ripolins blancs, de mosaïques claires sur le sol et de plantes vertes. Les corridors, vastes halls éclairés par d'immenses baies sont décorés de grandes plantes vertes. Aux murs, des tableaux lumineux enseignent la propreté, l'hygiène, le birth-control, les dangers de l'avortement; le danger pour les bébés des mouches et de la poussière, comment il faut soigner, habiller et nourrir bébé... Les malades en attendant leur tour, apprennent quelque chose malgré eux. La clinique n'est pas triste; elle fait l'impression d'une ruche». «Maladie» : mot impropre mais significatif, employé aussi par les médecins français.

La maternité – école des mères – telle est l'ambition des accoucheurs. La puériculture est l'autre face de l'emprise médicale sur la maternité; pour être plus efficace en France, elle déborde l'établissement hospitalier.

CHAPITRE II

L'ÉDUCATION DES MERES PAR LA PUÉRICULTURE

> *«Tant vaut l'éducation technique de la mère, tant vaut son enfant».*
>
> Professeur Leenhardt.

> *«Le lait de la mère appartient à son enfant».*
>
> Professeur Pinard.

> *«Une discipline essentiellement régulière dans les habitudes de vie imposées aux enfants».*
>
> Comité permanent
> des mères françaises.

Signifiant par ses racines latines «élevage des tout-petits», le mot puériculture est inventé dans les années 1860 par le Dr. Caron qui souhaite donner des cours. En dépit du soutien de Victor Duruy, ministre de l'Instruction publique, son projet échoue car l'impératrice Eugénie juge le sujet indécent, et le matérialisme du terme choque de nombreuses personnalités. L'idée faisant son chemin, le mot ressuscite grâce à Adolphe Pinard peu avant 1900; né en 1844 dans un milieu modeste de Méry sur Oise, Pinard est docteur en 1874, agrégé en 1878; appartenant en 1882 à la première promotion des accoucheurs des hôpitaux, il lutte en tant qu'obstétricien contre la basiotripsie, pour la symphyséotomie et la césarienne, puis il se tourne vers la puériculture qui fut «la passion de sa vie» comme le souligne son nécrologue en 1934.

Si la pédiatrie, dont le terme est créé par les médecins à la fin du XIXe siècle, est une médecine infantile qui s'adresse à l'enfant malade et peut devenir une spécialité médicale, la puériculture se veut préventive et normative et doit être, avec l'aide des médecins, la tâche des mères. Pour Pinard qui invente la «puériculture intra-utérine» comme pour Devraigne, la puériculture doit être à la fois post-natale, anté-natale et anté-conceptionnelle; c'est au sens large «l'ensemble des règles ayant trait à la procréation, à la conservation et à l'amélioration de l'espèce humaine». Mais son objectif essentiel reste l'élevage des enfants déjà nés.

En 1892, Budin crée la première consultation de nourrissons à la Charité, et l'appelle «l'école des Mères» (26); c'est un succès, le système des consultations est peu à peu adopté par toutes les œuvres d'assistance maternelle et infantile, publiques ou privées comme les Gouttes de lait. Celles-ci distribuent des biberons dosés «de bon lait stérilisé» ainsi que des conseils aux mères qui doivent amener régulièrement leur enfant à la consultation. Des conférences, des cours, une propagande active s'organisent progressivement tandis que se multiplient les ouvrages traitant de puériculture.

Ce mouvement s'amplifie entre-les-deux-guerres. Le pouvoir médical s'impose entre la jeune mère et son enfant, diffusant par des moyens de plus en plus variés des conseils très rigides.

Son objet : normaliser toute la fonction de reproduction

En 1916, le Dr Bonnaire proposait dans un rapport de «défendre l'enfant nouveau-né contre la négligence et l'ignorance de la mère». Au nom du salut des enfants, la puériculture, qui se veut une science, traite les femmes en coupables, en mineures à éduquer. Ses ennemis déclarés sont «l'ignorance», les «préjugés», l'impulsivité. Les mères ne savent pas ou leur savoir est entaché d'idées préconçues ou véhiculées par la famille, les voisines. Les médecins citent par exemple l'allaitement à la demande ou la «croûte de pain désastreuse», donnée dès le sixième mois pour faciliter la sortie des dents : pour le Dr Lesné, c'est la cause essentielle du rachitisme, car «le pain est un aliment mauvais» qui «pris au début du repas, gonfle dans l'estomac, accapare tout le suc gastrique au détriment des aliments ingérés ensuite».

Comme la matrone pour la sage-femme, la voisine déjà mère et surtout la grand-mère sont, pour le puériculteur, des rivales dont il faut combattre les préceptes pour asseoir le pouvoir médical. Il faut aussi discipliner les émotions et les sentiments maternels; l'instinct maternel qui justifie les rôles sexuels et le devoir de maternité ne peut être renié par le monde médical mais il est une «assise, sur laquelle la maternité doit construire pour être efficace», en passant «de l'acte réflexe à l'acte réfléchi» selon les termes du Dr Vinchon qui illustre ainsi son propos : «une jeune mère, dans un milieu non averti et encore primitif, fait comme les nourrices du vieux temps; elle se met en devoir d'allaiter son enfant dès qu'il crie; l'allaitement terminé, elle éprouve le plaisir animal qui suit la satisfaction d'un besoin du même ordre; elle n'a pas vu les conséquences de cette tétée qui est peut-être intempestive; la mère instruite et avertie contrôle, elle, les heures, la durée de l'allaitement; elle note la courbe des poids, les selles de l'enfant» (27).

A la bonne volonté maladroite, aux héritages et particularismes culturels, la puériculture veut substituer dans tous les milieux sociaux la norme médicale intangible et indiscutable. Véritable catéchisme, elle décrète la bonne et la mauvaise manière d'accomplir tel geste et les illustre par des dessins didactiques et impersonnels. Elle s'érige en maximes simples dont la principale est de s'en remettre au conseil médical. Dans sa préface au *Guide des Mères* édité en 1936, Suzanne Lacore, Sous-secrétaire d'État à la Protection de l'Enfance dans le gouvernement de Front Populaire, indique le but du livre «guide sûr de chaque jour» : «loin de prétendre se substituer au médecin, il leur fera comprendre la nécessité de son intervention immédiate dès que la maladie atteint l'enfant et le bienfait des consultations médicales, indispensables à des titres divers, au contrôle de la santé de la mère et de l'enfant». Dans certains ouvrages ces maximes se détachent graphiquement de l'ensemble du discours, résumé indispensable dont la lectrice doit s'imprégner. *La femme enceinte*, brochure d'une centaine de pages du Dr Paul Morin (il s'agit de puériculture ante-natale) contient, écrites en rouge, les cinq phrases suivantes :

— «L'avenir de l'enfant dépend pour une part notable de la façon dont vit la femme enceinte».

— «La femme enceinte doit bien s'alimenter mais elle doit le faire intelligemment sans céder aux préjugés aussi tenaces que pernicieux».

— «En matière d'hygiène comme d'alimentation, les préjugés populaires sont funestes. Les injections vaginales intempestives ont une action plus néfaste qu'utile».

— «Même si elle se sent bien, la femme enceinte doit périodiquement se faire surveiller par le médecin».

— «Les avantages de l'accouchement en maternité compensent largement le désagrément que peut entraîner le départ du milieu familial».

A l'introduction qui annonçait le projet de faire connaître «ce que la femme enceinte doit faire et ce qu'elle ne doit pas faire au cours de sa grossesse», et soulignait la nécessité d'une surveillance médicale, répond une conclusion identique, leit-motiv insistant :

«nous pensons qu'elles auront compris l'importance qu'a la surveillance médicale pour le déroulement normal de leur grossesse et qu'elles sauront vivre le temps de leur gravidité sous le contrôle régulier de leur médecin».

Antidote aux préjugés populaires, la puériculture veut agir sur le comportement des femmes du peuple, celle des classes moyennes ou élevées étant plus perméables depuis plusieurs générations au discours médical; c'est un moyen non seulement de sauver des enfants mais aussi de règler la vie quotidienne, d'influer sur la vie privée, de «civiliser» (28). Si elle s'adapte aux milieux concernés (termes utilisés, dimensions des manuels...), elle ne reconnaît pas de différences sociales pour uniformiser les comportements tant techniques que sociaux de mères universelles. Même l'ouvrage patronné par le Front Populaire et dont Suzanne Lacore considère la diffusion «particulièrement précieuse dans les milieux ruraux où l'ignorance exerce des ravages insoupçonnés», consacre, après des pages de conseils techniques et un répertoire des droits des mères à l'assistance publique et privée, un long chapitre aux «usages mondains» dans la plus pure tradition bourgeoise : le faire-part de naissance; le baptême où les cadeaux doivent être «offerts dans des boîtes enrubannées de rose pour les petites filles, de bleu pour les garçons ou de satin blanc suivant la mode actuelle»; le choix de la nourrice ou d'une nurse qui «partage la vie de l'enfant, n'est pas traitée comme les domestiques et prend ses repas à part».

Normaliser la fonction de reproduction, tel est donc l'objet de la puériculture, dont le dirigisme ne s'atténue quelquefois que par l'invite aux mères à agir en femmes responsables. Responsables au sens le plus large du terme, car la puériculture (Devraigne le rappelle en novembre 1933 dans une conférence faite à la Sorbonne pour l'Entraide des Femmes françaises) n'est pas le simple «pipi, caca, lolo, dodo»; elle entend régir toute la fonction de reproduction, dès avant la conception. Mais la puériculture antéconceptionnelle est encore trop discutée, même parmi les médecins, pour être appliquée : le certificat prénuptial est controversé, «l'éducation populaire reste à faire», l'éducation sexuelle est une nécessité «dont tout le monde parle et que personne n'ose traiter»; si Devraigne déplore cette carence, il reste bien traditionnel en proposant d'encourager les sports car le «sportif ne boit pas, ne fume pas et est chaste». La puériculture anté-natale se pratique surtout dans les consultations pour femmes enceintes, grâce aux visites des infirmières-visiteuses et par la diffusion d'ouvrages sur l'hygiène de la grossesse. Aussi vais-je développer surtout les moyens mis en œuvre pour diffuser la puériculture post-natale en imposant des règles strictes d'élevage des nourrissons.

Des moyens à l'échelle de l'ambition : du cours scolaire au concours du plus beau bébé

Du 4 au 9 juillet 1933 se déroule à Paris le congrès international pour la protection de l'enfance. Si la section Maternité débat du rapport de Couvelaire sur «les consultations prénatales», celle de la Première Enfance prend comme thème de discussion «l'éducation technique des mères dans la lutte contre la mortalité infantile», avec une communication du Professeur Marfan sur «le médecin éducateur des mères», et un rapport du Professeur Mouriquand, médecin des hôpitaux de Lyon. «Les principes de l'enseignement technique doivent être établis par le médecin pédiatre et puériculteur et largement diffusés par les infirmières spécialisées notamment par des infirmières-visiteuses ayant une grande pratique de l'hygiène infantile. L'enseignement technique de la puériculture sera fait par le médecin dans les consultations de nourrissons, dans les crèches par l'infirmière visiteuse; il sera propagé par les mères intelligentes qui montreront les résultats obtenus par leur propre expérience. L'enseignement théorique par des cours est souvent trop aride; il faut le mettre à la disposition de tout le monde en formules familières et pratiques. Pour que cet enseignement soit favorablement accepté, il faut que l'esprit de la mère ait été préalablement éveillé. Dès l'école primaire, dès le lycée, l'esprit des fillettes et même celui des futurs papas doit être attiré vers la nécessité de la puériculture et en connaître les notions essentielles». Vaste programme partiellement appliqué.

Les médecins de l'entre-deux-guerres reçoivent un enseignement de pédiatrie et de puériculture mais cette dernière matière n'est pas obligatoire. En 1914 est créée à Paris une chaire de l'hygiène et des maladies de la première enfance dont le titulaire est le Professeur Marfan à qui succède en 1928 P. Lereboullet; en 1920, Pinard crée l'Institut de Puériculture du boulevard Brune, centre de soins pour les enfants, centre de perfectionnement pour les médecins, et d'enseignement pour les futures infirmières visiteuses. La consultation de nourrissons, la visite des infirmières permettent d'éduquer les mères, mais de nombreuses régions de campagne, de nombreuses femmes ne sont concernées ni par l'une, ni par l'autre; l'exemple de la région lyonnaise a été peu suivi : là, une automobile d'hygiène infantile offerte par la Caisse d'Épargne du Rhône, en liaison avec les services préfectoraux, transporte dans les petites villes et villages éloignés du département des infirmières éducatrices.

Par contre, l'enseignement scolaire de la puériculture, projet ancien, est généralisé.

«C'est en agissant sur la cire molle des jeunes cerveaux féminins et non plus seulement sur les cerveaux déjà contaminés et endurcis des mères qu'on fera disparaître les préjugés» déclare Devraigne le 3 février 1918 devant la Société scientifique d'hygiène alimentaire. Émule de P. Budin et de P. Strauss qui font de nombreuses conférences publiques, il commence sa «carrière de vulgarisateur» dans les Universités Populaires de Paris où il prêche l'allaitement au sein, puis dans le Nord; très vite il veut se tourner vers les enfants et faire l'éducation des fillettes. Depuis la fin du XIXe siècle, l'idée de cours scolaires de puériculture faisait son chemin et quelques expériences concrètes étaient réalisées; avec l'enseignement ménager introduit en 1884 dans les écoles de filles, la puériculture fait une entrée timide à l'école : à Bordeaux en 1898, Mme Moll Weiss enseigne dans ce cadre et utilise une grande poupée, appelée «Paulette France» et dont le parrain est Paul Strauss; au congrès de l'enseignement primaire en 1900, celui-ci préconise outre l'enseignement ménager des leçons d'économie domestique et des devoirs de puériculture. L'année scolaire 1902-1903, Pinard fait le premier cours autonome de puériculture dans une école communale du boulevard Pereire à Paris et connaît un grand succès. Cette même année, le congrès d'hygiène infantile adopte à la demande de Budin une résolution sur l'introduction de leçons de puériculture qui s'appuieraient sur les visites à la consultation de nourrissons. Mais l'idée est encore en avance sur les mentalités, les années qui suivent ne donnent lieu qu'à la création de cours dans les œuvres pour dames et jeunes filles

du monde, propagandistes bénévoles; en 1914 est fondée «la Nouvelle Étoile» dont le but est de faire de jeunes bourgeoises des visiteuses zélées. Une infirmière de cette association enseigne dans les
écoles du 13ème arrondissement et cette pratique inspire les décrets
de 1923. Mais c'est Devraigne qui au lendemain de la guerre bataille
pour que des mesures officielles et générales soient prises, après avoir
ouvert à Lariboisière un cours pour les institutrices et à la Charité un
enseignement pour 80 fillettes.

En 1923, le monde médical remporte une victoire acquise de
haute lutte sur les lenteurs et les réticences de l'institution scolaire.
Les décrets Bérard et Strauss (9 mars et 9 juillet) rendent officiel
l'enseignement de la puériculture dans les écoles de jeunes filles et
autorisent des visites dans les crèches et les consultations de nourrissons. Paraissent alors un opuscule du Comité national de l'enfance dont voici le sommaire en dix leçons :

1) importance de la Puériculture. Différentes causes de la mortalité infantile et moyens de la combattre,
2) soins de propreté et bains,
3) habillement du nourrisson,
4) hygiène de la chambre. Sorties et jeux,
5) l'enfant normal. Croissance et vaccination,
6) allaitement au sein et allaitement mixte,
7) allaitement au biberon,
8)   —
9) bouillies et alimentation après le sevrage,
10) œuvres et lois sociales se rapportant au nourrisson,

et deux ouvrages de Devraigne «*Pour les futures mamans*», l'un
s'adressant aux fillettes du cours moyen (de 10 à 12 ans), l'autre
destiné au cours supérieur et aux classes des lycées. L'inspecteur
primaire Philibert qui préface la première édition (1924) justifie ainsi
le contenu : «dans le premier volume sont présentées d'une façon
simple, concrète, expérimentale et très suggestive, les notions qu'une
jeune mère ou une future maman ne doit pas ignorer sur la fragilité
du nouveau-né, sa toilette, son poids et sa taille; sur le maillot, le
berceau, l'allaitement au sein et l'allaitement mixte; sur la croissance
du bébé, ses premiers pas et sa dentition. Mais, dans cette première
initiation de la future maman, commencée dès l'âge de dix à douze

ans, l'auteur ne donne que les raisons immédiates de ses conseils, celles qui sont à la portée de son auditoire. Dans le deuxième volume, il considère comme acquises ces premières notions et par une très simple étude, mais précise, il cherche dans l'anatomie et la physiologie du nourrisson les raisons profondes des précautions à prendre à son égard et des soins à lui donner». Ces manuels bien illustrés (cent figures pour celui du cours moyen) sont utilisés pendant toute l'entre-deux-guerres et régulièrement réédités.

La portée de ces cours reste cependant limitée, comme le montrent les modalités d'application, le bilan réalisé en 1934 par l'Association française des femmes médecins, ou certains témoignages recueillis. A l'école primaire, une heure par mois seulement (prise sur l'enseignement ménager) est consacrée à la puériculture dans les classes du cours moyen; peuvent s'y ajouter démonstrations pratiques et sorties; théoriquement une épreuve de puériculture est incluse dans le certificat d'études primaires mais cours et épreuves pouvaient faire défaut notamment à la campagne (ma source étant ici des témoignages oraux). En effet on discute encore en 1934 pour savoir qui doit assurer ces cours, de l'institutrice ou d'une assistante scolaire; les élèves des écoles normales reçoivent une formation en vingt leçons que les maîtresses plus âgées n'ont pas reçue. D'autre part le manque de pratique semble quasi général, la puériculture reste scolaire et livresque. Enfin, note Melle Blanchier (de l'association des femmes médecins), l'enseignement est particulièrement déficient dans les lycées de jeunes filles, milieu indifférent où les programmes sont déjà chargés et où il n'est pas obligatoire d'assister aux conférences organisées parfois par la direction; aussi, par un retournement de situation, les bourgeoises lui semblent particulièrement rebelles au médecin : «les progrès obtenus depuis quelques années dans les milieux populaires, grâce à ce qui a pu être fait pour l'éducation des fillettes à l'école primaire et des mères dans les œuvres sociales, contrastent avec le peu de changement dans les milieux qui jusqu'à présent ont fait la clientèle des lycées. N'y voit-on pas grand-mères ou amies s'y ériger en puéricultrices comme si le fait d'avoir mis des enfants au monde et de les avoir élevés conférait une science suffisante des besoins physiologiques de l'organisme infantile»...

Au moment de la parution des décrets Bérard-Strauss, Devraigne rencontre le réalisateur Jean-Benoit Lévy qui lui propose de faire un cours de puériculture au cinéma. Il conçoit alors «une lutte amicale entre une gamine de douze ans, ayant appris des notions saines de puériculture à l'école et à la consultation de nourrissons, la jeune Margot, et une bonne vieille, la mère Mabu, incarnant tous les préjugés séculaires».Tel est le scénario de *la Future Maman*, «film d'enseignement et de diffusion des Principes élémentaires de puériculture» (29). Très didactique, il alterne des maximes signées et inscrites en grand sur l'écran et des scènes se déroulant à la maison, à l'école ou au dispensaire; les paroles de ce film évidemment muet apparaissent aussi en images. Le film s'ouvre sur l'espoir de Paul Strauss «sénateur, membre de l'académie de médecine, ancien ministre» : «Un jour viendra peut-être où toutes les mères sauront élever un enfant comme elles auront appris à lire, à écrire et à compter». La première scène présente les personnages et un nouveau-né accouché par sage-femme. La deuxième partie, illustrée par Couvelaire : «De tous les petits animaux, le plus fragile est le nouveau-né humain», montre les premiers soins (pesée, mesure, pansement ombilical) tandis que la mère Mabu berce l'enfant et, scandale, veut l'embrasser. L'allaitement maternel — «Le cœur et le lait d'une mère ne se remplacent jamais» dit le professeur Pinard — présente la mère donnant le sein au nourrisson en cinq minutes sur ces mots : «les enfants réglés dès le début sont des enfants sages», et une séquence scolaire sur la composition et les bienfaits du lait maternel. Ce thème important est poursuivi dans une deuxième séquence introduite par le Professeur Marfan : «Un enfant nourri au sein ne doit pas être sevré parce qu'il a la diarrhée», et enseignant la pesée, le change, l'examen des selles. Les cinquième et sixième parties sont consacrées à l'allaitement mixte et artificiel : Mabu propose du lait de vache, de chèvre ou d'ânesse, le médecin du lait stérilisé avec l'appareil Soxhlet-Budin, «sauce-lait» pour l'ignare matrone de campagne, et le film présente des images de traite sans hygiène et la stérilisation au dispensaire. Puis Bébé a six mois, Mabu veut donner une sucette à l'enfant, Margot raconte l'histoire d'un bébé mort à cause d'une sucette tombée dans un crachat et la médecine pose son verdict : «la sucette introduit des microbes dans la bouche et de l'air dans l'estomac, elle produit des troubles digestifs». La dernière leçon conduit les personnages à la consultation de nourrissons, puis évoque les principaux facteurs de mortalité infantile (débilité congé-

128

nitale, diarrhée, broncho-pneumonie, tuberculose) ainsi que les fléaux sociaux par des images frappantes de la misère (une femme faisant l'aumône avec son enfant), de l'alcoolisme (une tête d'alcoolique en délirium tremens), du taudis, du manque d'hygiène (des mouches sur le goulot d'un litre de lait), de l'ignorance («si j'avais su» dit une mère en deuil devant un berceau vide). L'ignorance meurtrière est le fil directeur de ce film manichéen et triomphaliste; il s'achève sur la conversion de Mabu et le rêve du médecin qui voit Margot avec un enfant et dit en lui prenant les mains : «Le salut viendra de ces petites futures mamans débarrassées des préjugés séculaires et meurtriers qui seront des mères admirables». C'est Léon Bernard qui donne en une image finale la justification du film :

> *«A tous les problèmes qui se dressent devant la France, une seule cause : le nombre insuffisant des Français.*
> *Sauvons nos enfants».*

Il est dommage de raconter un film; essayons d'imaginer les images et l'impact qu'elles pouvaient avoir... Devraigne a certes raison de qualifier le cinéma de «merveilleux agent éducateur»; il vante le succès de son film réalisé en 1924 avec l'aide financière du ministère de l'Agriculture, film qui a fait «le tour du monde» grâce à 70 copies en toutes les langues; il évoque les «lettres touchantes» des ouvrières des usines Leblanc à Canteleu, mais je n'ai aucune indication précise sur le cadre ou le nombre des projections, ni sur l'auditoire. En 1930, Levy lui dit qu'on demande une suite à «*la Future Maman*» où l'enfant est laissé à six mois; pour «passer en revue les nombreux cas pathologiques sans faire de la médecine» et avoir contre lui les 20.000 médecins de France, il conçoit *le Voile sacré*, film d'hygiène sociale présentant l'action préventive des visiteuses «sœurs de charité laïques couvrant toutes les misères». Les spectateurs y retrouvent Mabu venant à Paris voir Margot passer son examen à l'école de Puériculture pour le diplôme d'État de visiteuse d'hygiène; la jeune fille retourne au village exercer son métier au dispensaire. Couvelaire collabore à l'entreprise en présentant le film pour la première fois à la Sorbonne le 20 février 1931, comme il l'avait fait pour *Il était une fois trois amis*.

L'imprimé reste cependant le moyen de propagande et d'instruction le plus largement utilisé. La tradition américaine du tract et de l'affiche ne s'implante guère en France; il n'y a que l'œuvre «*Sauvons les mères et les bébés*» pour imprimer à côté d'une brochure, non pas «des tracts» mais huit lettres envoyées aux mères ou insérées dans des revues, comme «deux mots à la future maman en attendant bébé» parue dans *la Race et les Mœurs* et qui donne des conseils rigides et sommairement justifiés après avoir recommandé de s'en remettre au médecin «Guide» et «bon mécanicien». Initiative encouragée par la Commission de propagande de l'Office national d'Hygiène Sociale au Ministère de la Santé Publique, la Caisse départementale des Assurances Sociales de la Seine et de la Seine-et-Oise a décidé l'envoi régulier de ces lettres aux assurés, mères ou jeunes couples.

Ce qui domine en France est le livre, simple brochure comme *le Livret de la Mère* (édité à l'initiative du Conseil Supérieur de la Natalité, il donne en 27 préceptes courts – du style : «le biberon est constitué par une bouteille surmontée d'une tétine; elles doivent l'une et l'autre être nettoyées aussitôt après la tétée et stérilisées par l'ébullition» – «une instruction sommaire sur l'hygiène de l'alimentation des enfants du premier âge») ou guide imposant vendu en librairie ou distribué gratuitement comme le *Guide des Mères* de 1936. Les conseils de puériculture forment des manuels à part entière où sont intégrés dans des guides plus généraux de vie familiale ou d'enseignement ménager, et dans des livres ouvertement natalistes. Très nombreux entre les deux guerres (nous en dressons la liste page suivante), ils sont écrits par des médecins ou par des femmes qui se donnent dans l'introduction une caution médicale; tous gardent une certaine distance et un ton très didactique.

Par contre les journaux spécialisés sont rares et ont une vie courte. Les journaux féminins et féministes consacrent quelques lignes ou articles à la puériculture, comme le *Journal de la femme* ou *La Mère éducatrice* de Madeleine Vernet (le Dr Mignon y tient la rubrique : «les propos d'un médecin aux femmes du peuple»), mais elles se perdent au milieu de la mode, de la cuisine, du reportage, ou de la tribune militante. Il y a eu autrefois *La Mère et l'enfant* journal parisien (1891-1906) ou *la Femme et l'enfant* qui paraît sous le patronage de l'Alliance Nationale et achève sa carrière en 1921 comme *Journal de la famille*. Le seul qui paraisse quelque

LISTE DES MANUELS DE PUÉRICULTURE
PARUS ENTRE-LES-DEUX-GUERRES

Mme A. MOLL-WEISS : *La femme, la Mère, l'Enfant. Guide pratique à l'usage des jeunes mères*, Paris, Maloine, 1917.

Dr. L. POULIOT: *Hygiène de Maman et de bébé. Grossesse, accouchement, allaitement*, Paris, 1921.

Dr. L. GENEST : *Les Maladies des enfants*, Paris, Drouin, 1922.

Mme Francisque GAY et L. COUSIN : *Comment j'élève mon enfant*, Paris, 1924 (rééditions 1954 et 1960.

L. DEVRAIGNE : *Pour les futures mamans*, Cours moyen, 1924, Cours supérieur, 1925.

Mme M. BOUTIER : *Éducation ménagère*, Paris Hachette, 1925.

Doctoresse HOUDRE-BOURSIN : *Ma doctoresse. Guide pratique d'hygiène et de médecine de la femme moderne*, 1928.

Comité Permanent des Mères Françaises : *Le livre Porte-Bonheur*, 1933.

M.R. NUSSBAUM : *Quand l'enfant paraît, lettres à une jeune mère sur l'éducation de son fils.*

Mme N. BRESSAN : *La Puériculture en dix leçons*, Chambéry, Maison d'édition du primaire, 1936.

P.G. CHABOT : *Le Guide des Mères*, 1936.

Comité National de l'enfance : *Leçons élémentaires de puériculture, en dix leçons*, 1937.

Mme M. CHAMPENDAL : *Comment soigner nos enfants*, 1937 (éd. posthume).

Mme GAUTIER-ÉCHARD, Melle MAURY : *Mon foyer, économie domestique, enseignement ménager, hygiène, puériculture* (cours complémentaire), Istra, 1938.

P. BERNEGE : *Encyclopédie de la vie familiale*, Paris, 1938.

Pr. P. LEREBOULLET, Dr. J. DAYRAS, Dr. G. DREYFUS-SEE : *Le guide de la jeune mère*, Paris, Éd. sociale française, 1939.

Cette liste complète celle établie par G. Delaisi de Parseval et S. Lallemand (dans *L'art d'accommoder les bébés. 100 ans de recettes françaises de puériculture*) par d'autres ouvrages rencontrés dans ma recherche.

temps entre-les-deux-guerres (de 1929 à 1932) est le mensuel *Maman* (30), «organe de vulgarisation des principes d'hygiène et de puériculture», dont le comité de rédaction comprend les plus illustres noms de la médecine : MM. Debré, Brindeau, Devraigne, Pinard, Lévy-Solal, Lereboullet. La couverture est une photo assortie d'une phrase péremptoire comme : «il n'y a pour la France qu'une chose qui doit compter, une seule : l'enfant», ou «Mamans, abonnez-vous à *Maman*, la dépense est minime et sans proportion avec les immenses bienfaits que vous en retirerez pour la santé et l'avenir de vos enfants». Le numéro de février 1932 présente sous le titre *Sourire de la santé*, le petit André Lamaze de St Dié, 25 livres 300 grammes à 16 mois et le commentaire : «En suivant les conseils que vous donnent dans *Maman* les plus grands médecins de France vous aurez des enfants sains et beaux».

Il est difficile de dire qui sont les lectrices. Le journal, en annonçant une nouvelle rubrique «entre mamans» et l'envoi d'un numéro gratuit à toute nouvelle accouchée, les chiffre en septembre 1931 à plus de 100.000. L'abonnement n'est pas cher : 20 F par an, mais le courrier des lecteurs, bien qu'étant surtout des éloges, montre une certaine facilité à écrire, et un milieu de petite ou bonne bourgeoisie. A côté d'un peu de publicité, de petites annonces, de conseils de tricots et de cuisine, les lectrices peuvent trouver des articles très sérieux concernant la future maman, ou les différents âges de l'enfant, l'aspect psychologique étant parfois envisagé : articles simples comme les «conseils pratiques de *Maman*», ou plus élaborés, écrits par des médecins qui décrivent une maternité ou un centre de puériculture, ou bien, sous la rubrique «Nos maîtres parlent aux mères et futures mères», énoncent la règle médicale. La contribution mensuelle d'une personnalité de la médecine est accompagnée de sa photo et d'une phrase manuscrite, publicité à peine voilée pour le journal : «maman le premier mot que balbutie l'enfant, Maman le premier journal que lit la jeune accouchée» écrit Brindeau dans le numéro de mai 1931.

Le savoir peut être récompensé et stimulé par l'organisation de concours dont le but est «moins de mettre en vedette un bébé ou un enfant rare qu'à dégager de belles moyennes d'enfants élevés suivant les grands principes de puériculture» : «à travers l'enfant c'est la mère qui sera récompensée et c'est aussi le médecin, guide et conseiller de la mère qui sera honoré». En juin 1932, le journal ouvre le concours des trois enfances en diffusant à trois cent mille exemplaires des fiches médicales, qui, remplies par les médecins, permettront aux jurys après cotation de chaque tableau, d'attribuer une note définitive à l'enfant ainsi qu'une appréciation. Ces fiches constituent de véritables carnets de santé qui étiquètent l'enfant dès sa mise au monde et déclare son histoire sociale et surtout son évolution biologique comme conforme ou non à la normale.

Le concours n'est que l'aboutissssement d'un patient apprentissage aux mères de la mesure, de la norme chiffrée, de l'observation régulière de l'enfant. En janvier 1931, *Maman* imprime une fiche de bébé, véritable «état-civil médical» et demande aux mères de la remplir partiellement et de la conserver pour la présenter à tout médecin s'occupant de l'enfant. Les antécédents médicaux des père et mère, les caractéristiques de l'accouchement et le genre d'allaitement sont précisés. Le médecin traitant note les résultats des analyses d'urines ou de crachats et des tests réactifs faits à l'enfant ainsi que ses principales maladies. Les mères peuvent établir la courbe de poids et de taille de leur nourrisson et la comparer à la courbe de référence pour apprécier son développement (comme l'écrit «*Sauvons les Mères et les bébés*», «le poids est le baromètre de la santé»). Elles sont invitées, puisque les cases existent sur la fiche à le faire vacciner contre la variole, la tuberculose et la dyphtérie, bien que la seule vaccination obligatoire soit alors l'antivariolique (31).

Maman arrête sa parution fin 1932, sans en donner les raisons (problèmes financiers, conflits de personnes ?) et sans imprimer les résultats du concours qui devaient former le numéro spécial de janvier 1933. Expérience originale de presse spécialisée, il fut avant tout le porte-parole des plus hautes personnalités médicales dans leur tâche de vulgarisation. «Si toutes les mamans lisaient *Maman*, il n'y aurait pas de mauvaise maman» écrit le Dr. P. Trillat de Lyon, en juin 1932 à côté de sa photographie. Mais qu'est-ce qu'une «bonne mère» ?

Les contenus

Une bonne mère est d'abord une femme qui fait suivre sa grossesse. La plupart des ouvrages expliquent à la future mère son anatomie, le cycle génital, la fécondation, les transformations du corps et le développement du fœtus; certains soulignent les limites de la science : l'impossibilité de prévoir le sexe (32); «il est absurde de vouloir empiéter sur la connaissance de l'avenir, écrit la Doctoresse Houdré-Boursin puisque nous n'avons aucun moyen sérieux de le faire; un bébé doit toujours être le bienvenu, qu'il soit fille ou garçon; la seule affaire est qu'il ait bonne santé et la maman aussi». La contrepartie est de comprendre qu'à la naissance l'enfant a neuf mois et que la grossesse, tout en étant «un état naturel», nécessite des soins particuliers. Outre la consultation régulière du médecin, la femme enceinte est invitée à observer des règles d'hygiène alimentaire et corporelle; le «manger pour deux» est considéré par certains médecins comme un «préjugé populaire», ils recommandent seulement un surcroît de lait, une alimentation riche en vitamines, dénuée d'alcool et de boissons excitantes. Le corps doit être maintenu propre par des ablutions fréquentes, des bains «ni trop chauds, ni trop froids», mais les injections vaginales sont proscrites.

Le corps de la femme enceinte est décrit comme un corps mutilé et inesthétique. «Nécessité» ou «sagesse», il est vivement conseillé de porter dès le quatrième mois une ceinture de grossesse dont certaines marques font une large publicité et qui peut être remboursée par les Assurances Sociales. Gynécia qui a obtenu en 1925 le grand prix à l'Exposition d'hygiène sanitaire de Paris se proclame «la ceinture idéale de maternité» qui «soutient le précieux fardeau et conserve l'allure élégante», et offre à Mesdames les Sages-femmes «des conditions intéressantes». «La femme très particulièrement musclée» qui peut s'en passer est rare car la majorité est habituée au port du corset et pratique peu le sport.

Nelly Roussel demandait à ce que les femmes se préparent à l'accouchement par une gymnastique appropriée. Les médecins de l'entre-deux-guerres sont, sur cette question, relativement ignorants et imbus «de préjugés»; à la différence de l'Angleterre, de la Belgique et de la Russie, il y a en France peu de recherches et d'expérimentation. Seule l'Association des femmes médecins considère que la gymnastique et la kinésithérapie sont une nécessité de l'hygiène de la grossesse (33). Pour une raison psychologique d'abord : l'entraînement physique convainc la future mère qu'elle est en bonne santé, que la maternité n'est pas un état pathologique, que l'accouchement n'est pas à redouter. Pour des raisons d'hygiène ensuite : elles «évitent l'habitude de vie ralentie à laquelle la plupart des femmes croient devoir s'astreindre», la sédentarité pendant la grossesse diminuant les échanges, favorisant les intoxications et retardant parfois l'échéance de l'accouchement. Pour des raisons médicales enfin : des exercices particuliers peuvent apprendre aux femmes à bien accoucher. Cette position est très minoritaire et aucun manuel de puériculture ne développe ce sujet. Au lendemain de la deuxième guerre, l'idée semble avoir fait du chemin, puisque dans son édition de 1947 de *L'hygiène de la grossesse*, le Dr. P. Morin souligne que les adeptes de l'exercice physique sont de plus en plus nombreux.

Mais le même peut encore écrire qu'«il est rare qu'à partir du 4e mois on ait à proscrire les bains de mer, la coquetterie féminine s'en charge d'elle-même». Le ventre qui grossit est laid, indécent; il faut le cacher sous des vêtements «amples et chauds» qui avec les talons plats forment la toilette de la future maman, toilette neutre, négation de la femme qui ne doit penser qu'à bébé. La doctoresse Houdré-Boursin est la seule à lui concéder le droit d'être belle en cherchant dans la mode «des robes peu ajustées, à la fois hygiéniques et esthétiques».

Elle-même n'aborde pas la question des relations sexuelles pendant la grossesse, la position majoritaire étant celle d'un corps interdit de plaisir. «On a beaucoup exagéré les risques de traumatisme dus aux rapports sexuels» écrit P. Morin en 1947, «Tarnier et Pinard défendaient le coït pendant la grossesse en l'accusant d'être un facteur important d'avortement; de nos jours les opinions sont encore partagées et il convient d'être éclectique», sauf sur l'abstention les six dernières semaines.

La vie de la femme enceinte doit être une vie réglée où priment le repos et les plaisirs calmes. Pendant la première guerre mondiale, où les femmes ont massivement remplacé les hommes à l'usine, et jusqu'à sa mort, Adolphe Pinard a dénoncé le danger du travail pour les femmes enceintes, et lutté pour leur droit au repos. Mais le corps médical dans sa grande majorité trouve impossible et illusoire, «dans l'état actuel des conditions sociales» l'interdiction du travail dès la conception. La doctoresse Houdré-Boursin reconnaît s'adresser aux femmes de milieux aisés, qui n'ont pas besoin de travailler; avec insistance elle propose un art de vivre de la femme enceinte, où se mêlent conseils médicaux et éducation morale : «Tout ce qui oblige la femme à se coucher tard, à déranger ses heures de repas, à faire des dérogations à son régime alimentaire doit être proscrit. Se laisser entraîner une fois à des écarts de ce genre, c'est dangereux car on aura tendance, pour peu que l'on ne soit pas très énergique, à recommencer jusqu'à ce que des inconvénients graves se manifestent. L'excitation morale qui résulte la plupart du temps de ce genre de distraction n'est pas souhaitable non plus. En particulier la fréquentation des dancings doit être spécialement supprimée : atmosphère poussiéreuse, air confiné, fatigue musculaire, risques de chutes, excitation cérébrale. A son foyer, la femme doit donner et doit trouver d'autres joies plus profondes et plus complètes qui remplaceront avantageusement toutes ces distractions plus ou moins frelatées. Si l'on a du loisir, il y a tant de beaux livres à lire, tant de belles gravures à contempler et dans un domaine plus réaliste, tant de jolis aménagements à réaliser chez soi. La préparation de la layette du bébé n'est pas davantage à négliger et quand les conditions sociales le permettent, il semble vraiment qu'une maman aura plus de plaisir à vêtir son petit des vêtements qu'elle aura cousus ou tricotés plutôt que d'utiliser le modèle banal et fait à la douzaine qu'on achète dans les magasins. Bien des fois, la jeune femme a négligé, par les occupations nouvelles du mariage, des capacités artistiques qui lui avaient donné à elle et à son entourage des joies de bon aloi. Sans être une virtuose, sans être une artiste célèbre, on peut susciter par la musique, la peinture, le modelage, etc..., en soi et autour de soi, des jouissances esthétiques qui sont parmi les plus précieuses qu'on puisse éprouver en ce monde. Le demi-repos de la grossesse, quand la condition sociale le permet est tout à fait favorable à ces travaux artistiques, qui peuplent de belles images l'esprit de la future Maman». La majuscule atténue l'impersonnalité du «on», mais elle est aussi une invite à sacrifier à l'amour maternel des plaisirs personnels. La femme bourgeoise, tout autant que la femme populaire, est une mineure qu'il faut conseiller et diriger; d'autres médecins dénoncent les folles escapades en voiture comme source d'avortement et déconseillent ce moyen de locomotion des riches; il n'y a encore qu'1,3 million d'automobiles en France en 1931.

Quant à la layette, les auteurs qui en précisent le contenu, semblent ignorer la quantité de travail (tricot, couture) ou le coût nécessaires à son acquisition. Le *Guide des Mères* propose 56 pièces plus huit douzaines de couches, carrés à langer et culottes ! *Maman* était plus exigeant encore puisqu'en 1932, le journal dresse le tableau ci-après et recommande, à côté des couches, langes et culottes, 74 pièces au minimum et 102 au maximum. Le résultat ne peut être que de culpabiliser les mères scrupuleuses même si l'intention n'y est pas. Elle semble par contre plus manifeste dans l'inlassable répétition du devoir d'allaiter.

«Lorsqu'une poule pond un œuf, elle n'a pas la prétention d'être mère pour si peu. Pondre n'est rien... mais où commence le mérite de la poule c'est lorsqu'elle couve avec conscience se privant de sa chère liberté... en un mot, c'est lorsqu'elle remplit ses devoirs de mère qu'elle en a véritablement le titre» écrit en 1904 le Dr. J. Gérard dans son *Livre des mères*. Si les natalistes de l'Alliance nationale ou d'autres personnalités, comme le président de la *Ligue du lait* qui dénonce «la futilité de la femme», peuvent parler des mères rebelles avec mépris et véhémence, de tels propos injurieux sont rares dans les ouvrages de puériculture de l'entre-deux-guerres. Mais le devoir de l'allaitement y est constamment inscrit, ordre simple, ou nuancé par l'invocation de la nature ou de la satisfaction maternelle. Voici une petite anthologie démonstrative :

- «Allaitez bébé vous-même... Le meilleur aliment pour l'enfant, celui que la nature a préparé exactement pour lui, c'est le lait de sa mère» (*Sauvons les Mères et les Bébés*).

- «l'allaitement au sein est naturel» (*La Mère Éducatrice; le Guide des Mères*).

- «c'est un devoir et une satisfaction pour la mère d'allaiter son enfant... Les avantages compensent largement la perte de salaire ou le sacrifice de la vie mondaine pendant quelques mois» (*Maman*, mai 1932).

- «Une mère bien portante est capable le plus souvent et doit toujours essayer d'allaiter son enfant» (*Revue Philanthropique*).

LA LAYETTE DE BÉBÉ selon *Maman* de février 1932

Minimum	*La layette de bébé doit comprendre*	Maximum
36	Couches	60
12	Pointes éponge ou de molleton de coton (si l'enfant n'est pas emmailloté)	24
6	Culottes de tricot (si l'enfant n'est pas emmailloté)	12
1	Culottes de caoutchouc (si l'enfant n'est pas emmailloté)	2
2	Bandes anglaises	2
6	Pointes éponge (si l'enfant est emmailloté)	6
4	Langes de coton (si l'enfant est emmailloté)	6
2	Langes de laine (si l'enfant est emmailloté)	3
2	Culottes de tricot (si l'enfant est emmailloté)	4
4	Bandes de crêpe de laine de 7 cm de haut	6
4	Chemises de toile	6
4	Brassières de flanelle (facultatives mais recommandées)	4
4	Brassières de tricot	6
6	Paires de chaussons	8
4	Paires de bas	6
6	Bavoirs simples et épais de piqué ou autre	10
4	Bavoirs élégants	7
12	Vieux mouchoirs fins ou fichus de fil fin pour protéger bavoirs et taies	18
1	Douillette chaude	1
	Douillette crêpe de Chine	1
	Dessous de douillette ouatinée	1
1	Petit bonnet-chapeau	2
1	Voile de tulle pour les premières sorties	1
1	Paire de moufles	2
4	Draps de dessus	6
6	Draps de dessous (que l'on peut remplacer par de vieux linges	10
2	Grands molletons de coton	3
2	Taies d'oreiller	4

—«A moins de circonstances exceptionnelles, il faut que la maman dispose sa vie de façon à pouvoir allaiter son enfant» (*Ma Doctoresse*).

Si l'insistance est telle, c'est que l'enjeu est grand : médical, démographique, moral, social.

«Les enfants allaités au sein meurent cinq fois moins que les autres» proclame la lettre-tract de *Sauvons les mères et les Bébés*. Déjà en 1920, la doctoresse Clothilde Mulon établissait les comparaisons suivantes :

- «mortalité des enfants nourris au sein d'une mère bien guidée : 5 %»,
- mortalité des enfants nourris au sein : 10 %
- mortalité des enfants nourris au biberon de mères surveillées : 25 %
- mortalité des enfants en nourrice : 35 à 75 %.

La proportion est certainement exagérée dans un but propagandiste; les auteurs plus précis donnent par exemple pour l'année 1935, dans le Tarn-et-Garonne une mortalité infantile de 92 o/oo pour les enfants allaités et 367 o/oo pour ceux nourris au biberon, les chiffres étant pour Rouen respectivement 42 o/oo et 160 o/oo; le rapport est alors de un à quatre, mais il est possible que des données non indiquées accentuent l'écart. Toutefois il est indéniable que le lait maternel présente de nombreux avantages : il «contient des substances spéciales qui n'existent dans aucun autre lait et qui préservent Bébé de certaines maladies; ce lait est régulier dans sa composition, toujours pur, facilement assimilable». D'autant que le biberon n'est pas toujours propre et que le lait de vache est souvent trafiqué; comme le dit, en 1928, le président de la Ligue du Lait «l'homme tripatouille le lait qu'il donne à son enfant et la Nature se venge : elle tue l'Enfant». En 1935 encore, le Professeur Rudaux déplore que l'industrie laitière française soit «incapable de fournir à la population un produit de qualité irréprochable pouvant convenir à l'allaitement artificiel».

L'argumentation scientifique est incomplète et masque des prises de positions idéologiques. Un médecin de la Maternité constate en 1926 que la sous-alimentation (cas de 96 enfants sur 100 venant consulter) est cause de maladies et qu'elle est plus fréquente chez les enfants au sein. Défendre l'allaitement maternel et persuader les mères de s'y soumettre ont un intérêt stratégique que les sages-femmes, notamment catholiques, reconnaissent volontiers. «C'est une des conditions de l'épanouissement normal du sentiment maternel», il a «une influence salutaire et irremplaçable» car il incite la mère à abandonner son travail et à rester au foyer, la loi Engerand du 5 août 1917 (concédant à la travailleuse deux fois une demi-heure pour allaiter) étant très mal appliquée. C'est aussi un moyen de conjurer l'abandon comme le déclare Mme Doucet, responsable syndicale des sages-femmes, au congrès de la natalité en octobre 1926 : «on voit à l'hôpital de pauvres femmes délaissées par le père de leur enfant et voulant elles-mêmes l'abandonner; leur affection se développe à mesure qu'elles mettent l'enfant au sein et elles deviennent de bonnes mères». Enfin l'amour maternel doit être «abnégation de soi».

Si l'enjeu est grand, la tâche est difficile; les médecins déplorent la diminution de l'allaitement maternel en France et l'expliquent par des raisons d'ordre physiologique, psychologique et social. Les jeunes femmes des années trente subissent les séquelles d'une enfance pendant la guerre ou une alimentation déficiente à cause de la cherté de la vie. Le biberon est une solution de facilité et l'entourage joue un rôle dissuasif; pour le Dr. Vimont qui écrit un long article dans *le Concours Médical* du 7 mars 1925, même les médecins sont complices puisqu'«au lieu de favoriser l'allaitement maternel, en le réglant, en aidant les mères, en essayant d'augmenter leurs facultés de nourricières comme on le fait en médecine vétérinaire, ils se sont occupés purement et simplement de créer des laits adaptés à l'alimentation de l'enfance», et il fut un temps où ils déconseillaient l'allaitement au sein. Mais la principale accusée est la femme avec sa «soif de plaisir» et sa volonté de suivre la mode; «le grand chic actuel (celui des années vingt) est la platitude, qui n'est guère la forme à réaliser par une bonne nourrice». Moins acerbe est l'analyse, quatorze ans plus tard, de Suzanne Barot-Herding qui reconnaît le rôle primordial du travail féminin et l'évolution des mœurs : «les femmes veulent davantage de liberté, de bien-être, de distractions; elles rejettent les contraintes, les obligations, les devoirs même; en regard de ce changement néfaste dans la vie de tous les jours, les compensations offertes par les lois sont encore insuffisantes pour que les femmes trouvent un intérêt à accomplir leur devoir de nourrice»:

En 1925, le Dr. Vimont évalue à 10 % seulement la part des enfants nourris au sein. Ce chiffre me paraît faible mais je n'ai aucune autre statistique globale. Par contre les nourrissons présentés à la consultation de Baudelocque sont très majoritairement nourris au sein comme le montre le tableau suivant :

Année	Enfants présentés	Nourris au sein	%	Nourris au lait de vache
1922	1.155	1.071	92,7	84
1923	935	861	92,1	74
1924	929	856	92,1	73
1925	891	825	92,6	66
1926	1.217	1.068	87,8	149
1927	1.376	1.217	89,5	159
1928	1.379	1.162	84,3	217
1929	1.126	962	83,7	184
1931	1.332	1.030	77,3	302
1934	969	644	66,5	325
1935	780	512	65,7	268
1936	678	548	80,9	130

Le pourcentage tend à diminuer dans les années trente, mais la maternité reste le lieu où peut s'exercer avec le plus d'insistance l'éducation des mères, où peut s'opérer la «croisade» de l'allaitement selon le terme du Dr. Lereboullet au congrès international pour la protection de l'enfance de 1928. Elle passe par «une campagne énergique des médecins et des sages-femmes, exercée sur chaque mère pendant la grossesse et dans les premiers jours qui suivent l'accouchement», à la maison, dans les consultations ou à la maternité. «Si on arrive à obtenir l'essai loyal de l'allaitement au sein, la partie est souvent tout près d'être gagnée» avoue Lereboullet; il propose de combattre la publicité pour farines lactées et laits artificiels qui montre des bébés resplendissants («le plus fort, le plus beau, c'est un Bébé Paillaud», «rien qu'une maman, rien qu'un lait français») et de mettre l'allaitement à la mode par une propagande multiforme : la presse, le cinéma, la radio, le théâtre, les livres doivent contribuer à changer les mentalités, comme *les Remplaçantes* de Brieux qui eut un grand retentissement (34). Certains médecins comme le Dr. Sicard de Plauzoles ont même proposé de rendre l'allaitement obligatoire, ce qui lui valut la réponse suivante : «l'État aurait à soutenir 500.000 procès par an, avec la certitude d'en perdre 450.000 au moins; pour éviter l'ennui judiciaire qui s'ajouterait aux autres, les femmes deviendraient de plus en plus malthusiennes; la dénatalité serait encore aggravée».

Dans l'ensemble plus réaliste, le corps médical impulse la création de biberonneries ou de centres de donneuses de lait dans les maternités, et apprend aussi à la mère les règles de l'allaitement artificiel : la pureté du lait et la propreté des ustensiles. A Paris, de très nombreuses œuvres distribuent du lait pour le compte de la ville; initiative du Conseil Municipal pendant la Grande Guerre, cette activité connaît un développement considérable sous l'impulsion de Mr de Fontenay et concerne les mères nécessiteuses; des services sont même installés dans les grandes gares parisiennes. Certains médecins conseillent le lait frais longuement bouilli, d'autres préfèrent le lait stérilisé fourni par les Gouttes de Lait et les services sociaux, ou le lait concentré dont l'emploi est plus sûr. La mère peut aussi stériliser elle-même dans la marmite de Soxhlet. L'œuvre «Sauvons les mères et les bébés» a construit une glacière pour conserver les biberons préparés; elle apprend aux mères à utiliser une «biberonnerie propre» : «les biberons seront lavés à l'eau froide et rincés à l'eau bouillante immédiatement après chaque tétée; jetez toujours ce qui reste d'un repas; après la tétée, faites bouillir la tétine pendant dix minutes et laissez-la dans un récipient rempli d'eau bouillie et muni d'un couvercle; tous les ustensiles de biberonnerie doivent servir uniquement à bébé; ne portez jamais la tétine à votre bouche». Il est ainsi fait peu de cas du savoir des mères, violentées plus fermement encore lorsqu'il s'agit de leur inculquer la nécessité de discipliner leurs enfants dès le plus jeune âge.

Le périodique parisien *La Femme et la famille* qui n'a qu'une vie éphémère de quatre numéros recommande à ses lectrices en janvier 1934 la lecture de M.R. Nussbaum : *Quand l'enfant paraît, lettres à une jeune mère sur l'éducation de son fils.* L'auteur décrit «l'âge d'or» de l'enfance : «le principal intérêt de la vie du bébé, c'est la découverte, non du monde extérieur, mais de ses propres sens par les sensations diverses que lui apporte le monde... La satisfaction de la faim représente le plus grand plaisir». Voix discordante, hérétique dans le concert unanime sur l'évidence d'«une discipline essentiellement régulière dans les habitudes de vie imposées aux enfants».

Cette discipline qui s'oppose au plaisir personnel de l'enfant, s'impose avant tout dans son alimentation. tous les puériculteurs insistent sur l'espacement régulier des repas, règle qui ne souffre aucune exception. Certains invoquent «la bonne santé de l'enfant»; d'autres se contentent de donner l'ordre : «dès la naissance il faut régler l'heure et le nombre des tétées de l'enfant; ce point est extrêmement important»; «donnez le sein à heures fixes». D'autres encore avouent les vraies raisons : le dressage qui s'exprime par les «bonnes habitudes» et le refus du caprice. Le Dr. Georgette Labeaume écrit dans *Maman* : «Quelles que soient les heures adoptées, une grande régularité est nécessaire; il ne faut sous aucun prétexte, prendre dans les bras ou bercer un enfant qui crie entre ses repas ou la nuit; si l'on ne cède pas, bébé adopte très vite de bonnes habitudes et ne se réveille que peu avant les tétées». Et le Dr. Dorlencourt précise dans la *Revue Philanthropique* de 1934 : «on y arrive vite (à la régularité) si on résiste à ses cris; il n'y a pas d'inconvénient à laisser crier l'enfant quand ses cris sont dus au caprice ou à la gourmandise». Gourmand à un mois, quel vilain défaut ! et quelle science médicale !

Il ne faut pas donner à boire à bébé chaque fois qu'il crie et il faut le réveiller quand c'est l'heure de sa tétée. La doctoresse Houdré-Boursin souligne l'intérêt pour les parents de la régularité et du repos nocturne et se défend contre les contradicteurs : «Les nourrissons non malades, élevés par une maman méthodique et ferme, acceptent sans difficulté cet horaire des tétées. La plupart du temps, si l'on prend soin de régler le bébé dès les premiers jours de la naissance, il ne pleure jamais; quelquefois il faut supporter des cris nocturnes pendant une huitaine de jours mais c'est un maximum. A cette condition, si on ne cède jamais à ses cris, le nourrisson se résigne et les parents peuvent passer la nuit sans être réveillés par des hurlements. N'écoutez pas les personnes âgées, les amis ou voisins mal informés qui vous reprochent de «refuser la nourriture au bébé», qui vous menaceront de lui «causer une hernie» si vous le laissez crier. Votre enfant profitera régulièrement sans devenir un bébé soufflé, trop gras et accessible à toutes les maladies; quant aux hernies, elles se produisent spécialement chez les petits rachitiques dont l'alimentation a été irrégulière».

Sur les horaires, le nombre de tétées et les rations, les points de vue divergent très légèrement. Le premier jour, le nourrisson ne reçoit rien ou un peu d'eau sucrée, et très rares sont ceux qui dénoncent les inconvénients de cette diète forcée. Puis il est conseillé, dans les années vingt, huit tétées toutes les 2 heures 30 pendant un mois (Desse Houdré-Boursin) ou trois mois (*La Mère éducatrice*) avec passage à sept puis six tétées toutes les trois heures, le repos nocturne s'allongeant; l'enfant est pesé régulièrement, mais la Desse Houdré-Boursin souligne que le bon état du bébé est un critère tout aussi important que le respect des rations. Les puériculteurs des années trente proposent sept ou six tétées toutes les trois heures, la mère devant peser chaque jour son nourrisson pour se conformer aux rations prescrites. Sous l'impulsion du Dr. Marfan et surtout du Professeur Lereboullet, la mesure devient une nécessité et le tableau de rations un impératif. *Maman* publie des tableaux pour l'élevage au sein et l'alimentation au biberon; bébé allaité artificiellement a droit à un biberon de nuit jusqu'au quatrième mois (Sauvons les mères et les Bébés) ou au sixième (Dr. Marfan). Le sevrage et l'introduction d'aliments non lactés doit se faire progressivement mais il semble qu'ils interviennent de plus en plus tôt : en 1930, Sauvons les mères et les Bébés propose de commencer à huit mois; en 1931 Lereboullet introduit la première bouillie à 7 mois; en 1937 le Dr. Paul Giraud dressant un bilan des régimes alors adoptés pour l'alimentation des enfants du premier âge dénonce le sevrage rapide à trois ou quatre mois et conseille de ne pas introduire de farine avant cinq ou six mois, les légumes et les fruits n'intervenant qu'au cours du deuxième semestre, et la viande après un an.

Se nourrir ne peut être une partie de plaisir pour le bébé dont on n'a que faire du stade oral (la psychanalyse est très peu connue en France et la psychologie de l'enfant balbutiante). Tous les puériculteurs attribuent à la tétée ou la prise du biberon une plage horaire

TABLEAU

DES RATIONS MOYENNES POUR L'ÉLEVAGE AU SEIN

Par le Docteur LEREBOULLET
Professeur d'Hygiène et de clinique de la première enfance
à la Faculté de Médecine de Paris

Age	Nombre de repas par 24 heures	Quantité de lait maternel par tétée	Quantité de lait maternel par 24 heures
1er jour	0	0 gr.	0 gr.
2ème jour	4	10 gr.	40 gr.
3ème jour	6	20 gr.	120 gr.
4ème jour	7	25 gr.	175 gr.
1 semaine	7	40 gr.	280 gr.
2 semaines	7	60 gr.	420 gr.
3 semaines	7	70 gr.	490 gr.
4 semaines	7	80 gr.	560 gr.
1 mois	7	85 gr.	595 gr.
2 mois	7	100 gr.	700 gr.
3 mois	7	110 gr.	770 gr.
4 mois	6	140 gr.	840 gr.
5 mois	6	145 gr.	870 gr.
6 mois	6	150 gr.	900 gr.
7 mois	5 tétées plus 1 bouillie	160 gr.	800 gr.
8 mois	4 tétées plus 2 bouillies	170 gr.	680 gr.
10 mois	3 tétées plus 2 bouillies	185 gr.	555 gr.

Maman, décembre 1931

de dix à quinze minutes; il n'est pas question que bébé s'amuse en mangeant ou prenne son temps. Toujours aussi prolixe, la Desse Houdré-Boursin précise ce double interdit du plaisir et de la tendresse pour la mère et l'enfant : «autant que possible, pendant la tétée, évitez que l'enfant soit distrait. Vous-même, la maman, ne lui parlez pas, ne caressez pas ses joues roses, ne chatouillez pas son corps dodu : la tétée est l'acte le plus sérieux de la vie du nourrisson, il faut qu'elle s'accomplisse dans un calme propice». Pierre Robin de l'Hôpital des Enfants Malades défend, outre la supériorité alimentaire du lait maternel, l'intérêt physiologique du téter «pour le développement des maxillaires du nouveau-né et pour l'ampleur de la respiration», et un certain P. Desfosses ajoute son intérêt éminemment psychologique qui est l'apprentissage de l'effort : «au cas où une solution mixte intervient, on voit l'enfant lui-même prendre parti pour la solution paresseuse; il s'habitue vite à recevoir sans se donner nulle peine la manne alimentaire; il fait avec entêtement la grève du sein, s'entraînant par avance au rôle social de chômeur» ! Ce n'est pas une plaisanterie (c'est écrit en 1937 dans *La Presse Médicale*), peut-être l'effet d'une haine viscérale du Front populaire et de la classe ouvrière...

De même la sucette est fermement déconseillée. «S'il crie, laissez-le crier; surtout pas de sucette ! Ce n'est pas votre tranquillité mais sa santé qui est en jeu», écrit *Sauvons les mères et les Bébés*. Adolphe Pinard a fait voter le 6 avril 1910 l'interdiction de vendre et de fabriquer des sucettes en caoutchouc, mais la loi ne reçut pas de décrets d'application. La sucette, pas toujours propre, peut effectivement être facteur de maladies mais la préservation de la santé sert aussi d'alibi au refus du plaisir de succion. La mère d'un enfant qui pleure est en droit de vérifier qu'aucune épingle ne le pique, qu'il n'a pas froid et qu'il n'est pas mouillé, mais assurée de ces trois précautions, elle doit le laisser crier jusqu'à ce qu'il se discipline. Certains auteurs ne conseillent que six changes par jour (avec les tétées), la propreté du bébé étant assurée par une toilette minutieuse lors du bain quotidien, où les yeux, les oreilles et le nez ne doivent pas être oubliés. Propre, l'enfant est habillé en haut de trois brassières superposées : une chemise de toile fine, une brassière en flanelle et une autre en laine ou piqué et son ventre est bandé. Sur ces points, les conseils plus ou moins détaillés des puériculteurs s'accordent, mais pour l'habillement du bas s'opposent les partisans de la méthode française — l'emmaillotement — et ceux de la méthode anglaise. L'enfant emmailloté porte par dessus la couche pliée en triangle, un lange de coton et un lange de laine qui lui enserrent les jambes et entravent ses mouvements; la méthode anglaise remplace les langes par une culotte. Le choix n'est pas neutre et traduit un plus ou moins grand libéralisme; le Guide des Mères conseille l'emmaillotement pour les premiers mois, la culotte l'été mais dénigre la méthode américaine qui «n'est qu'une exagération de la méthode anglaise, vêtements très décolletés, bras et jambes nus, sous le prétexte d'endurcir les enfants» (35).

Ainsi la puériculture de l'entre-deux-guerres se caractérise par quelques thèmes dominants derrière le détail des pratiques : l'importance de la mesure et de la quantité, la rigidité de la temporalité, la restriction des contacts mère-enfant, le refus du plaisir de l'enfant, être à discipliner, et de la mère vouée au devoir de maternité.

***

L'aspect idéologique de la puériculture

La puériculture se présente comme une science universelle et neutre et qualifie les avis non conformes de «préjugés néfastes», véhiculés par des personnes âgées ou des mères ignorantes. Seul le Dr. Paul Giraud, dans un article de synthèse à l'usage des médecins et des sages-femmes, s'interroge sur les préceptes alimentaires et reconnaît que les maîtres du XIXe siècle préconisaient des repas très fréquents et longtemps exclusivement lactés, que les directives nouvelles sur l'espacement des repas et le sevrage précoce sont importées des pays de langue allemande. Dans le Journal des Accoucheuses de juillet 1937, il conclut modestement sur des pratiques de compromis. Mais les médecins rigides doivent détruire l'influence des grand-mères, témoins gênants de préceptes anciens. De même au XIXe siècle, l'allaitement au sein n'était pas présenté comme une obligation.

Un système d'idées qui est objet de controverses et dans lequel une vérité peut se transformer en son contraire n'est pas une science.

C'est ce que montrent aussi deux ethnologues, Geneviève Delaisi de Parseval et Suzanne Lallemand dans un livre récent : *L'art d'accommoder les bébés. Cent ans de recettes françaises de puériculture*. Étudiant de nombreux ouvrages de puériculture du début du siècle à nos jours, elles constatent que le discours dont j'ai dégagé les caractères se maintient jusqu'aux années soixante pour se transformer alors en sottisier, avec le règne de la liberté de mouvement, de l'allaitement à la demande, de l'expression esthétique et affective de la maternité. Pour comprendre l'enjeu des préceptes médicaux, elles les soumettent à une lecture ethnologique, que permettent leur formation et une connaissance des sociétés africaines, et à une lecture psychanalytique; elles peuvent alors conclure que la puériculture est à la fois un système de valeurs sociales, et un moyen que la société se donne de conjurer ses angoisses face à l'enfant. Elle est une idéologie qui mystifie et contraint au nom de la prévention. Elle comporte toutefois un noyau dur de connaissances scientifiques indéniables dont le rôle sur la santé et le bien-être est évident : principe de stérilisation du lait, propreté corporelle par exemple.

L'inscription de la puériculture dans la société apparaît nettement dans cette apostrophe de Devraigne à la Société scientifique d'Hygiène alimentaire le 3 février 1918 : «Guerre aux préjugés meurtriers d'enfants, guerre aux préjugés qui fabriquent les adultes tarés; la France a besoin de beaucoup d'enfants solides pour avoir plus tard de vaillants pionniers qui lui permettront dans les grandes luttes pacifiques de l'avenir, de garder le premier rang où l'auront mise ses vaillants soldats». La puériculture est un des axes de la médicalisation de la maternité dont je souhaite aborder maintenant les conséquences.

CHAPITRE III

LES CONSÉQUENCES DE LA MÉDICALISATION

*«Les femmes accouchent plus volontiers ac-
tuellement en maison de santé ou en milieu
hospitalier»*

Dr. Paul Morin, *La femme enceinte*

*«Concurrencée par la pléthore médicale et par
l'hospitalisation à outrance, la profession de
sage-femme subit un malaise».*

C. Mossé, sage-femme en chef de la
Maternité au *8e Congrès International
des Accoucheuses*, Paris, 1938.

*«Malgré les lois sociales, malgré les progrès de
l'hygiène, malgré la vulgarisation des données
de puériculture, la mortalité infantile durant
la première année demeure encore très importante en France»*

Suzanne Barot-Herding, *Les centres
collecteurs de lait de femme*, 1939.

Ce chapitre rassemble les trois principales conséquences du processus de médicalisation décrit précédemment. Elles sont de nature différente et développent leurs effets à des rythmes singuliers. La plus importante est d'ordre médical et démographique et consacre le recul de la mortalité maternelle et infantile; une courbe séculaire du taux de mortalité infantile montre une descente forte et rapide entre les deux guerres, passant d'environ 140 o/oo à 60 o/oo; le but recherché — sauver la graine — est partiellement atteint, et la France d'après 1945 poursuit à un rythme presqu'équivalent (division du taux par trois de 1940 à 1960, puis par deux de 1960 à 1980) la réduction de la mortalité infantile pour détenir un taux actuel voisin de 10 o/oo.

Les deux autres conséquences — l'élargissement de la clientèle des maternités et la crise de la profession de sage-femme — sont induites et leurs effets sont plus lents à s'exprimer ou à être perçus; le mouvement ne s'amplifie ou ne se résoud réellement qu'après la deuxième guerre.

Dans les maternités : une clientèle plus nombreuse et plus large

Écoutons la Doctoresse Houdré-Boursin décrire en 1928 «l'arrivée du bébé» : «Dans les grandes villes, à Paris spécialement, beaucoup de femmes entrent dans les services de Maternité des Hôpitaux, pour l'accouchement. Il va sans dire que la surveillance de la grossesse a dû être faite dans ces mêmes services. Cette manière de faire est bonne. Trop souvent l'exiguïté du logis et son inconfort rendent impossibles les pratiques les plus simples de l'asepsie et de l'hygiène. D'autre part, la dépense d'une garde convenable est trop lourde, le prix de l'accouchement lui-même — si modéré soit-il — peut être excessif pour une bourse modeste. En somme, plutôt que d'accoucher dans de mauvaises conditions chez soi, la femme fait mieux d'aller mettre au monde son bébé dans une salle claire et propre de Maternité. Les familles aisées ont tendance à employer une pratique analogue : la future Maman se fait surveiller par un médecin de son choix, et dès les premières douleurs, elle va dans une maison de santé spécialisée où elle s'est fait réserver un lit; son médecin y procède à l'accouchement dans des conditions matérielles parfaites, ayant tout ce qu'il faut sous la main : aides, instruments, salle d'opération, si une intervention devient subitement nécessaire. Cependant ni l'hôpital, ni la maison de santé ne donnent à la femme cet agrément intime, cet entourage de soins et de tendresse, qu'on peut trouver dans un intérieur confortable, grâce à la vigilance de tous les membres de la famille. Quand la situation de fortune le permet, il semble donc que la solution idéale soit de rester chez soi si l'accouchement s'annonce normal. Si une dystocie grave est redoutée, il faut s'adresser à une clinique spécialisée et y faire entrer la parturiente deux ou trois jours avant la date prévue de l'accouchement, afin qu'elle ait le temps de se bien reposer et qu'on puisse procéder à tous les préparatifs nécessaires».

Pour notre doctoresse, de plus en plus de citadines accouchent en maternité, femmes modestes qui bénéficient là de bonnes conditions, tandis que les familles plus aisées accouchent soit en clinique, soit à domicile; celui-ci reste la formule idéale pour un accouchement sans risque. Dix ans plus tard en 1938, *le Journal de la Femme* conclut sa grande enquête sur l'assistance maternelle par les progrès des maternités et leur meilleure perception par «le public», la preuve étant que «60 % des naissances à Paris se font dans les établissements de l'A.P.». Où accouchent donc les Françaises pendant l'entre-deux-guerres ? Quel est le «public» des maternités ?

Nous avons malheureusement peu de réponses chiffrées à l'échelle nationale. La série *Mouvement de la Population* de la Statistique Générale de France, comprend, chaque année mais jusqu'en 1931 seulement, dans la rubrique «détails divers sur les naissances», un tableau de répartition des naissances selon le lieu de l'accouchement (à domicile, dans un établissement ou chez une sage-femme, non déclaré). Ce qui frappe, après avoir éliminé l'effet des variations des non déclarations, c'est l'importance de l'accouchement à domicile, supérieur à 80 %, même s'il semble amorcer un lent recul à partir de 1929. Ce taux, encore plus élevé pour les naissances légitimes, tombe à environ 45 % pour les naissances illégitimes. Inversement la part des accouchements effectués chez une sage-femme ou dans un établissement tend à augmenter légèrement pour atteindre près de 20 % en 1931. Mais il est impossible de préciser plus avant le rôle joué par les maternités. Aussi voudrais-je, avant d'esquisser une tendance d'ensemble, développer deux exemples précis : Paris et Baudelocque.

Le livre centenaire de l'Assistance Publique de Paris fournit une première approche. La proportion des accouchements qui y sont réalisés reste pratiquement constante entre 1920 et 1940 – deux sur trois – mais la période se caractérise par la croissance des accouchements pratiqués en maternité et la quasi disparition des sages-femmes agréées à partir de 1935.

La série des *Annuaires Statistiques de la ville de Paris* permet une étude plus approfondie; ils contiennent chaque année un tableau intitulé : «Naissances vivantes et morts-nés selon le domicile de la mère et le lieu de l'accouchement». Le domicile est soit un arrondissement de Paris, soit «hors Paris»; sont précisées les naissances des parisiennes (somme des arrondissements) ainsi que les naissances totales enregistrées à Paris (domicile dans ou hors Paris); le lieu de l'accouchement peut être le domicile, une maternité de l'A.P., chez une sage-femme (privée ou agréée par l'A.P.) ou d'autres lieux non précisés; les naissances illégitimes sont indiquées. Toutes ces données peuvent être travaillées par regroupement et calcul de pourcentages, pour donner des séries significatives.

Le tableau ci-après, qui distingue les lieux d'accouchement de toutes les naissances parisiennes, montre la croissance régulière des accouchements en maternité dont la part double entre 1920 et 1939 pour atteindre 67,8 %, au détriment des accouchements à domicile ou chez une sage-femme; cette dernière catégorie connaît un succès croissant pendant la décennie vingt, pour régresser ensuite; elle concerne cependant un quart des accouchements, tandis que l'accouchement à domicile, majoritaire en 1920, tend à disparaître (un sur dix à la fin de la période). Les causes de ce phénomène ont déjà été présentées : le doublement des capacités des maternités et leur modernisation, la loi sur les Assurances Sociales; le Professeur Lacomme, dans son interview, insistait sur la crise du logement à Paris.

Lieu de l'accouchement pour toutes les naissances parisiennes
(naissances vivantes et morts-nés;
mères domiciliées dans Paris et hors Paris)

Année	Total des naissances	Pourcentage d'accouchements à domicile %	Dans une maternité de l'A.P. %	Chez une sage-femme %
1920	69.670	42,4	33,6	23,2
1921	65.822	37,1	37,4	24,6
1922	59.245	36,9	37,7	24,7
1923	59.124	33,4	37,5	28,4
1924	58.879	32,1	38,1	29,1
1925	61.363	26,2	46,1	27,5
1926	61.500	23,9	45,9	30,1
1927	61.617	20,3	50,0	29,5
1928	60.328	17,9	50,5	31,5
1929	60.212	16,7	51,9	31,3
1930	60.884	statistiques aberrantes		
1931	60.061	15,8	55,2	28,9
1932	57.801	14,5	57,5	27,9
1933	54.465	13,5	59,2	27,2
1934	52.302	12,4	62,3	25,3
1935	48.512	11,5	64,8	22,7
1936	46.598	11,2	65,4	23,3
1937	45.804	11,8	65,3	22,8
1938	44.633	10,2	66,1	23,6
1939	36.171	7,7	67,8	24,3

Nous laissons tomber les «autres lieux» qui n'interviennent que pour les pourcentages infimes (en chiffres absolus : de 10 à 527 selon les années). La somme des pourcentages n'est donc pas exactement égale à 100.

A Paris accouchent des femmes qui y résident et d'autres qui viennent de l'extérieur de la ville : de la banlieue ou de la province (il est dommage que la statistique ne fasse pas cette distinction). La répartition des accouchements des résidentes parisiennes suit l'évolution décrite précédemment avec quelques points de plus pour l'accouchement à domicile ou chez une sage-femme : l'accouchement dans une maternité de l'A.P. devient majoritaire à partir de 1932 et concerne 6 mères parisiennes sur 10 à la veille de la deuxième guerre. Paris attire aussi des parturientes venues de l'extérieur, et en attire de plus en plus : en 1920 elles sont à l'origine de 12,7 % des naissances parisiennes, en 1930 de 25,6 % et leur part reste élevée pendant toute la décennie. Ces femmes ne peuvent évidemment pas accoucher à domicile; elles utilisent de plus en plus les maternités (à plus de 80 % à partir de 1934), la part des sages-femmes diminuant fortement à partir de 1930. Y viennent-elles, cas classique maintes fois décrit, pour cacher une grossesse de fille-mère ou, attirées par la renommée de ces établissements, pour bénéficier d'un accouchement dans de meilleures conditions ?

Le calcul du taux de naissances illégitimes chez ces femmes permet d'y répondre partiellement : de près d'un tiers en 1920, il baisse régulièrement, plus fortement dans les années trente pour n'être que de 14 % en 1939; dès 1931, il est inférieur au taux d'illégitimité strictement parisien. La recherche d'une maternité secrète n'est donc pas la raison essentielle de la venue de parturientes à Paris, il n'est malheureusement pas possible de savoir si elles viennent de loin et qui les envoie.

Parce qu'elles ont peu de ressources et qu'elles peuvent y bénéficier du secret, les «filles-mères», qu'elles soient ou non domiciliées à Paris, accouchent essentiellement dans les maternités de l'A.P.. Leur succès qui éclipse presque complètement l'accouchement à domicile ou chez une sage-femme peut aussi s'expliquer par l'aide sociale qu'elles procurent : prise en charge par les assistantes sociales, aide matérielle, envoi dans des maisons de convalescence (36).

Mais les maternités ne sont plus seulement le havre des filles-mères et des femmes sans ressources. La consultation des registres de Baudelocque fournit une étude sociologique de la clientèle de cet établissement. Particulièrement riches sont le registre des entrées et celui des naissances dont aucun ne manque pour la période considérée. Leur structure et les études statistiques possibles sont indiquées en annexe; lorsque des données numériques sont reportées de page en page jusqu'au bilan annuel (par exemple le nombre de mariées ou de célibataires parmi les entrantes), les calculs statistiques peuvent se faire sur l'ensemble de la clientèle de la maternité. Pour les données non quantifiées dans les registres, j'ai utilisé la méthode du sondage au hasard pour obtenir chaque année cent cas à envisager.

Le tableau ci-après réalisé à partir de données d'ensemble, fait apparaître plusieurs conclusions. A partir de 1927 où les travaux d'agrandissement et de rénovation sont en voie d'achèvement, Baudelocque accueille chaque année plus de 3.500 femmes. Dès lors plus de 70 % donnent naissance à des enfants vivants; la proportion ne fait que croître, signe que la mortinatalité tend à baisser, mais aussi que, si la maternité garde sa vocation de service de gynécologie, elle perd en partie le rôle de refuge qu'elle possédait initialement; au hasard des noms, on rencontre encore dans les années vingt des «femmes enceintes» passant quelques jours à Baudelocque pour accoucher ensuite chez elles ou en ville (en ville pouvant être très certainement chez une sage-femme agréée); très rarement ensuite.

L'état civil des entrantes est une donnée intéressante dont l'évolution apparaît clairement : la part des femmes mariées augmente régulièrement, passant de moins des deux tiers (61,7 %) à plus de quatre cinquièmes (81,3 %), au détriment des veuves et des célibataires. Ces dernières ne sont pas toutes des «filles-mères», et peuvent être des jeunes filles venant pour une opération de gynécologie, mais le sondage au hasard donne des pourcentages de mères célibataires qui, tout en se situant de un à deux points au dessous, suit la même baisse. Toutefois, Baudelocque joue, pour les femmes qui le demandent, le rôle de maternité «secrète» où il est possible de cacher son état. Ainsi, pour les deux mois de janvier et février 1932, sur 729 entrantes, 24 femmes ont sollicité le secret : 18, le secret pour l'enquête; 3, le secret pour la famille; 3, le secret pour leur pays (cas d'étrangères); 1, le secret pour sa mère; 1, le secret absolu. Voici, au fil des ans, quelques exemples dont je tais l'identité :

LA CLIENTÈLE DE BAUDELOCQUE : STATISTIQUES SUR LE TOUT

Année	Nombre d'entrantes	Nombre de naissances vivantes	Naissances/entrées %	Etat civil des entrantes			Domicile des entrantes			
				Mariée %	Veuve %	Célibataire %	Paris %	Banlieue %	Département %	Etranger %
1919	2.746	1.641	59,8	61,7	3,9	34,4	67,8	24,2	7,7	0,3
1920	3.109	2.060	66,3	64,4	4,3	31,3	67,6	25,1	6,8	0,5
1921	3.191	1.916	60,0	66,5	5,2	28,3	67,9	25,4	6,4	0,3
1922	2.343	1.544	65,9	69,3	4,4	26,3	65,7	26,7	7,6	0
1923	2.347	1.566	66,7	67,3	4,3	28,4	69,5	23,9	6,6	0
1924	2.730	1.792	65,6	65,0	4,2	30,8	70,7	24,6	5,9	0,8
1925	3.142	2.126	67,7	70,6	3,2	26,2	63,0	25,8	9,5	1,7
1926	3.268	2.245	68,7	70,7	3,7	26,6	59,9	30,0	7,0	3,1
1927	3.707	2.624	70,8	70,9	4,0	25,1	58,7	28,8	8,3	4,2
1928	3.602	2.482	68,9	70,0	3,5	26,5	59,4	28,6	9,3	2,7
1929	3.663	2.615	71,4	71,5	2,5	26,0	58,7	28,6	11,9	0,8
1930	3.600	2.659	73,9	71,8	3,2	25,0	56,4	31,6	11,7	0,3
1931	3.999	3.013	75,3	71,3	2,7	26,0	54,9	31,5	13,4	0,2
1932	3.940	2.944	74,7	74,7	1,6	23,7	54,1	32,1	13,7	0,1
1933	3.435	2.261	65,8	73,7	2,3	24,0	52,7	32,8	14,1	0,4
1934	3.593	2.835	78,9	77,1	1,7	21,2	52,7	34,0	12,3	1,0
1935	3.292	2.629	79,9	77,1	2,3	20,6	53,0	34,4	11,9	0,7
1936	3.634	2.931	80,6	78,9	1,9	19,2	53,0	33,4	13,1	0,5
1937	3.796	3.007	79,2	872,2	1,6	16,2	53,9	30,7	14,9	0,5
1938	3.737	2.982	79,8	80,4	1,8	17,8	54,5	29,2	15,8	0,5
1939	3.671			81,3	1,2	17,5	53,6	33,8	12,1	0,5

— «secret pour l'enquête» : le 14 décembre 1927, entre Suzanne —, dite —, comptable, 24 ans, née dans la Haute-Vienne, habitant Paris 18e, célibataire. Elle accouche le même jour et sort le 3 janvier.

— «secret pour sa famille» : le 2 janvier 1932, entre Provestine —, domestique, née dans le Calvados, résidant avenue St Honoré à Paris, célibataire. Elle accouche le 3 et sort le 13 janvier.

— «secret pour sa mère» : le 20 février 1932 entre Fernande —, sans profession, 21 ans, habitant le 15e arrondissement, célibataire. Elle accouche le même jour d'une fille qu'elle abandonne et sort le 3 mars.

Le secret absolu donne dans les registres, les X qui n'inscrivent leur identité que dans une enveloppe cachetée. Baudelocque fait aussi bénéficier certaines filles-mères du refuge que constitue la Maison maternelle nationale de St Maurice; ainsi Marthe —, domestique de 22 ans dans le 17e arrondissement, entrée le 2 janvier 1922, accouche le 6 janvier d'une fille, pour être envoyée à St Maurice le 6 février. Ces quelques exemples permettent de souligner que, si la durée de séjour pour un accouchement normal est en général de onze jours (le jour de sortie n'étant pas comptabilisé), certaines femmes séjournent plus longtemps, parce qu'elles ne savent pas où aller, ou parce qu'elles sont malades; dans les années vingt, certaines filles-mères jeunes, viennent tôt à la maternité, plusieurs jours avant l'accouchement. Avec les séjours (souvent longs) en gynécologie, la durée moyenne de séjour calculée une année sur trois sur les 100 cas du sondage au hasard oscille entre 10,9 jours en 1921 et 16,6 en 1937, pour se situer généralement entre 13 et 14 jours. L'hypothèse suivante (non vérifiable de façon stricte car les registres d'accouchement manquent pour la période) peut rendre compte de la constance de cette donnée : si Baudelocque sert de moins en moins de refuge aux filles-mères, ce qui tendrait à faire baisser la durée de séjour, elle accueille de plus en plus les femmes dont la grossesse et l'accouchement difficiles nécessitent une hospitalisation plus longue que la normale.

Par ailleurs l'aire de recrutement de la maternité tend à s'étendre. Les parisiennes qui constituent jusqu'en 1924 les deux tiers de la clientèle (et 80 % en 1900) n'en forment à partir de 1931 qu'un peu plus de la moitié; Baudelocque attire de plus en plus de femmes de la banlieue (jusqu'à un tiers) et de la province (jusqu'à 15 % contre 4 % en 1900) tandis que les étrangères sont un groupe très minoritaire et fluctuant; pour l'année 1927 le registre précise l'entrée de 28 Polonaises célibataires. L'étude des 100 cas obtenus par sondage au hasard révèle que les parisiennes viennent de tous les arrondissements, du Sud où se trouve Baudelocque, de l'Est où il y a d'autres établissements, et même de l'Ouest riche (notamment les domestiques); la banlieue (département de la Seine) et les deux départements limitrophes de Seine-et-Oise et Seine-et-Marne envoient de plus en plus de parturientes, mais les clientes venant d'une province plus lointaine restent très rares : de 0 à 7 %, le plus souvent 1 ou 2 %; ce sont presque toujours des filles-mères qui font de longs voyages (de Pau, de Valence), quelquefois des femmes qui entrent en gynécologie. Les étrangères sont de toute nationalité, italienne, roumaine, russe, belge, espagnole, tchèque, américaine; mais les Polonaises sont les plus nombreuses, et les femmes mariées minoritaires.

Pratiquement aucune bourgeoise n'accouche à Baudelocque dans les années vingt ou trente; celles qui s'y «risquent» sont marginales par rapport à leur classe sociale : jeunes étudiantes, professeurs ou artistes, soit des intellectuelles peu conformistes, ou ayant des difficultés financières, souvent non mariées. La petite bourgeoisie salariée, le monde des vendeuses, institutrices, employées forme avec les commerçantes (en général du petit commerce) de 10 à 20 % de la clientèle, sans que les chiffres ne traduisent d'évolution significative. Les domestiques, les ouvrières, les femmes travaillant chez elles (concierge, mais aussi lingère, repasseuse...) constituent environ 30 % de la clientèle; les domestiques sont surreprésentées par rapport à leur part dans la main-d'œuvre féminine (pouvant atteindre 21 % des admises à Baudelocque) car elles ne peuvent pas accoucher chez leurs patronnes et sont souvent mères célibataires; par contre les ouvrières ne sont pas très nombreuses à Baudelocque, tandis que le nombre de travailleuses à domicile tend à diminuer.

Les chiffres ne révèlent qu'une seule évolution nette : la diminution du nombre des ménagères et journalières (groupe surtout constitué de «ménagères») au profit des femmes «sans profession», ce qui ne traduit pas de grands changements sociologiques; en effet, s'il est possible que la maternité accueille proportionnellement moins de femmes vivotant de ménages ou de travaux à la journée, il est tout autant probable que ce glissement numérique ne soit qu'un glissement au niveau des termes (donc de l'image qu'elles souhaitent donner d'elles-mêmes) dans les déclarations des clientes : cette hypothèse est confirmée par les variations des registres qui emploient souvent pour la même personne, l'un «sans profession», l'autre «ménagère».

Par le registre des naissances où la profession du père est indiquée, il est possible de connaître le milieu social des femmes sans profession, si elles sont mariées et viennent pour accoucher. Les conjoints sont pour moitié domestiques, ouvriers, pour l'autre petits bourgeois (salariés ou à leur compte comme les artisans et commerçants). Il y a toutefois quelques femmes de milieux moins populaires, épouses d'intellectuels (musicien, artiste, homme de lettres ou journaliste), ou de cadres (ingénieur, entrepreneur), ou encore de médecins.

Enfin, parmi les clientes de Baudelocque, la part des femmes bénéficiant des Assurances Sociales tend à croître pendant la décennie trente, qu'elles soient assurées par leur travail ou conjointes d'assurés. Le sondage au hasard permet de dresser le tableau suivant :

Année	1930	1931	1932	1933	1934	1935	1936	1937	1938	1939
% d'assurées	8	39	35	34	37	31	37	31	39	49
Femme d'assurés %	8	19	21	16	19	16	27	34	21	24
Total en %	16	58	56	50	56	47	64	65	60	64

La catégorie des bénéficiaires (nᵒ 1 à 5 selon le niveau du salaire) n'est pas précisée dans la moitié des cas. Pour l'autre dominent largement les assurés aux salaires élevés (le maximum étant fixé à 21.000 F en 1935, à 30.000 en 1938).

Quelles conclusions tirer sur le recrutement de Baudelocque et des maternités en général ?

Résumons rapidement les données d'un second exemple, celui de la Maternité de la Sainte Famille à Lille, créée en 1874 par les Sœurs de la Charité Maternelle pour accueillir «les mamans les plus défavorisées et qui ne peuvent solliciter les soins à domicile». L'origine charitable est incontestable et l'évolution amorcée avant la première guerre, développée ensuite n'est que plus remarquable : la maternité reçoit de plus en plus de parturientes (de 280 en 1910 à 1.009 en 1939) et leurs origines sociales se diversifient (37). Les clientes sont de plus en plus des femmes sans profession (7 % en 1910, 20 % en 1931, 92 % en 1938) tandis que baisse la part des ouvrières du textile et des domestiques qui constituaient en 1910 55 % de la clientèle, formée alors de femmes aux revenus très modestes (2 % seulement d'employées et de commerçantes). Les époux sont toujours en majorité des ouvriers ou artisans, mais il y a plus d'employés et de commerçants même aisés; dès 1931, les professions libérales et les cadres constituent une minorité non négligeable : 6 %; par exemple viennent accoucher à la maternité des femmes d'ingénieurs, de notaires, de chirurgiens, d'industriels et même l'épouse du directeur de la Banque du Nord.

Une petite maternité tenue par des religieuses dans une ville catholique comme Lille semble s'ouvrir plus facilement que Baudelocque à une clientèle de moyenne et bonne bourgeoisie qui sollicite ses services. Le public d'une grande maternité parisienne se recrute plus traditionnellement dans les milieux populaires, y compris la petite bourgeoisie salariée. La diversité est donc la règle entre les deux guerres.

Deuxième conclusion possible : les maternités ont acquis un caractère de respectabilité et ne sont plus uniquement la maison d'accouchement des filles-mères. Si la moitié des entrantes à Baudelocque en 1900 étaient des célibataires, elles sont moins de 20 %, nous l'avons vu, à la fin des années trente.

Toutefois la maternité n'est pas le lieu d'accouchement de toutes les Françaises. Le manque d'équipement de la campagne oppose au modèle urbain un «modèle rural»; dans les villes les femmes aisées ne fréquentent pas, à quelques exceptions près, ce type d'établissement; d'autres femmes plus modestes suivent les consultations mais accouchent ailleurs, chez elles ou en cliniques privées.

A Rouen, 50 % des accouchements se font en maternité publique. A Courbevoie (exemple développé dans le Bulletin de l'Association française des femmes médecins), les 686 naissances de 1935 (taux de natalité très faible : 11,7 o/oo) se répartissent ainsi : 21,7 % à domicile, 49,4 % en maternité, 28,9 % en maison de santé privée. La maternité Adolphe Pinard de Nancy s'est adaptée à la demande en annexant au service général une clinique qui reçoit «la classe aisée».

C'est que l'image de la maternité est plus lente à se transformer que sa réalité. Couvelaire donne de Baudelocque une image de confort et de sécurité correspondant à de réels progrès, mais est-elle partagée par les femmes qui accouchent en maternité (par conviction ou par nécessité), ou bien refusent de l'utiliser ? S'il est difficile de répondre avec certitude, les témoignages oraux ou écrits que nous avons recueillis montrent tout au moins que l'institution-maternité de l'entre-deux-guerres n'est pas perçue de façon unanime, et que selon l'âge, la résidence, le milieu social, les femmes en donnent une image ancienne, conforme à la réalité de l'époque ou anticipatrice.

Pour une joueuse de harpe qui a un fils en 1919, «à l'époque, on accouche chez soi, la maternité était pour les filles-mères et les femmes de besoin», tandis qu'une aide-soignante de la Salpétrière trouve «normal» d'accoucher dans les années vingt dans la maternité de son quartier (en l'occurrence Port-Royal), et qu'une concierge du 15e (mariée à un cantonnier) accouchait à Boucicaut parce que «c'était près, plus sûr et que le logement était trop petit».

Une cultivatrice de Seine-et-Oise accouchait chez elle au début des années trente car «on craignait les épidémies en maternité», tandis qu'une secrétaire de direction, parisienne, mère de deux enfants nés en 1928 et 1929, choisissait la maternité; «à l'époque les accouchements à domicile étaient déjà très rares; tout le monde s'accordait à dire que les maternités présentaient toutes garanties de soins et d'hygiène, tant pour la mère que l'enfant».

Les assurances sociales sont une incitation à fréquenter les maternités pour les femmes qui en ont une image positive. Les autres, celles qui y allaient par nécessité, préfèrent consentir un très léger effort financier et accoucher «comme les riches». L'administration hospitalière ne favorise pas l'évolution des mentalités : ainsi jusqu'au décret du 19 octobre 1951 existe un maximum de ressources au-delà duquel on ne peut être admis à l'hôpital. D'autre part le vécu des femmes dans les maternités est peut-être moins idyllique que la version de Couvelaire...

Aussi, et ce sera ma dernière conclusion, la quasi-disparition de l'accouchement à domicile n'est-elle qu'un phénomène de l'après-deuxième guerre, comme le montrent les statistiques de la Caisse Nationale d'Assurance-Maladie :

1952 : 47 % d'accouchements à domicile
1962 : 15 %
1963 : 13 %
1968 : 4 %.

Les naissances de 1979 se répartissent comme suit : 0,4 % à domicile, 52,6 % dans le secteur privé, 47 % dans le secteur public, et les dernières années connaissent une sensible augmentation des accouchements dans le public.

Néanmoins, dès le début, la croissance des accouchements en maternité a contribué à la crise de la profession de sage-femme.

La crise de la profession de sage-femme

Le XIXe siècle fut une période plutôt favorable aux sages-femmes. Malgré la confiscation par les hommes de l'enseignement obstétrical, la pratique des accouchements reste leur domaine; elles bénéficient des efforts des pouvoirs publics pour prêter assistance aux parturientes et de la pudeur féminine; leur nombre augmente tout au long du siècle. La création du corps des médecins-accoucheurs en 1882 marque le début de leur déclin. En 1912 une thèse de médecine évalue à 15 le nombre d'accouchements faits par an par une sage-femme parisienne; ne pouvant vivre ainsi, certaines se tournent vers la pratique des avortements. La crise se poursuit et s'accentue pendant l'entre-deux-guerres. Avant d'en rendre compte ainsi que des solutions proposées, il faut comprendre les multiples facettes de la profession de sage-femme.

Les conditions d'exercice et les limites de la profession sont

inscrites dans la loi du 30 novembre 1892 sur l'exercice de la Médecine (38). Le diplôme de sage-femme s'obtient par un examen après
deux ans d'école, où la candidate est entrée, âgée de 19 ans au moins,
munie d'un certificat de bonnes vie et mœurs, d'un extrait de casier
judiciaire, d'une autorisation paternelle ou maritale, du brevet élémentaire ou du certificat d'études secondaires (à défaut, elle passe
l'examen d'entrée). La sage-femme diplômée doit se faire enregistrer pour figurer sur la liste départementale de la profession mais la
loi du 5 août 1916 unifie les diplômes et supprime la distinction
entre sage-femme de 1ère classe pouvant exercer dans toute la France
et sage-femme de seconde classe.

L'enseignement dispensé dans les écoles a pour but, selon la
sage-femme en chef de la Maternité de Paris, de développer «le sens
clinique, pour le dépistage des états pathologiques de la femme enceinte et du nourrisson ainsi que celui des maladies sociales», d'apprendre l'obstétrique et la puériculture ainsi que les obligations lé-
gales (secret professionnel, déclaration de naissance, tenue d'une
maison d'accouchement et déclaration des maladies contagieuses).
Il s'appuie sur des cours et des travaux pratiques : surveillance des
femmes en état de gestation, art des accouchements normaux, soins
des suites de couches, surveillance et soins du nourrisson depuis sa
naissance jusqu'au sevrage; «pour les cas d'urgence sont enseignées
certaines interventions strictement manuelles» (version par manœuvres externes ou internes, extraction d'un enfant par le siège, délivrance artificielle, injection utérine, saignée avec une lancette et vaccination antivariolique). «Par tolérance» les élèves sages-femmes sont
initiées à la suture de déchirures limitées à la commissure posté-
rieure de la vulve. En effet la loi de 1892 interdit aux sages-femmes
d'utiliser des instruments et de prescrire des médicaments; cantonnées dans la pratique des accouchements normaux, elles doivent,
dès que des complications se présentent, appeler le médecin. Toutefois, cette loi qui n'est pas toujours ni précise, ni claire, souffre quelques exceptions et donne lieu à des interprétations différentes sur la
compétence des sages-femmes.

Si le diplôme est unique, la profession n'est pas du tout homogène; modalités diverses du métier, division dans l'organisation professionnelle. Plus de 50 % des sages-femmes sont syndiquées et appar-

partiennent à deux unions de syndicats qui arrivent difficilement à s'unir pendant la décennie trente malgré la nécessité de se défendre devant de nouvelles contraintes (Assurances sociales, concurrence...) : *la Fédération des sages-femmes de France* (2.893 membres en 1931, sur 11.011 professionnelles) et *la Confédération des sages-femmes de France* (3.042 adhérentes).

Le 5 février 1911, s'est créé le premier groupement français de syndicats de sages-femmes : la Fédération des sages-femmes de France, qui connut quatre années d'éclipse de 1922 à 1926 au profit d'un Comité d'Entente des sages-femmes françaises réunissant syndicats et associations. Dès 1928, la Fédération a comme Secrétaire générale Melle Thiel, trésorière du *Journal des Accoucheuses*, «bulletin officiel de l'Association des Accoucheuses et puéricultrices de France»; Mme Orsat, première sage-femme de Baudelocque a succédé comme rédactrice en chef à Mme Henri de la Maternité de Paris; le bulletin offre une tribune professionnelle (annonces diverses, mises au point juridiques), une chronique médicale et se fait l'écho de la vie de l'Association. 1928 est l'année de la scission : trois syndicats (de Lille, du Rhône et des Bouches-du-Rhône), pour protester semble-t-il contre le poids de la région parisienne dans la Fédération, la quittent et forment la Confédération nationale des syndicats de sages-femmes, dirigée par Melles Prat et Mossé et dont le siège social est à Lille. Mais la loi sur les Assurances Sociales poussent à une rapide réunification. Si le principe de fusion est adopté de part et d'autre dès 1931, la condition posée par la Confédération − disparition des syndicats nationaux et donc transformation de la Fédération en syndicat départemental − bloque toute discussion jusqu'en 1936 où, le 25 octobre, un accord se dégage pour la création de *l'Union nationale des syndicats de sages-femmes françaises*. Malgré la perspective du congrès international de 1938, l'accord ne semble pas se concrétiser.

Parallèlement murit, notamment chez les sages-femmes catholiques, l'idée d'un ordre des sages-femmes. A leur 3e congrès international en 1937, les Françaises demandent la création de ce groupement qui, «préoccupé de questions spirituelles» et «légalement constitué», «constituerait un excellent moyen moralisateur de la profession». Trois ans avant, l'*Association des sages-femmes catho-*

liques avait organisé, en vue du premier congrès international, une enquête sur «les avantages, inconvénients, améliorations souhaitables» des diverses modalités de la profession.

Les sages-femmes peuvent d'abord exercer dans un service hospitalier, à l'hôpital public, à la Maternité-école, à la clinique privée, ou au dispensaire : là où «l'hygiène et le confort s'harmonisent pour donner l'impression de la sécurité». Quelle que soit la clientèle, plus riche dans les cliniques privées qu'à l'hôpital, toutes les enquêtées soulignent l'avantage de travailler en toute sécurité, avec l'assurance d'un traitement fixe et la possibilité de se perfectionner; mais toutes (elles parlent en catholiques) «s'accordent à crier au casse-cou moral pour la vertu dans un service hospitalier : danger de la vie commune, voisinage de l'élément masculin, dépravation de la clientèle habituelle des hôpitaux et du personnel». La dernière forme de travail en lien avec le milieu hospitalier est celle des sages-femmes agréées; leur origine remonte, à Paris, à la grande épidémie de fièvre puerpérale de 1867 où les administrations hospitalières firent appel aux sages-femmes voisines pour ne pas emplir les lits de l'établissement; elles ont donc «été instituées pour décharger les services hospitaliers, soit en cas de fermeture nécessitée par une épidémie puerpérale, soit pour parer à l'encombrement que l'on considérait comme facteur de cette infection; mais l'hôpital grâce aux pratiques antiseptiques ne présentant plus de danger, il fut prescrit de réduire le nombre de sages-femmes agréées et de ne plus envoyer chez elles que l'excédent des malades». Nommée par le directeur de l'A.P., placée sous la surveillance d'un accoucheur, la sage-femme agréée dispose de quelques lits pour accueillir des pensionnaires qu'elle accouche (l'Administration fournit les antiseptiques et autres produits nécessaires) et soigne pendant dix jours avec comme salaire dans les années vingt 300 F par parturiente.

Les sages-femmes peuvent aussi avoir une clientèle particulière; à la ville elles sont pléthore, le plus fréquemment au service des ouvriers et de la petite bourgeoisie; pour les enquêtées, «le service du riche humilie» malgré les bonnes conditions matérielles mais il ne faut assurer «le service du pauvre» que «si on est capable de désintéressement». Dans les campagnes, j'y reviendrai, elles sont trop peu nombreuses : le travail est dur, peu rémunérateur mais celle qui «a fait sa place» «est reine dans son canton, généralement aimée, très demandée, très écoutée». Les trois dernières orientations de la profession sont d'être sage-femme de garde «chez les riches», travail facile mais «épuisant pour le moral», sage-femme religieuse ou encore sage-femme aux colonies; celle-ci, dans la pure tradition du discours «civilisateur», «travaille au-delà des mers à implanter l'esprit de son pays, de sa race et porte à des peuplades enténébrées la lumière religieuse»... La conclusion de l'enquête de l'Association des sages-femmes catholiques souligne la nécessité d'«une adaptation plus étroite de la profession aux besoins de la famille» et d'un «relèvement moral».

Famille, moralité : toutes les organisations professionnelles de sages-femmes rivalisent de prises de position sur la haute moralité et le «rôle social» de la sage-femme. Si le point de départ des discussions sur le statut des sages-femmes a été la répression de l'avortement, si la loi de 1920 prévoit les peines encourues par celles qui favorisent cette pratique, il s'agit pour une profession sur la défensive, pour une profession «mal vue», de transformer l'image de la sage-femme faiseuse d'anges ou complice, en celle d'une auxiliaire privilégiée du mouvement nataliste et familial.

C'est d'abord bien évidemment le but de l'Association des sages-femmes catholiques qui invite à son congrès de 1934 le doyen de la Faculté catholique de Lille, l'abbé Viollet, directeur de l'Association du Mariage chrétien, et Lefebvre-Dibon, président de l'Alliance Nationale. «La sage-femme peut être dans la famille l'apôtre de la morale chrétienne» et de la natalité en «rappelant la femme à l'intelligence d'une voie sublime dont elle semble avoir été distraite par le mouvement vertigineux et l'activité fébrile de la vie moderne». Pour les sages-femmes catholiques le livre de référence est l'ouvrage de Lemaire, édité par l'Association du mariage chrétien : *le rôle social et familial de la sage-femme*»; c'est un manuel qui «fournit des notions morales et les armes spirituelles capables de les aider dans la mission de relèvement qu'elles ont à exercer auprès du peuple ignorant». Cette croisade consiste en «la création d'une opinion propice à la natalité» et en la diffusion de la morale conjugale chrétienne la plus classique; pour Lemaire, il y a cinq façons pour la sage-femme d'être coupable : ne rien dire contre la stérilité volontaire, créer une atmosphère hostile à la maternité, prati-

168

quer des avortements, diffuser la contraception, donner le conseil de devenir stérile. Mais le devoir de «ne pas enlever à la parturiente l'envie de recommencer» conduit à des attitudes tolérantes et respectueuses, bien que la douleur soit souvent considérée comme naturelle.

Nous trouvons, chez les autres groupements de sages-femmes, la même attitude et des paroles similaires qu'illustre le 8e Congrès international des accoucheuses d'avril 1938 à Paris. Dans son rapport sur «le rôle social de la sage-femme» Mme Godillon, secrétaire générale de la Confédération, déclare que «la sage-femme a une influence morale incontestable sur ses clientes» : «elle peut prendre part à la lutte contre le fléau de l'avortement... Si elle s'aperçoit que l'une d'elles a de mauvaises pensées, elle réussira finalement à la ramener dans le chemin du devoir. La sage-femme, souvent doublée d'une mère, trouve tout naturellement les mots qu'il faut pour montrer la honte et les dangers de l'avortement et leur opposer les joies de la maternité». Elle peut aussi convaincre les mères d'allaiter, et les dissuader d'abandonner un nouveau-né. Pour Melle Mossé, sage-femme en chef de la Maternité de Paris, qui ouvre le congrès, les sages-femmes servent une «cause sociale», leur but est de «mieux protéger la mère et l'enfant, l'enfant cellule de chaque nation, cellule de l'humanité». Publiquement elle définit avec grandiloquence la profession comme «la plus antique des professions féminines qui naquit dans la nuit des temps d'un geste sublime : celui de la pitié se penchant vers la douleur».

Ce discours vibrant sur le rôle social des sages-femmes masque en fait la crise de la profession et constitue un appel à sa revalorisation.

Certes le développement des maternités hospitalières n'est pas favorable à la profession de sage-femme. A Baudelocque en 1930 travaillent sept sages-femmes pour plus de 3.000 entrées par an. Une maison d'accouchement peut assurer 200 accouchements annuels avec une ou deux professionnelles, et un hôpital 4.000 avec sept. Les sages-femmes agréées de l'A.P. deviennent inutiles et malgré une dernière promotion en 1917 elles tendent à disparaître vers 1935. *Le registre des entrées ville* de Baudelocque s'arrête le 24 mars 1934; le nombre des entrées chez les sages-femmes agréées ayant suivi la progression suivante :

1918	1919	1920	1921	1922	1923	1924	1925
1.794	1.687	1.742	1.282	1.074	974	827	753

1926	1927	1928	1929	1930	1931	1932	1933
772	525	401	315	191	161	160	105

1934 : 1er janv. - 24 mars 1934 : 19.

Si en 1918, onze sages-femmes habitant le 13e, le 5e ou le 14e arrondissement et disposant au total de 98 lits (de 5 à 11 selon le cas) assurent ce service, elles ne sont plus que trois en 1925, deux en 1928 et dès 1932, seule Mme B. continue au 29 rue Boulard, pour deux années encore.

Mais ce qui gêne le plus la profession, c'est la concurrence d'autres personnels, médicaux ou para-médicaux. La création par le décret du 7 juin 1922 du diplôme d'infirmière réglemente l'exercice de la profession mais revalorise le métier sous ses deux formes principales : infirmière hospitalière et infirmière-visiteuse dont la pratique des visites à domicile rencontre chez une femme enceinte ou une jeune mère celle de la sage-femme; de même, après plusieurs années d'existence, la profession d'assistante sociale est réglementée par l'institution d'un diplôme (décret du 12 janvier 1932). Cependant ni l'une ni l'autre de ces femmes ne peut faire d'accouchement; comme l'écrit avec force l'*Éclaireur de l'Est* du 6 mai 1932, «la profession de sage-femme meurt d'être battue en brèche par les hommes» et Melle Mossé devant le Comité National de l'enfance affirme que «le plus grave danger est la concurrence légitime du Médecin qui partage avec elle le monopole des accouchements».

De plus en plus nombreux 12.407 en 1891, 20.113 en 1911, 25.930 en 1936, les médecins bénéficient d'atouts indéniables : le téléphone et la voiture, que permet leur statut social, facilitent les contacts avec la clientèle; eux seuls ont droit d'utiliser des ocytociques lors d'un accouchement; enfin la loi des Assurances Sociales, après les lois d'assistance, pénalise les sages-femmes en réservant les examens des femmes enceintes à des médecins (à côté des consultations agréées). Les tableaux de répartition des naissances selon l'assistance reçue par la mère montrent ainsi une évolution défavorable à la profession, tant à Paris qu'à l'échelle nationale; alors qu'au début des années vingt, environ 3/4 des accouchements sont faits par des sages-femmes, la proportion tombe à 64 % en 1931; à Paris, elle est stable jusqu'en 1928 autour de 71 %, avant de fluctuer à la baisse pour descendre en dessous de 60 %.

Les matrones, qui selon le *Journal des Accoucheuses* d'octobre 1927, accoucheraient 50.000 femmes concurrencent-elles aussi les sages-femmes ? Celles-ci les méprisent, les accusent de tous les maux — «c'est une incapable, mi-sorcière et le plus souvent sale» dit Melle Cauchois en évoquant les bardoues de Normandie — mais elles désertent le dur travail de sage-femme de campagne et l'ensemble du corps est mal réparti sur le territoire, 500 cantons sur 2.200 étant dépourvus de professionnelles. Toutefois leur répartition est plus homogène que celle des médecins : en 1925, un médecin sur quatre réside dans la Seine, contre 10 % des sages-femmes.

Au printemps de 1936, l'assemblée générale de l'Association des Accoucheuses propose des démarches au ministère pour protester contre la propagande jugée déloyale des Assistantes Sociales ou des Caisses d'assurances qui envoient les futures mères dans les dispensaires et les maternités. Elle veut aussi intenter un procès à Yvonne Picabia qui, dans un livre, *Pour devenir la meilleure ménagère de France*, préconise le B.C.G. et l'accouchement en maternité avec les arguments suivants : «les sages-femmes ne peuvent avoir que des initiatives limitées», tandis que la maternité offre «un personnel qualifié, des soins éclairés, la certitude qu'un médecin spécialisé sera prêt à intervenir si besoin est». Des sages-femmes interviewées parlent «de propagande anti-accouchement à domicile» dès les années trente.

Dans un service hospitalier, à la maternité, la concurrence masculine se traduit par la promotion de l'accoucheur, chef de service et souvent professeur de clinique obstétricale, qui tend à exclure la sage-femme d'un travail qualifié et de l'exercice du pouvoir pour la cantonner dans des tâches secondaires. Cette exclusion est justifiée par un discours sur les rôles masculins et féminins. Assistons avec le dr Dartigues à la leçon inaugurale de Jeannin qui reçoit en décembre 1922 la chaire obstétricale nouvellement créée pour l'enseignement des sages-femmes. Dartigues évoque «l'ambiance féminine, chapeautée gracieusement et l'atmosphère de harem où le Sultan prolifique et radieux va paraître». Le Sultan-accoucheur apparaît et son délire verbal à l'adresse des élèves sages-femmes n'a rien d'innocent : «la sagesse est incluse en votre beau titre, non dans le sens de la science mais dans l'acception de bon sens, de pondération et d'application pour le bien héréditaire de la chair de votre race... A certaines heures noires, vous verrez les angoisses lourdes des turpitudes, des hontes ou des abandons sexuels qui implorent leur délivrance et devant lesquelles vous aurez à vous montrer dignes de l'âme des matrones romaines... C'est vous qui ferez que le torrent de la voie lactée, comme s'il était tombé du ciel, telle une sublime manne liquide, ne soit pas détourné des avides bouches enfantines qui ont un droit imprescriptible sur les valeurs de la première nourriture humaine... C'est vous qui serez la première avantgarde de l'armée qui lutte contre les Monstres-Fléaux : la Gonoccie, la Syphilis, la Tuberculose et même le Cancer... En veillant aux longues heures des nuits d'attente des venues natales, c'est vous qui dissiperez les premières ignorances familiales et c'est vous qui transformerez la mise bas de la Sauvage en accouchement de la Civilisée qui supporte la rançon de la difficulté née de son raffinement». Et Dartigues de commenter : «il est donc essentiel qu'un homme savant et expérimenté féconde l'urne encore vide de votre cerveau de ses préceptes puissants». Dans cet enseignement la sage-femme va apprendre ce «qu'elle ne doit pas faire» pour devenir «une sorte d'infirmière de qualité supérieure».

Il est intéressant de souligner que le rôle de l'infirmière est précisé et limité au même moment, alors que la création du diplôme revalorise la profession. Dans la quatrième édition du *Livre de l'infirmière*, celle de 1936, Melle Chaptal explique en introduction le programme d'instruction par les propos suivants : «quel est le domaine propre de l'infirmière ? l'infirmière doit savoir tout du malade — non pas tout de la maladie : la maladie, c'est la science du médecin; le malade, c'est l'art de l'infirmière... Bref, être au lit du malade comme de l'opéré, la servante attentive et prévenue qui sans jamais dépasser les limites de son domaine permis saura remplir exactement le rôle d'auxiliaire du médecin qui est le sien». Le discours est similaire : femme ne rime pas avec science mais avec pratique et dévouement, dans un rapport de soumission à l'homme médecin; qu'elle soit en blanc (l'infirmière), en bleu (l'assistante sociale) ou en rose (blouse à raies blanches et roses et voile rose pour la sage-femme).

La réalité hospitalière pouvait cependant être quelque peu différente pour la sage-femme; les prérogatives des premières sages-femmes (comme Mme Orsat à Baudelocque) ou des sages-femmes en chef directrice de l'école de la maternité diminuent; Mme Orsat quitte Baudelocque à la fin de 1932 après avoir perdu de son influence avec Couvelaire; mais les témoignages recueillis auprès de trois sages-femmes ayant travaillé à Baudelocque, à Port Royal et à St-Louis entre-les-deux-guerres s'accordent à souligner le rôle irremplaçable des sages-femmes et leur pouvoir de fait. «Du moment qu'on n'avait pas de pépins, on pouvait tout faire» (y compris les sièges, l'application de forceps...) dit l'une d'elles en expliquant que l'accoucheur ne venait jamais pour un accouchement normal et que les sages-femmes apprenaient aux internes peu compétents; une sage-femme montait la garde 24 heures sur 48 ou sur trois jours, et ce n'était jamais la même qui faisait l'accouchement et les suites de couches. «Les sages-femmes faisaient tout dans la maternité», elles «étaient de très grandes bonnes femmes», «elles ont appris à travailler à tous les accoucheurs», «la sage-femme était maître et maîtresse à la salle de travail», confie l'autre utilisant à dessein le masculin et le féminin. Derrière l'orgueil professionnel se lie une réalité que confirme le professeur Lacomme : la sage-femme garde la surveillance et la responsabilité de la salle de travail.

Indispensable à la maternité (moins de 5 % des professionnelles), la sage-femme l'est aussi en clientèle. Des accoucheurs comme Couvelaire ou Jeannin n'envisagent pas la disparition de la corporation (pour certains, elle est inutile car elle pratique un acte médical sans en posséder les armes et elle n'existe pas aux États-Unis) et justifient son existence, et parallèlement le recours au médecin dans certains cas, par des arguments sexistes. Même si chaque médecin recevait une éducation obstétricale, il faudrait, écrit Couvelaire dans

La Presse Médicale du 19 novembre 1930 «des femmes instruite capables de surveiller l'accomplissement d'une fonction qui à chaque moment peut cesser d'être physiologique, capables de rester de longues heures au chevet des parturientes et de recevoir du mieux possible dans leurs mains expertes, l'enfant parfois plus pressé de naître que le médecin; tiraillé de multiples obligations, de venir». Jeannin est plus précis encore dans une conférence aux sages-femmes : «le psychisme du médecin ne se prête pas à ce que vous faites... vous ne faites pas un homme attendre un accouchement... il y a des différences sexuelles dans les occupations», par exemple... la broderie ! Avec d'autres, Couvelaire et Jeannin organisent à l'intention des sages-femmes des conférences de perfectionnement notamment à Baudelocque où elles ont lieu souvent le dimanche matin. La Pitié offre même des stages pour qu'elles puissent compléter leur formation mais perdre deux semaines de travail est un sacrifice pour une sage-femme en clientèle.

Il n'y a donc pas de menace sur l'existence de la profession de sage-femme mais la médicalisation de la maternité et la démocratisation du système de santé ne lui sont pas favorables. La crise se traduit par une baisse des effectifs et des conditions de vie difficiles. Le nombre des sages-femmes tend à diminuer depuis la fin du XIXe siècle tandis qu'augmente celui des docteurs en médecine, comme le montre le tableau suivant :

Année	Docteurs en médecine	Sages-femmes
1876	10.743	12.847
1891	12.407	14.343
1906	18.211	13.011
1911	20.113	13.066
1921	20.364	10.574
1926	23.992	11.629
1931	25.410	11.011
1936	25.930	11.286

Cette chute d'effectifs qui se stabilise entre les deux guerres est une forme d'adaptation bien insuffisante à la crise, d'autant que les naissances diminuent; Melle Mossé parle de «surproduction» de sages-femmes. Une petite partie d'entre elles, 2.000 selon le Professeur Bar, vit relativement bien parmi lesquelles celles qui bénéficient d'une rémunération assurée : aussi pour une place en maternité, y a-t-il quarante demandes. Le gain minime d'une sage-femme en clientèle ne peut être qu'un appoint dans un ménage, mais beaucoup sont célibataires et donc sans «moyens décents d'existence». D'après les études d'un avocat à la Cour, G. Strauss, le revenu annuel est rarement supérieur à 6.000 F, non que les tarifs, sauf ceux de l'AMG, soient très bas, mais à cause du manque de clientes. Les difficultés sont telles que certaines entrent comme «nourrices sèches» dans des familles (40).

Devant cette situation, des vœux sont formulés, des projets de réforme élaborés par des législateurs, des sages-femmes ou des accoucheurs.

A des mesures de détails qui se proposent de résoudre un aspect ou de gommer un facteur de la crise, s'opposent des projets d'ensemble qui changent quelque peu la nature ou le statut de la profession de sage-femme et nécessitent une refonte des études.

Pour limiter le nombre d'élèves sages-femmes et donc la surproduction de sages-femmes, la confédération propose d'exiger le brevet élémentaire pour l'admission dans une école; Melle Delagrange, directrice du Bureau central des Infirmières au Ministère, suggère une élimination après un stage probatoire, ou le recul à 25 ans de l'âge minimum. Pour égaliser les chances, le congrès de l'association des accoucheuses demande en 1937 que la sage-femme hospitalière soit choisie par voie de concours; d'autre part, pour revaloriser la profession aux yeux du public, «que les études, qui apparaissent comme suffisantes au point de vue obstétrical (tout au moins en ce qui concerne la théorie), soient développées dans le sens de la Puériculture, qu'elles comportent également des notions indispensables pour permettre aux sages-femmes de donner à leurs clientes tous renseignements utiles». Un an auparavant, le congrès international de Berlin votait, pour rendre la concurrence plus loyale avec les médecins, l'élargissement des attributions : le droit pour les sages-femmes d'employer certains médicaments contre l'hémorragie et d'injecter ocytociques ou analgésiques qui rendent l'accouchement plus confortable.

Si le constat de crise fait l'unanimité, plusieurs projets divergents se succèdent sans être appliqués. Dès 1922, au congrès international de protection maternelle et infantile, Devraigne propose d'utiliser les sages-femmes rurales comme infirmières visiteuses de la gestation, et d'installer, dans les cantons dépourvus, des sages-femmes commissionnées à 2.000 francs. Le 18 décembre 1926, Caffort dépose une proposition de loi «tendant à organiser un statut pour un corps de sages-femmes d'État». Pour lutter contre la mortalité infantile, assurer une meilleure répartition des sages-femmes et élever leurs revenus, il préconise, outre une troisième année d'études sanctionnée par un examen, la création de postes cantonaux de sages-femmes d'État : logée, la sage-femme cantonale recevrait les fournitures gratuites et une subvention annuelle de 3.500 F, mais pourrait «soigner à titre onéreux», la contrepartie étant l'obligation de rester en poste dix ans, et la suppression définitive du diplôme à qui se rend «coupable de manœuvres abortives ou anticonceptionnelles». Profondément attachée à l'exercice libéral, la profession voit, dans ce projet qu'elle refuse, le spectre de la «fonctionnarisation». Seul le professeur Bar reprend l'idée en proposant la fonctionnarisation des sages-femmes là où il n'y en a pas, «leur donnant les appointements nécessaires, leur garantissant un périmètre dans lequel on ne mettra pas une autre sage-femme».

Le projet Brissac-Mossé constitue la réponse des sages-femmes : leur utilisation comme assistantes rurales de protection maternelle et infantile. Il s'agit de confier à des sages-femmes rurales en clientèle cette fonction créée dans des régions dépourvues de protection maternelle et infantile et de les rémunérer pour cela. Pour Melle Mossé le programme des deux années d'études comporte assez de puériculture, mais il faut y inclure l'étude des lois et des œuvres sociales de protection maternelle et infantile; le diplôme obtenu devrait donc contenir le double titre d'accoucheuse et d'assistante sociale de protection maternelle et infantile. Le cas des sages-femmes en exercice est prévu : après un stage d'habilitation (avec dispense pour les «expérimentées en matière de puériculture sociale») et un examen probatoire, elles obtiendraient le diplôme complet.

Pour Couvelaire, ces deux années d'études sont insuffisantes. Si l'homme-accoucheur considère la sage-femme comme «assistante

176

ou suppléante du médecin dans des limites nettement fixées», le militant opiniâtre de la médicalisation de la maternité qui s'étend de la conception au sevrage, veut faire «de la sage-femme de demain, la cheville ouvrière de la Protection de la maternité». Son champ d'activité doit donc couvrir «le domaine de la surveillance éclairée de la gestation, de l'allaitement, de la santé des petits enfants jusqu'à la fin de la première enfance», et elle doit devenir «la collaboratrice du médecin dans le fonctionnement des consultations et asiles pour femmes enceintes, mères nourrices et nourrissons, dans le fonctionnement des centres d'élevage, crèches et pouponnières, dans la surveillance des enfants placés en nourrice, légalement assistés ou protégés». Assumer ce rôle nécessite pour Couvelaire une formation de trois ans, et il présente en 1930 à l'Académie de médecine un projet de réorganisation des études de sage-femme. L'élève âgée de 21 à 35 ans devrait obtenir trois certificats sanctionnant des études générales d'infirmière, des études obstétricales et des études de puériculture; à une année de formation d'infirmière soignante et d'infirmière-visiteuse de l'enfance dans une école d'infirmières, succèderaient, dans une école de maternité une formation médicale «limitée à une partie de la pratique obstétricale, limitée au point de vue thérapeutique aux interventions qui ne réclament que l'emploi de la main», et un an d'application dans une maternité avec stage dans une Maison maternelle ou une école de puériculture.

Aucun de ces projets ne lutte contre la concurrence masculine, ils tendent plutôt à élargir les attributions des sages-femmes vers d'autres professions féminines. Lorsque s'ouvre à Paris, le 11 avril 1938, le 8e congrès international des accoucheuses, aucun n'a abouti en France, semble-t-il, à cause de l'intransigeance du Conseil Supérieur des Infirmières. Pour Melle Mossé, «la place est prise partout par l'infirmière, préférée par les pouvoirs publics et les médecins»; les infirmières visiteuses qui n'ont pas le droit en dehors de leur travail social d'avoir d'autre occupation rémunératrice craignent la concurrence de sages-femmes visiteuses d'hygiène infantile.

Mais les mentalités ont évolué : «les difficultés actuelles de l'exercice de la profession font accepter un contrôle, s'il a comme contrepartie d'assurer la sécurité de l'existence». Les expériences étrangères sont écoutées avec intérêt : au Royaume-Uni où il n'y a que 8.644 sages-femmes (41) est instauré en 1936 un service à domicile de sages-femmes salariées responsables de l'accouchement et des suites de couches pendant quatorze jours; comme 70 % des femmes accouchent à domicile, on fait appel, pour assurer un tel service, à des infirmières soignantes recevant un an de formation; les études de sages-femmes sont améliorées, elles bénéficient d'un mois de vacances et de cours de perfectionnement et des indemnités sont versées aux professionnelles âgées ou incompétentes pour qu'elles cessent d'exercer. L'Allemagne (25.300 sages-femmes) donne des équivalences d'examen à la sage-femme et l'infirmière et en Belgique s'est constitué un comité entre ces deux professions. Les vœux des congrès précédents — le titre d'accoucheuse visiteuse après trois ans de formation, la protection de l'accouchement à domicile, la présence obligatoire d'une accoucheuse auprès de chaque parturiente et dans les œuvres officielles et privées de protection maternelle et infantile — sont répétés et complétés : le congrès souhaite le vote de lois pour la protection de la sage-femme dans la vieillesse et la maladie, un dialogue avec les autorités administratives et une réglementation légale de la profession «sur la base d'un salaire fixe ou d'un revenu minimum». Les Françaises sont plus nuancées car attachées au libre exercice de la profession, au rôle de «praticiennes indépendantes» et elles applaudissent la communication de Mme Godillon, secrétaire générale de la Confédération sur «le rôle social de la sage-femme : assistance sociale, éducation du public, propagande de l'hygiène». Tout en soulignant qu'en aucun cas les sages-femmes ne doivent devenir «de simples auxiliaires des docteurs ou des administrateurs», elle s'inspire des projets Couvelaire et Brissac-Mossé, pour demander une consécration officielle du rôle social des sages-femmes comme «contrôleuses vigilantes et averties de la fonction de maternité» de la conception au sevrage (et non seulement pendant l'accouchement et les suites de couches) et comme collaboratrices indispensables des organismes sociaux et œuvres diverses de protection de la maternité et de l'enfance. Les corollaires sont le maintien de l'accouchement à domicile et «le respect des lois naturelles».

Le congrès accueille une représentante du Ministère de la Santé Publique, Mme Brault qui, après leur avoir rendu hommage, s'engage à faire étudier «la grave question du statut professionnel des sages-femmes». Engagement sans conséquence un an avant le déclenchement de la deuxième guerre mondiale. La solution à la crise de la profession de sage-femme passe après 1945, par une très forte chute des effectifs (environ 6.000 aujourd'hui) et le développement des postes en maternité (300 libérales seulement en 1980). Si elles ont perdu toute indépendance elles sont de plus en plus nombreuses à souscrire à cette belle formule : «mettre au monde des enfants désirés», ces enfants dont on a vaincu la mort.

Le recul de la mortalité maternelle et infantile

«Jadis et de bonne foi, quand certaines difficultés d'accouchement se présentaient, on mettait en balance la vie de la mère et de l'enfant. On tendait à sauver la mère au préjudice de l'enfant. Actuellement les méthodes tendent à sauver la mère en même temps que l'enfant», professe Jeannin en 1935, et le «jadis» signifie jusqu'au début du XXe siècle. Entre les deux guerres, la médicalisation de la maternité fait reculer la mort des mères et des enfants.

Au début du XIXe siècle, 3 % des femmes environ mouraient en couches. Le Fort qui publie son étude sur les maternités en 1866 considère qu'entre 1860 et 1863, la mortalité maternelle varie selon les lieux de 6,6 % à 0,25 %, pouvant atteindre 9 % à la Maternité de Paris, une des maternités, avec l'hôpital de la Charité, les plus meurtrières d'Europe. L'isolement des infectées puis l'application de l'antisepsie ont fait reculer la mort entre 1860 et 1900. L'étude de la mortalité maternelle au XXe siècle nous est facilitée par les recherches d'une femme, Mme Quillé-Chaye, diplômée d'hygiène et d'éducation physique, qui présente sur ce sujet une thèse de médecine à Nancy en 1939. De même l'Association française des femmes médecins y consacre en 1937 plusieurs réunions de travail.

La mortalité maternelle en France, exception faite de la période des hostilités, diminue de moitié entre 1900 et 1925 pour se stabiliser ensuite entre 2 et 3 o/oo; la mortalité due à l'infection puerpérale intervient pour moins de la moitié et n'est plus en 1925 que de 0,9 o/oo. A Paris la mortalité maternelle qui monte dans les premières années du XXe siècle, diminue pendant la guerre; la baisse continue qui suit les mauvaises années de l'après-guerre (6 o/oo en 1921, plus de 3 o/oo jusqu'en 1931 et 1,4 o/oo en 1938) donne à

Paris une mortalité inférieure, à la fin des années trente, à la moyenne française; celle-ci ne peut cependant pas être précisée à partir de 1933 et Mme Quillé-Chaye parle seulement de stabilisation. L'infection puerpérale responsable à Paris d'environ deux tiers des décès dans les années vingt recule fortement pour causer moins d'un décès sur deux à la fin des années trente.

Dans les hôpitaux parisiens la mortalité maternelle varie selon les lieux et les années entre 2,3 o/oo et 15 o/oo. A Baudelocque où des thèses de médecine permettent le calcul jusqu'en 1931, le taux de mortalité par infection puerpérale est bas (0,9 o/oo en 1921; 1,7 o/oo en 1927) mais la mortalité générale reste élevée et fluctuante entre 6,3 o/oo en 1921 et 14,5 o/oo en 1931. A Boucicaut, la mortalité oscille de 1924 à 1935 entre 2,3 o/oo et 6,6 o/oo. Baudelocque, décrite comme établissement modèle, peut donc apparaître comme une maternité meurtrière, où la tendance au recul de la mort est peu marquée. C'est qu'elle n'hospitalise pas toutes les femmes consultantes mais accueille tous les cas difficiles dont ceux qui nécessitent une opération chirurgicale; or, malgré les progrès déjà décrits, la césarienne reste meurtrière : la mortalité oscille entre 6,4 % pour la césarienne basse (plus de la moitié des 805 interventions pratiquées à Baudelocque de 1920 et 1935) et 20,7 % pour la césarienne suivie d'extériorisation temporaire de l'utérus (4 % des cas). Par contre Baudelocque doit échapper à l'accusation «d'interventions abusives» et de pratiques dangereuses d'anesthésie, responsables selon plusieurs auteurs, de la mort des femmes en couches.

Pour Mme Quillé-Chaye, «l'anesthésie de la femme au cours de l'accouchement est de plus en plus en faveur, mais les médecins en abusent dans certains pays anglo-saxons» et elle ajoute : «puisque l'accouchement est un acte physiologique, pourquoi ne pas le laisser s'accomplir seul, sans ajouter, pour la femme, le risque de complications pulmonaires ou de syncope mortelle n'ayant aucun rapport avec l'accouchement». Je reviendrai dans la troisième partie sur ce point où le discours médical se teinte d'idéologie; Mme Couvreur, représentante des sages-femmes catholiques au congrès international de 1938, lie la mort des parturientes au fait que «les femmes ne veulent plus souffrir» et propose de «susciter en elles et d'entretenir cette flamme que seul le sentiment religieux peut donner en leur apprenant à sanctifier leur souffrance, à l'accepter par un idéal plus haut qui les dépasse infiniment».

La surmortalité des villes et surtout des grandes villes est due à la fréquence des avortements dont «la rançon» est l'infection puerpérale, et au surcroît de maternités illégitimes dont le taux de mortalité maternelle est double. Si la mortalité recule si fortement à Paris, c'est que s'y déploie à grande échelle la médicalisation de la maternité décrite précédemment : la surveillance de la grossesse permet de déceler les toxémies gravidiques, les mauvaises présentations, les grossesses extra-utérines; l'accouchement se déroule dans de meilleures conditions et l'infection puerpérale est partiellement vaincue.

Le maintien d'une mortalité française supérieure à 2 o/oo s'explique, outre la mortalité due à des maladies aggravant la grossesse ou aggravées par elle (la tuberculose fait mourir dans l'année qui suit leur admission 40 % des 105 premières hospitalisées du pavillon spécial de Baudelocque), par les limites du modèle de médicalisation et par des facteurs sociaux que peu d'auteurs prennent en considération. Mme Quillé-Chaye reconnaît que le rôle de la profession sur la mortalité maternelle est une question «encore bien obscure» et peu étudiée, mais que la station debout, les émanations toxiques et certaines activités ménagères sont dangereuses; de même le rôle de l'alimentation : la SDN a toutefois élaboré une table de ration de la femme enceinte, «ration qui n'est pas à la portée de toutes les bourses», d'autant que le congé de maternité s'accompagne d'une baisse de revenu.

Cependant les progrès enregistrés pendant les années vingt font de la France un des pays où la mortalité maternelle est faible; seule la Suisse connaît des taux inférieurs à 2 o/oo (42). La France se situe au niveau de l'Italie et des Pays-Bas tandis qu'aux États-Unis la mortalité maternelle est particulièrement élevée : entre 6 et 7 o/oo; à New York en 1932 la mortalité est de 12 o/oo (Paris : 2,9). La situation est toute différente pour la mortinalité et la mortalité infantiles (43).

«L'action bienfaisante de la médecine préventive pendant la gestation» a fait reculer la mortalité fœtale (mort du fœtus avant tout travail) qui pour les parturientes de Baudelocque tombe de

23,7 o/oo, moyenne des années 1890-1919, à 13,2 o/oo, moyenn
des années 1924-1927, grâce notamment à l'activité du dispensaire
antisyphilitique. De même la mortinatalité, dont le taux au sens
strict est le nombre d'enfants morts à la naissance pour 1.000 enfants nés vivants et morts nés, tombe globalement de 44 o/oo en
1922 à 34,9 o/oo en 1938. Mais pour écrire comme les médecins
de l'époque, il subsiste «en dépit d'une très honorable atténuation», «un déplorable déchet», particulièrement élevé pour les
garçons et pour les enfants illégitimes; bien que les écarts se soient
réduits depuis le début du siècle, la surmortalité due à l'illégitimité
est encore de 49,7 % chez les garçons et de 55 % chez les filles en
1938. D'autre part, à Paris, la mortinatalité reste supérieure : 64 o/oo
en 1938 pour la mortinatalité au sens large incluant les embryons
(définition de l'*Annuaire statistique de la ville de Paris*); si elle a
fortement diminué pour les enfants légitimes (de 89 o/oo en 1919 à
53 o/oo en 1938), elle se maintient à 90 - 100 o/oo pour les illégitimes.

A la veille de la première guerre, les trois principales causes de
la mortalité infantile égale à 110 o/oo sont, dans l'ordre, la gastro-
entérite et les affections digestives, la débilité congénitale, la broncho-pneumonie et les maladies respiratoires. Le développement des
gouttes de lait, des consultations prénatales et de nourrissons, les
campagnes éducatives pour l'hygiène familiale et l'allaitement au
sein, les lois sociales protégeant la maternité et particulièrement le
repos des femmes en couches ont joué un rôle positif, surtout contre
les ravages de la gastro-entérite. La surmortalité estivale a fait place
à une surmortalité hivernale due aux affections respiratoires.

En 1935, la gastro-entérite n'est plus en importance que le quatrième facteur de mortalité infantile et les adeptes du «Secours
blanc» invoquent des justifications quelque peu dépassées sur les ravages d'une mauvaise alimentation; la débilité congénitale reste trois
fois plus meurtrière, les maladies respiratoires deux fois plus, et les
affections du système nerveux légèrement plus. Mais tous facteurs
confondus, les enfants meurent beaucoup moins à la fin des années
trente qu'au début du siècle (44).

En moins de 40 ans, la mortalité infantile a été plus que divisée
par deux, passant de 142 o/oo en 1901 à 66 o/oo en 1938, baisse en

dents de scie avec des taux élevés pendant la Grande Guerre et des oscillations jusqu'en 1929 où s'installe une plus grande régularité, avec les données suivantes :

Mortalité infantile pour 1.000 naissances vivantes :

1928	1929	1930	1931	1932	1933	1934	1935	1936	1937	1938
93	96	79	77	75	74	71	69	66	66	66

Mais le recul de la mortalité infantile en France est moins accentué que dans des pays voisins. L'Europe en 1938 se partage en pays à très fort taux (voisin ou supérieur à 100 o/oo) : Europe méridionale, centrale et balkanique; en pays à taux moyen (autour de 60 o/oo) où se trouve la France avec le Danemark, la Belgique et l'Allemagne; en pays à bas taux de mortalité infantile (en dessous de 50 o/oo) : la Suisse et l'Europe du Nord. La France ne se trouve qu'en huitième position et la comparaison avec les Pays-Bas lui est très défavorable : en 1901 ce pays connaissait une mortalité de 149 o/oo, légèrement supérieure au taux français; dès 1913 il prend une avance qui ne fait que grandir pour lui donner en 1938 un des taux les plus bas du monde (avec la Nouvelle Zélande) : 36 o/oo.

Le taux moyen de mortalité infantile recouvre en France de grandes disparités selon le sexe, le statut de l'enfant et le lieu de naissance. Les nourrissons de sexe masculin apparaissent plus fragiles que les filles : en 1936 les taux de mortalité infantile sont respectivement 74 o/oo et 58 o/oo. La mortalité infantile des enfants illégitimes baisse très fortement entre-les-deux-guerres, elle est plus que divisée par deux entre 1920 et 1939 et descend en dessous de 100 o/oo mais elle reste beaucoup plus élevée que celle des enfants légitimes, plus du double dans les années vingt, de 60 à 80 % supérieure dans les années trente. Pour l'ensemble de la population, la mortalité des dix premiers jours est élevée et elle résiste aux progrès enregistrés par ailleurs; sa part dans la mortalité infantile tend donc à croître et à passer de 15 à 20 % dans les années vingt à 20 à 25 % ensuite. Les enfants illégitimes ne meurent pas plus ou à peine plus les premiers jours que les autres nourrissons; c'est après que les écarts se creusent. En effet, l'enfant illégitime subit, de par la situation de sa mère des conditions de vie difficile; il est assez souvent abandonné et pris en charge par l'Assistance publique. Sans indiquer ses références, le Dr Fruhinsholz de Nancy écrit dans *Maman* (décembre 1930) qu'«une mère n'a pas le droit d'abandonner son enfant» car la mortalité infantile des abandonnés atteint 38 %; pour l'essayiste Alexis Danan, les nourrices de l'Assistance publique sont de véritables «couturières de la mort» : sur 40.000 enfants confiés chaque année, 20 % atteignent l'âge adulte. Les enfants assistés sont effectivement plus touchés par la mort mais leur surveillance médicale est renforcée dans les années trente comme celle des enfants placés et protégés dans le cadre de la loi Roussel (loi du 23 décembre 1874) : obligation d'un examen sanitaire périodique et de visites régulières par les visiteuses d'hygiène infantile.

La mortalité infantile varie aussi selon les régions, comme le montrent les statistiques départementales du *Mouvement de la Population*. De 1925 à 1928, la Seine est le département le plus meurtrier; en 1929, il cède la première place à la Seine Inférieure où le taux de mortalité infantile atteint 123 o/oo pour une moyenne nationale égale à 96 o/oo. Dans les années vingt, les départements à taux élevé sont des départements urbanisés ou industrialisés (Seine-Inférieure, Seine, Pas-de-Calais, Bouches-du-Rhône, Meurthe-et-Moselle, Moselle, Somme) mais aussi des départements ruraux de l'Ouest (Calvados, Ille-et-Vilaine où l'alcoolisme joue un rôle) et de l'Est (Meuse). Les départements les moins meurtriers recouvrent les campagnes du Centre de la France, les Landes et le Haut-Rhin héritier du système allemand. Dix ans après, la carte de la mortalité infantile apparaît largement modifiée; tous les départements industrialisés sauf le Pas-de-Calais ont disparu du triste palmarès, cédant leur place à la Bretagne, au Massif Central et à la Corse. Les régions à taux faible sont encore les campagnes du Centre, le Sud-Ouest (Landes et Gironde) auxquels se joignent les départements de la Côte méditerranéenne (Hérault, Alpes-Maritimes).

Naître dans une grande ville ne semble plus être un handicap pour dépasser le cap de la première année de vie, bien au contraire. La mortalité infantile à Paris en 1937 est d'environ 57 o/oo, taux inférieur à la moyenne nationale (66 o/oo); mais si le risque mortalité infantile est au dessous de la moyenne parisienne dans l'Ouest riche et le Sud (sauf le 5e arrondissement), il est très au dessus dans les arrondissements plus pauvres du Nord et de l'Est.

Malgré des évolutions positives, ces inégalités et le niveau médiocre de la France trouvent leur origine dans les insuffisances de la protection sociale des mères et des enfants, dans le maintien de plages de misère mais aussi dans les limites de la médicalisation de la maternité.

CHAPITRE IV

LES LIMITES DE LA MÉDICALISATION

«Trop de femmes aujourd'hui ont perdu l'habitude d'accoucher chez elles».

L'*Alliance Nationale* au congrès
international des sages-femmes
catholiques de 1934.

«Il ne suffit pas d'avoir des Maternités modernes, encore faut-il qu'elles soient en nombre suffisant et spacieuses».

R. Quillé-Chaye, *Étude médico-sociale
de la mortalité maternelle.*

«On attend encore la réalisation de la réforme fondamentale qui doit créer, pour tout le territoire, une armature solide de protection maternelle et infantile».

Journal des Accoucheuses,
août 1935.

Médicaliser la maternité de la conception au sevrage est un idéal récent, et son application un modèle jeune, encore expérimental. Aussi présente-t-il de nombreuses limites internes : il n'est pas unanimement défendu par les professions concernées (encore moins par l'opinion publique), il n'est pas rationnellement mis en œuvre par les Pouvoirs publics, il ne s'est pas diffusé de façon homogène dans toute la France.

Des débats non tranchés. Un enseignement obstétrical déficient

J'ai déjà évoqué les diverses positions émises sur la question de l'instauration du *certificat pré-nuptial*; ce débat ne fut pas tranché positivement avant la guerre, tant étaient grandes les hésitations et les réticences. De même l'unanimité est loin d'être réalisée sur une question plus fondamentale encore : *l'accouchement en maternité* est-il préférable ou non à *l'accouchement à domicile* ? La défense d'intérêts professionnels et des affirmations d'ordre moral tiennent souvent lieu d'arguments.

Les sages-femmes dans leur grande majorité souhaitent et demandent le maintien de l'accouchement à domicile, la maternité ne devant accueillir que les cas de dystocie. Leur survie professionnelle est en jeu, du moins pour une partie d'entre elles. Toutes invoquent leur rôle social irremplaçable à la maison, près de la femme enceinte, de la parturiente et de la jeune mère. Les sages-femmes catholiques insistent plus encore sur la défense de l'ordre familial, rejoignant les positions de *l'Alliance nationale* qui déclare au Congrès de 1934 : «nous croyons que la généralisation, l'extension à tous les milieux de cette habitude d'aller accoucher hors du foyer est un de ces mille et un symptômes de l'affaiblissement du sens familial qu'il faut dénoncer et combattre» car il y a risque pour le foyer et «contamination morale due à la promiscuité». Mme Cou-

vreur, secrétaire du Comité d'Études pour le rôle social de la sage-
femme, y est plus nuancée : elle reconnaît que «l'hospitalisation apporte à tous les milieux de la société, d'incontestables avantages :
hygiène, sécurité, rapidité des soins, confort, tranquillité, simplifi-
cation et par surcroît même parfois économie», mais que l'absence
de la mère peut avoir des résultats funestes, le mari «faible» se li-
vrant «à la boisson ou à la débauche», prélude d'une désunion.
D'autre part l'hôpital transforme en maladie un acte physiologique
normal; il est «froid» et inamical «à la femme qui souffre pour enfanter»; et Mme Couvreur pose une question qui, par delà la morale catholique, est fondamentale quoiqu'occultée par le modèle médical : «n'est-il pas dans l'ordre de la nature que la mère puisse
avoir auprès d'elle, quand l'indicible souffrance l'étreint, le compagnon de sa vie, le père de cet enfant pour qui elle souffre», afin
que les parents ne soient pas «privés de minutes inoubliables».

Melle Chaptal, militante de la cause des infirmières et de la famille, demande une prime d'accouchement à domicile car «un foyer sans mère est un foyer en déroute». Le monde médical, à l'exception des accoucheurs, est divisé mais il évolue lentement en faveur de la maternité. La Doctoresse Houdrée-Boursin en 1928 était
assez favorable à l'accouchement hors du domicile. Devant l'assemblée générale de l'Alliance Nationale en 1935, le professeur Lereboullet se demande «dans quelle proportion les mesures prescrites
par l'hygiène moderne ne vont pas à l'encontre de l'idée familiale,
du moins dans les familles ouvrières des grandes villes» : il évoque
l'accouchement en maternité, le placement de l'enfant hors du domicile parental en cas de risque de contagion tuberculeuse, les colonies de vacances, non pour demander leur suppression mais souligner le rôle nécessaire des assistantes sociales dans le développement de l'esprit familial. De même, devant l'association des femmes médecins qui entend réaliser un film d'éducation pour les jeunes filles, G. Montreuil-Strauss repousse trois expériences étrangères (le film américain, «désuet», sur les maladies vénériennes; le
film soviétique trop «pénible» sur l'avortement clandestin; le film
suisse qui engage les femmes à recourir «à des soins compétents
dans des maternités» et montre une césarienne) et propose un scénario plus classique : «évoquer le don de la vie fait avec joie, *dans la*

sécurité du foyer, avec l'aide d'une surveillance médicale bien com prise, et la protection des lois et œuvres sociales promulguées et créées en faveur des futures mères». En 1939, par contre, Mme Quillé-Chaye défend fermement l'établissement hospitalier. Et en 1947, le Dr Paul Morin, dans *La femme enceinte* décrit avec force détails les avantages de la maternité — sécurité, facilité des opérations, possibilité d'agir sur la douleur, tranquillité d'esprit... — avantages qui «compensent largement le désagrément que peut entraîner le départ du milieu familial».

Ainsi, il n'y a pas, entre-les-deux-guerres, consensus sur le lieu idéal de l'accouchement; les deux pratiques coexistent avec leurs partisans et leurs adversaires. Le journal *Maman* qui présente dans chaque numéro une œuvre de protection maternelle et infantile dont les modernes maternités parisiennes, peut aussi développer avec minutie dans ses colonnes, à l'usage de nombreuses lectrices concernées, les préparatifs nécessaires pour un accouchement à domicile effectué dans les règles de l'art (document page suivante).

L'accouchement à domicile est réalisé le plus souvent par une sage-femme ou un médecin non spécialisé, dont la formation obstétricale est jugée trop sommaire par les femmes médecins. Devraigne a écrit chez Masson un manuel de *Propédeutique obstétricale*, ensemble des «notions que doit connaître l'étudiant avant son stage obstétrical»; Il donne à Baudelocque et à Lariboisière des «leçons cliniques» aux étudiants en stage et aux docteurs qui suivent des cours complémentaires. L'enseignement obstétrical d'un étudiant en médecine comporte des exercices pratiques en troisième année (cinq séances de manipulation sur mannequin), un stage hospitalier de deux mois et demi pour les élèves sans fonction officielle dans les hôpitaux, de trois semaines pour les externes ou internes nommés sur concours, enfin un examen d'obstétrique en fin de quatrième année. Pour Mme Quillé-Chaye qui écrit que «la mortalité maternelle dans un pays est en grande partie fonction de l'enseignement obstétrical», comme pour l'Association des Femmes médecins, cette formation est insuffisante : si tous les stagiaires pratiquent douze accouchements, certains ont peu de chance de voir des accouchements avec forceps ou autres complications qu'il leur serait nécessaire de maîtriser pour l'exercice en clientèle. Leur souhait est

---

Les préparatifs de l'accouchement à domicile
d'après *Maman*, fév. 1932 : article de Mme Laboure

* Prévoir :

— *eau bouillie froide* : 12 à 15 litres dans 20 bouteilles ébouillantées, et rincées à l'eau de javel, bouchées avec un tampon d'ouate hydrophile propre.

— *linge* : - 1 toile caoutchoutée d'1,50 m
- 5 à 6 draps propres : 2 pour le lit, 1 plié comme alèze, 1 roulé pour rehausser le siège
- 6 à 8 serviettes : 2 pour bébé, 2 pour envelopper les jambes, 2 pour l'accoucheur
- 2 bandes Velpeau pour les seins et le ventre.

— *matériel* : - 1 bock de 2 litres avec un tuyau en caoutchouc s'adaptant bien.
- 2 canules vaginales en verre que l'on fera bouillir au dernier moment.
- 1 canule rectale.
- 1 bassin plat en émail, large et long
- 3 cuvettes d'émail.
- 1 seau de toilette.
- 1 «bain de pieds» ou une baignoire d'enfant.
- 1 petite théière ou petit récipient dénommé «pigeon» ou «canard» (permet de boire sans lever la tête au dessus de l'oreiller).
- 1 balance.

«Une bonne précaution consiste à s'assurer du fonctionnement de deux lampes et si vous avez l'électricité d'une balladeuse».

— *produits* : - 250 g de coton hydrophile stérilisé, ouate stérilisée en boîtes soudées pour les pansements, gaze stérilisée.
- vaseline stérilisée en pot.
- savon de Marseille, savon antiseptique.
- 250 g d'alcool à 90° pour flamber le matériel et antiseptiser les mains.
- antiseptique non irritant (type eau oxygénée) pour toilette intime.
- 1 tube stérile de crins de Florence et 1 de catgut n° 2 (en cas de déchirures du périnée).
- eau de Cologne ou eau-de-vie.
- du fil pour lier le cordon.

.../...

Aménager la chambre

«Cet acte physiologique s'accommode à merveille d'un milieu intime, familial, discret».

- voiler la «galerie des ancêtres» : mesure de propreté.
- un lit de fer à barreaux est l'idéal, sinon protéger le bois de votre lit avec un drap.
- une table pour le matériel.
- une table pour l'accoucheur (trousse et désinfectants).

«Et pour terminer, je vous demanderai de mettre à la disposition de votre sage-femme, un fauteuil, des revues, journaux ou livres et du café, pour ses longues heures à passer près de vous dans l'inaction entre chaque soin ou examen».

Ainsi «tout se passera le mieux du monde».

----

que la prolongation des études de médecine ait pour but de perfectionner les connaissances obstétricales.

L'accouchement à domicile est le modèle dominant dans les campagnes françaises où la médicalisation de la maternité est à peine ébauchée.

Le «modèle» rural

En 1935, il existe en France 495 maternités ou services d'accouchement; mais ils sont très inégalement répartis sur le territoire : la Seine où vivent 12 % de Français en possède 30 %; la province ne compte que 352 services publics de maternité (45), installés dans les villes. La France manque de maternités rurales et de services de consultation à la campagne.

Dans un rapport au Comité national de l'enfance en 1922, Devraigne disait : «dans les campagnes où rien n'existe, tout est à créer..., l'important est de faire quelque chose là où rien de bien n'est fait. Il faut arriver à faire disparaître les matrones, à multiplier les postes de sages-femmes instruites, à créer partout où c'est possible, de petites maternités du genre de celles qui fonctionnent dans les pays dévastés par la guerre». Qu'en est-il quinze années plus tard ?

Il existe trois sortes de maternités rurales. La première est la «maternité type pays dévastés» installée, au début des années vingt, par *La Mutualité Maternelle de Paris* (œuvre privée), dans les départements du Nord ayant subi l'occupation allemande et les dévastations des combats de la Grande guerre. Au nombre de neuf, elles desservent 149 villages et furent bâties à Athies (Somme), en 1920, à Montescourt (Aisne), Combles (Somme), Etain (Meuse), Sissonne (Aisne) en 1921, à La Bassée (Nord), Fargniers (Aisne) en 1922, à Vouziers (Ardennes) et à Courrières en 1923. Ce sont «des constructions simples comprenant dortoir, chambres particulières, salles d'accouchement, bains, lingerie, vestiaire, chambre d'isolement, cuisine, buanderie, cabinet pour le docteur, consultations de nourrissons, logement pour une sage-femme résidente». J'ai retrouvé et photographié en 1981 celle de Montescourt : c'est effectivement un bâtiment modeste, maintenant désaffecté mais la population locale se souvient de «l'ancienne maternité». Dans ces maternités de dix à quinze lits, l'hospitalisation est la règle, le prix de l'accouchement et d'un séjour de douze jours et demi est bas : 285 francs en moyenne à la fin des années vingt car deux établissements sont tenus par des religieuses. De 1920 à 1930, 5.649 mères y furent hospitalisées et seulement six décès sont à déplorer, la mortalité maternelle n'est donc que de 1 o/oo.

Créée par la même œuvre, et plus précisément par Mme Corpet, présidente de la section de Charonne, la Maison maternelle d'Angerville-l'Orcher dans la Seine-Inférieure, représente un type plus simple de maternité rurale puisque c'est une maison de village adaptée à cet usage et qui dessert huit communes. D'abord simple consultation de nourrissons, elle devient maternité rurale (occasionnellement seulement car «la sage-femme d'accord avec les médecins de la région, fait les accouchements dont ceux-ci ne veulent pas») puis maison maternelle et centre de traitement de la syphilis. Elle comprend au rez-de-chaussée deux pièces de consultation et une chambre servant d'isolement éventuel pour une accouchée infectée et dotée d'une porte d'entrée spéciale au dehors; au premier étage, le logement de deux pièces pour la sage-femme résidente, une chambre à un lit, une chambre à deux lits, une salle de bains et une pièce pour abriter l'été un ménage parisien dont l'enfant aurait besoin de l'air de la campagne.

MATERNITÉ RURALE MONTESCOURT DANS L'AISNE
(Cliché F. Thébaud)

C'est encore Devraigne qui assiste à l'inauguration en décembre 1929 : il en fait un article dans *Maman* du 20 mars 1930 et vante «la haute portée sociale» de l'activité de la sage-femme résidente : desservant huit communes à bicyclette, elle a fait en 1929 cent trois accouchements sans perdre une mère ni un enfant. «Bien des départs de filles-mères pour les grandes villes, surtout pour Paris, d'où elles ne reviennent pas le plus souvent, ont été ainsi évités; des situations parfois délicates, brouilles familiales, tentatives d'interruption de grossesses ont été, grâce à la petite maternité rurale, résolues très heureusement par des naissances d'enfants à terme et des mariages». C'est un véritable travail d'assistante sociale et d'infirmière-visiteuse dont peuvent se réclamer la profession ou des médecins pour affirmer l'utilité sociale des sages-femmes et proposer une réforme de leur statut professionnel.

Le troisième type de maternité rurale est la maternité annexée à l'hôpital cantonal. La première fut créée en 1905 par Pinard dans sa commune de Mery-sur-Oise. Elle constitue un petit centre d'hygiène sociale où la sage-femme joue le rôle d'accoucheuse et d'assistante sociale, mais il en existe très peu. Toutefois quelques consultations ambulantes (pour femmes enceintes et nourrissons) fonctionnent et les familles qui veulent bénéficier de l'assurance (personnes salariées seulement) ou de l'assistance vont consulter en général chez un médecin privé.

Ainsi l'initiative privée a devancé l'initiative publique et la campagne française reste mal pourvue en services de maternité et en consultations. Il est vrai que la tâche n'est pas facile, que la population rurale «accepte mal l'étranger» (Devraigne, 1922), «les pertes de temps et les déplacements» (Couvelaire, 1933), que «pour le bon sens populaire, on accouche là où l'on est, au moment que le destin a fixé» et que «la psychologie des ruraux se refuse à reconnaître l'utilité d'un véritable petit déménagement pour aller accoucher chez des étrangers, pour ensuite revenir chez soi au prix d'un nouveau remue-ménage» (le quelque peu méprisant Dr Crivelli en 1948). Mais la situation rurale résulte aussi de l'absence d'une politique d'équipement, et Devraigne, le plus prosélyte des hygiénistes accoucheurs, réclame tout au long des années vingt et trente dans ses articles, rapports et communications, que des crédits soient réservés, «dans l'armement hygiénique de la France», pour fonder partout des maternités rurales, qu'elles soient dans chaque canton le noyau de centres ruraux complets avec consultations, dispensaire d'enfants, centre d'élevage, et centre de placement familial.

Vœu pieux : en 1937, selon Lévy-Solal, il y a toujours 500 cantons sur 2.200 dépourvus de sages-femmes diplômées, comme en 1922. La description de la situation rurale par Philippe Crivelli, qui soutient sur le sujet sa thèse de médecine en 1948, est dramatique. L'ambiance dit-il y est «naturellement salubre», mais s'il y a air pur et soleil, seul un tiers des communes dispose de l'eau potable : «dans bien des endroits, le médecin ou la sage-femme est obligée d'emporter avec lui une réserve d'eau stérile, sachant qu'il lui sera impossible de trouver sur place un liquide simplement propre, car il est impossible de considérer comme tel certaines eaux bouillies qui ne sont que de la boue diluée». L'habitat, où le ripolin et le papier ont remplacé la chaux protégeant de l'humidité, est souvent malsain. La mortinatalité anobstétricale est moins élevée à la campagne que dans les villes, mais celle due aux malformations congénitales (rôle de l'alcoolisme), à la syphilis et au surmenage est supérieure. Les femmes de la campagne apparaissent à Crivelli «robustes, gaillardes mais combien écartées de leur structure et rôle physiologique : bassins déformés, tuberculose latente, intelligence plus ou moins atteinte».

S'il s'appuie sur des réalités, ce discours semble généraliser des cas limites ou être le produit du regard du notable citadin et médecin (fils d'une grande famille de médecins) sur «les barbares» de la campagne et il a choqué des témoins interviewés et concernés. S'il est vrai que les femmes rurales consultent rarement et ne préparent pas leur accouchement avec autant de minutie que le préconise *Maman*, la description suivante de l'accouchement est des plus méprisantes : «dans tous les cas, parents, enfants, voisins, chiens, chats, poules, tout cela se bouscule autour du lit et du matériel péniblement protégé des trop fameuses gouttes de Flügge et des mains curieuses... Le médecin a d'autant plus de chances de laisser craquer un périnée qu'il n'aura pu surveiller au moment critique parce qu'un gamin sera venu s'empêtrer dans ses jambes... Qu'on se mette un instant à la place de cet homme, dressé à une asepsie sévère et qui est obligé de plonger vers une région, reconnaissons-le, le plus souvent soigneusement préservée du savon et de l'eau, obligé à tout moment de poser ses instruments sur le coin le plus propre d'un drap, de veiller à ce qu'on n'y touche pas, ni même qu'on s'en approche; obligé de modérer l'issue de la tête fœtale, tout en donnant une bouffée de chloroforme à l'autre extrémité du lit, et chaque fois de se désinfecter avec un alcool qui n'était pas précisément destiné à l'usage externe» (il s'agit de l'eau-de-vie). Si la mère est généralement à l'abri des infections de post-partum, le nourrisson est «exposé aux coups du destin sous toutes ses formes, qu'ils proviennent de l'ignorance de la mère ou de l'excès de bonne volonté des voisines». La maison est présentée dans tous les cas comme un infect taudis : «c'est le nourrisson exposé aux contacts de vieillards catarrheux, pour employer un euphémisme; couché «au chaud» dans la cheminée afin que son berceau n'encombre pas trop, et la nuit, souvent transporté dans une chambre glacée; ce sont les mouches qui quittent le vieux parkinsonien baveux pour se reposer sur le vase dè nuit et de là voler sur le visage du poupon, heureux encore si elles ne se noient pas dans le lait qu'on lui réserve; ce sont les baisers multiples des amis, parents, les innombrables gouttelettes de Flügge, aspect moderne des miasmes de jadis». L'enfant est couvert de croûtes, est victime de maladies infectieuses comme la grippe ou la coqueluche, mais à l'inverse de la situation urbaine, le «péril infectieux» est, à la campagne, moindre que le «péril alimentaire» : le nourrisson avale autout d'air que de «lait sale» et parfois quelques gouttes d'alcool, données dans un biberon non stérilisé. C'est logiquement sur le chapitre de la puériculture, où la norme médicale a force de loi, que le docteur Crivelli est le plus violemment emphatique.

Que propose-t-il pour améliorer la situation ? La création de petites maisons d'accouchement, liées à une maternité qui fournirait le matériel, dirigées par une sage-femme résidente et ouvertes aux médecins; et l'amélioration de l'accouchement à domicile par la «maternité ambulante» qu'est un «panier d'accouchement», car «il faut reconnaître que l'impression de rester chez soi, d'être entouré des siens, a une grande influence sur les forces morales et aussi physiques de la parturiente». Pour la surveillance pré et postnatale, Ph. Crivelli souhaite le développement de centres ruraux qui assurent les liaisons et les visites à domicile mais qui laissent les examens aux praticiens de la localité . Ardent défenseur de la médecine libérale et catholique fervent, il accuse la «bureaucratie» du mal d'indifférence et de routine, et réclame «la revigoration de l'amour» : «sans amour, il n'y a pas de protection véritable; la mère qui voit venir chez elle une assistante sociale désabusée ou engourdie, sentimentalement «fonctionnarisée» pour employer un néologisme agressif, c'est-à-dire faisant son travail parce que payée pour cela et non plus parce qu'elle brûle du feu du dévouement et de l'amour de son prochain, cette mère n'est pas véritablement protégée, comme le médecin qui accoucherait cette femme honnêtement, savamment même, ne ferait pas son métier s'il n'aimait au fond la mère et l'être nouveau qu'il a contribué à mettre au monde». Enfin, pour éviter le surmenage des femmes rurales, il compte sur l'achèvement de l'électrification des campagnes et l'utilisation du gaz et propose la création d'un corps d'assistantes ménagères gratuites en liaison avec le centre de protection maternelle et infantile; le «rôle naturel» de la femme étant d'être mère et ménagère, il demande la lutte contre l'avortement avec une sûreté qui lui fait écrire des non-sens : «parfois l'enfant est une gêne, ce qui suffit pour qu'on le supprime avant sa naissance, voire avant sa conception» ! (difficile...).

Il était intéressant de connaître la façon de penser d'un médecin, notable urbain, nataliste, chrétien et libéral, sur l'état des campagnes françaises. Derrière l'exagération idéologique se profile une réalité fondamentale. La campagne ne bénéficie encore que très partiellement, à l'inverse des villes, de l'effort de protection maternelle et infantile. Tentons d'en dresser un bilan qualitatif, quantitatif et organisationnel.

La protection maternelle et infantile : un bilan nuancé

Pour aller du secondaire à l'essentiel, du local au national, j'aborderai d'abord le problème soluble, mais réel, de la qualité des services parisiens de maternité.

Baudelocque apparaît comme le modèle de la maternité de l'entre-deux-guerres, fidèlement imité par la maternité Adolphe Pinard. Les hôpitaux parisiens se dotent de services spécialisés de maternité qui s'inspirent très inégalement du modèle et dont le fonctionnement laisse quelque peu à désirer. Suivons Léo Rigoulet Faure dans son enquête, source d'une thèse de médecine soutenue en février 1945 : *Contribution à l'étude de l'amélioration des services de maternité des hôpitaux de Paris*; si les difficultés de la guerre peuvent rendre compte de certains détails, la description, structurelle et organisationnelle, reflète tout autant la réalité des années trente.

Rarement la salle de travail est conçue «comme l'organisme numéro 1 de la maternité»; il y a souvent une salle de dilatation avec six à huit lits sans séparation; à Saint-Louis et Bichat, la sage-femme court entre plusieurs chambres; à Boucicaut, elle surveille des boxes du centre de la salle mais les femmes se voient accoucher. Tarnier (47) se rapproche plus de l'organisation souhaitable (une salle boxée, bien éclairée, insonore) avec une pièce triangulaire permettant l'isolation des parturientes et la surveillance d'une sage-femme. Pour Rigoulet Faure, le matériel de la salle de travail n'est pas non plus toujours adéquat; il faut supprimer le «catastrophique pied porte-sérum», le remplacer par une potence scellée dans le mur au-dessus du lit, de même y sceller les baignoires et la crèche afin de faciliter le nettoyage de la pièce, enfin disposer d'un «lit rationnel» et d'«un éclairage rationnel» : «deux sources de lumière d'intensité moyenne à distance convenable dont les feux croisés éclairent le champ opératoire quelle que soit l'ombre portée». Les salles d'opération, l'une septique, l'autre aseptique sont en général bien aménagées mais les instruments sont trop nombreux et mal choisis alors que le nécessaire consiste en : 2 boîtes à laparotomie, 3 à forceps, 1 à embryotomie, 2 à curetage, 10 d'accouchement, 1 à périnée primitif, 1 à périnée secondaire. Le laboratoire est considéré par tous comme indispensable mais il est souvent mal outillé car l'allocation budgétaire n'est pas reportable d'une année sur l'autre et ne permet pas toujours de gros achats.

Les accouchées reposent en dortoirs et les chambres à quatre équipées de lavabos ne sont qu'un souhait pour l'avenir. A Lariboisière, les salles de suites de couches accueillent huit mères et huit nourrissons (berceaux placés au pied des lits) mais l'espace est vaste et chacune dispose individuellement d'une chaise porte-bassin et d'un porte-serviettes. L'hôpital neuf de Beaujeon n'offre à ses accouchées que des lits placés dos à dos par rangées de six dans des salles pour douze. Des dortoirs peuvent être plus peuplés encore. Rigoulet-Faure dénonce le manque d'hygiène, l'insuffisance des cuvettes pour la toilette et surtout le «scandale» des «sept à huit bassins pour toutes les femmes» : «quand on songe que ces fonds de bassins sales passent sur le drap où une accouchée de fraîche date posera son siège, on s'étonne que la septicémie puerpérale ne se voit pas plus souvent à Paris; d'ailleurs une garniture périodique avec bandage en T devrait être mise à chaque femme, ce qui éviterait que la garniture ne se promène dans le lit».

Quant aux consultations «bien peu sont équipées en vue de la commodité des consultantes et du personnel médical»; à l'exception de Bichat où la salle est isolée, dotée de cabines de déshabillage et de boxes d'examen, la consultation pour femmes enceintes a lieu le plus souvent dans une pièce ordinaire où «s'entassent» des «femmes gênées»; de même, sauf à Lariboisière, rien n'est prévu pour la consultation de nourrissons : pas de séparation dans la salle d'attente, une seule table d'examen, une balance où − fait «inadmissible» − les enfants nus sont tous pesés sur la même couche.

Malgré ces insuffisances, Paris, où l'A.P. a assuré en 1936, 123.962 consultations, où les maternités accueillent 40 à 50 femmes par jour, reste le lieu privilégié de la protection maternelle et infantile. A l'échelle nationale, les services de protection sont insuffisants.

J'ai déjà évoqué l'insuffisance des maternités rurales. R. Quillé-Chaye, à la différence de G. Montreuil-Strauss, considère en 1939 que la France est «l'un des pays les mieux organisés pour faciliter à la femme enceinte les examens médicaux», grâce au système des assurances sociales et à l'existence de 1.031 consultations prénatales (données de 1935) : 260 à Paris et dans la Seine, tenues par l'A.P., la ville, des œuvres ou des cliniques privées, 771 dans les départements. Si la répartition n'est pas homogène, le développement des consultations pour femmes enceintes a été rapide depuis 1926, où elles n'étaient que 400 en France.

Cette inégalité de répartition est plus criante encore pour les consultations de nourrissons dont le nombre global reste insuffisant malgré des progrès réguliers. Dans son ouvrage de 1930, *L'hygiène publique en France*, A. Landry évalue les besoins à un dispensaire de protection maternelle et infantile pour 60 à 80 naissances annuelles, soit 10.000 dispensaires environ; or il y a, en 1926, 3.400 consultations de nourrissons, 250 gouttes de lait et 700 infirmières visiteuses spécialistes de puériculture. Comme le montre la progression suivante — 1892 : 1 consultation; 1907 : 494; 1928 : 3.715; 1931 : 4.448; 1937 : environ 5.000 — les ouvertures de consultations sont particulièrement nombreuses entre-les-deux-guerres, la France est bien dotée en Europe pour son nombre d'habitants, mais les besoins ne sont pas couverts, et certaines régions sont particulièrement démunies. C'est ce que constate Marie-Thérèse Pierre Budin qui parcourt la France en voiture en 1931, pour enquêter et dresser le bilan de quarante années d'activité (48) : les Basses-Alpes n'ont aucune consultation, les Charentes, le Lot et la Mayenne n'en ont que trois; l'Aisne est moyennement doté avec 91 consultations; les départements privilégiés sont la Savoie (330) où il y a une consultation par commune, la Seine où 325 services suivent près de 40.000 enfants, ou le Nord qui dispose de 429 consultations. A l'intérieur du même département, la répartition n'est pas non plus homogène : quatre communes de la Seine, des quartiers riches de Paris n'en ont pas, tandis que le 14e arrondissement dispose de 17 services, le 13e et le 18e de seize. Plus optimiste que Crivelli Marie-Thérèse Pierre Budin loue le bon fonctionnement des consultations privées «faites avec cœur et désintéressement» et incite ses lectrices de *Maman* à imiter «les femmes de cœur» qui en ont créé dans le village qu'elles habitent l'été, avec l'aide de la fondation Pierre Budin.

En effet, de très nombreuses œuvres et associations privées se consacrent à la protection maternelle et infantile et pallient quelque peu l'insuffisance des structures publiques. Même dans la Seine, les consultations privées jouent un rôle fondamental, comme le montrent les statistiques dressées par le préfet E. Renard et destinées à la Commission chargée d'élaborer un projet de «coordination des services et des institutions concourant à la protection de la première enfance»; en 1931, les consultants se répartissent comme suit, dans les divers types de consultations (voir tableau page suivante).

Si l'assistance publique assure près des trois-quarts des consultations pour femmes enceintes, et une petite moitié pour le trai-

	Présences	Hôpitaux	Privées	Municipales	Départementales
C. prénatales	166.708	*118.188*	40.442	6.113	1.965
C. nourrissons	683.872	73.415	*492.205*	53.222	65.030
C. hérédo-syphilis	127.824	51.641	49.512 +23.992	2.679	–

tement de la syphilis, le privé apparaît indispensable en accueillant plus de 70 % des nourrissons. Les associations privées mènent le plus souvent une triple action : éducative (cours de puériculture pour jeunes filles), sociale (versement de primes, animation de cantines maternelles ou de refuges pour mères nourrices, création de pouponnières) et médicale (consultations et visites) (49). A côté du *Placement familial des tout-petits* (déjà présenté), d'autres œuvres ont un grand rayonnement; certaines furent fondées par des accoucheurs ou leurs amis, ainsi l'*Association pour le développement de l'hygiène maternelle et infantile*, créée par Pinard et qui offre un enseignement pour médecins et infirmières, une assistance à domicile, des consultations de dispensaires et des vaccinations, ou la *Fondation Pierre Budin* dont le Président d'honneur est Paul Strauss, le président, Devraigne et qui depuis sa création en 1909 sert de modèle aux œuvres sanitaires en assurant consultations prénatales et de nourrissons, distributions de lait et cours de puériculture pour jeunes filles. D'autres, à vocation plus charitable, sont nées hors du milieu médical mais rejoignent ses préoccupations natalistes et sanitaires. La plus célèbre est la *Mutualité maternelle de Paris* dont Devraigne assure la présidence pendant une grande partie des années vingt et trente; fondée en 1892 par Félix Poussineau, représentant la Chambre syndicale des Industries de l'aiguille, pour assurer aux ouvrières en couches un repos indemnisé de six semaines, elle se tourne après la loi Strauss vers l'encouragement à la natalité (distribution de primes) et la lutte contre la mortalité infantile par la surveillance pré et post-natale. A côté des maternités rurales, la Mutualité maternelle dispose d'une armature solide de comités de dames, de dames visiteuses, de médecins de consultation, de centres d'élevage et de dispensaires; de 210 sections en 1922 (46 à Paris, 58 en banlieue, 108 en province), elle s'élargit à 473 en 1928, soit 29.113 sociétaires participantes et 75.000 adhérentes des Caisses de compensation. Cette même année, le nombre des mères et des enfants surveillés (la surveillance peut s'étendre jusqu'à dix ans) s'élève à 50.274, et l'œuvre, incitant les mères nourrices à consulter deux fois par mois (prime de 5 francs) pendant quatre mois obtient de très bas taux de mortalité infantile : 13,5 o/oo. De même la *Société de charité maternelle de Paris* qui a plusieurs décennies d'existence, offre dans les années trente 23 consultations prénatales, 59 consultations de nourrissons, des dispensaires antivénériens, et des centres de rayons U.V.

C'est aussi pour lutter contre «le massacre des innocents» qu'est fondée en 1917 *l'Entraide des Femmes françaises* dont les trois sections se complètent. Les tracts de l'œuvre impriment volontiers cette phrase d'Alexandre Dumas fils : «il n'y a qu'un être véritablement intéressant qui mérite que l'on vienne toujours, sans cesse, sans restriction à son secours, parce qu'il peut être toujours malheureux sans avoir jamais été coupable, c'est l'Enfant». La section «adoption familiale» permet l'adoption de 80 enfants par an. La section «enseignement de la puériculture» organise des cours payants (150 francs pour 29 conférences et un stage de trois mois à raison de trois demi-journées par semaine) et dirige une école de gouvernantes; accueillant, après examen médical, des jeunes filles âgées de 18 à 35 ans, titulaires du certificat d'études et d'un certificat d'honorabilité, l'école veut former, en six mois d'internat gratuit (cours et responsabilité de cinq enfants à charge) «des femmes toutes maternelles et instruites comprenant qu'auprès de l'enfant toutes les besognes et tous les soins ont une importance primordiale». Malgré l'obtention d'un diplôme et l'assurance d'un placement, les candidates sont peu nombreuses (3 en 1924, 28 en 1930), rebutées par l'internat et le non salaire. Mais l'axe principal de l'œuvre est la section «pouponnières» qui dispose de 270 berceaux à Fontenay, Boulogne, Épernay et qui oppose à ses détracteurs la création «d'une manière nouvelle d'élevage en commun, un des moyens d'assistance à opposer à un mal nouveau, la séparation de la mère et de l'enfant». La pouponnière peut accueillir la mère et son nouveau-né (environ 150 mères par an) mais le plus souvent elle reçoit l'enfant seul (environ 650 par an) et l'élève au biberon;

les demandes étant six à huit fois supérieures aux admissions, l'Entraide organise en 1930 un service de nourrices surveillées. La mortalité infantile des enfants des pouponnières n'est dans les années vingt que de 20 o/oo.

Les œuvres privées de protection maternelle et infantile poursuivent une action née avant 1914 et amplifiée par la Grande Guerre. Chacune concerne en général peu de gens et des citadins avant tout mais leur rôle est important; avec les structures publiques, elles confèrent à certaines régions une assez bonne densité de services de protection, tandis que d'autres en sont cruellement démunies; mais la coordination entre ces services est rarement une réalité : la France de l'entre-deux-guerres ne dispose pas d'une organisation nationale rationnelle de la protection maternelle et infantile.

Relatant un voyage-enquête du Comité d'hygiène de la S.D.N. sur la protection maternelle et infantile en Europe, Melle G. Henry souligne en 1938, devant l'association française des Femmes-médecins, que les progrès ont été plus rapides en Suède ou en Angleterre qu'en France, non pas grâce à «la nouveauté et la qualité des réalisations médicales» (la France n'est pas en retard) mais à «l'évolution économique, hygiénique et sociale», et à «la coordination des activités de l'ensemble de la nation». En Angleterre par exemple, le Ministère de la Santé, prenant en charge la moitié des dépenses, surveille le plan de coordination des services d'hygiène sociale que chaque autorité locale doit établir pour la protection des mères et des enfants, conformément à la loi de 1918. Un «Médecin Inspecteur de la Maternité et de l'Enfance», femme spécialiste et bien rétribuée, est adjoint dans toutes les régions importantes aux médecins inspecteurs d'hygiène; il assure le contrôle technique des maisons d'accouchement, des lits de maternité installés au domicile des sages-femmes et le fonctionnement régulier des consultations prénatales et de nourrissons, publiques ou privées. Avec cette organisation, 48 % des femmes enceintes ont suivi, en 1936, les consultations prénatales et 60 % des enfants de 0 à 1 an ont été méthodiquement surveillés; d'autre part une loi de 1936 organise un service de sages-femmes salariées sous contrôle de médecins fonctionnaires de l'enfance pour l'accouchement à domicile. De même, en Belgique, l'œuvre nationale de l'enfance a réalisé la concentration des services.

En France, l'organisation légale de la protection maternelle et infantile est pratiquement inexistante. La coordination des œuvres privées et publiques pour une surveillance systématique de la population concernée, n'est réelle que dans quelques départements (50).

L'Association alsacienne et lorraine de Puériculture est fondée en 1920 par les professeurs Rohmer, Weiss et Schickelé, et affiliée au Comité national de l'Enfance, pour grouper toutes les œuvres de protection (y compris celles de propagande et d'enseignement) et réaliser le contrôle à domicile de tous les nourrissons par des «visiteuses de l'enfance». Pour la réalisation concrète, les services départementaux obtiennent, lors de l'introduction de la loi Roussel (après le départ des Allemands) l'adjonction de visiteuses d'hygiène aux médecins inspecteurs prévus par la loi, et l'Association impulse des centres cantonaux de puériculture : ce sont des œuvres autonomes, créées par des municipalités (comme celui de Strasbourg), la Croix-Rouge ou des industriels (comme les centres des Mines domaniales de potasse) et placées sous contrôle de l'Administration départementale; leur rayon d'action est cantonal (4 à 500 naissances annuelles) et tous les enfants en relèvent quel que soit leur statut (légitime, assisté, protégé...). La direction du centre cantonal appartient au médecin, proposé par l'œuvre fondatrice, nommé par le Préfet; il joue le rôle d'inspecteur du service de protection des enfants du premier âge et de médecin des consultations que le centre institue dans toutes les localités importantes; à ses côtés, des infirmières visiteuses engagées par l'œuvre et agréées par le Préfet. Les maires doivent communiquer les naissances au centre qui, après les dix jours d'intervention de la sage-femme, commence son travail de surveillance, établit une fiche par nourrisson et déclare à la préfecture la prise en charge de chaque nouvel enfant. Le nourrisson malade est adressé au médecin de famille : il s'agit de dépistage, de surveillance, d'une surveillance très normative et intolérante, dans la droite ligne des projets sanitaires de l'entre-deux-guerres qui mêlent médicalisation et acculturation morale. La visiteuse ne se contente pas d'observations ou de conseils médicaux (état de santé des parents, poids de l'enfant, type d'alimentation et vaccinations), elle étiquète socialement et moralement la famille et particulièrement la mère : la famille est classée comme «indigente, modeste ou aisée», l'hygiène du loge-

ment est commentée avec précision («nombre de pièces, lits, coi
ditions hygiéniques»),le caractère de l'entourage et de la mère est
noté sous les quatre rubriques «exactitude, amour et dévouement,
intelligence, moralité»...

Cette organisation qui ·assure une bonne cohabitation du privé
et du public, n'est pas encore totalement fonctionnelle au début des
années trente. La Moselle n'a que 27 centres et un taux de mortalité infantile de 90 o/oo, par contre le Bas-Rhin en possède 40 pour
31 cantons (mortalité infantile : 68 o/oo) et le Haut-Rhin est bien
«surveillé» (la mortalité n'est que de 58 o/oo). La loi des Assurances sociales conduit à la signature de conventions entre les caisses
et les centres acceptant un contrôle contre des subventions.

Dans la Seine, l'Office de protection maternelle et infantile,
présidé par P. Strauss, s'efforce depuis 1925 de coordonner les efforts publics et privés. Avec le double apport de la Caisse interdépartementale d'Assurances sociales de la Seine et de la Seine-et-Oise,
qui a mené une action résolue pour la coordination, et du Comité
d'Entente (rassemblant lui-même la Caisse de compensation de la
région parisienne et des œuvres de l'enfance), naît en 1931 *l'Office
de protection de la maternité et de l'enfance* dont le but est «d'assurer rationnellement la lutte contre la mortalité infantile». Cet organisme coordonne l'activité d'environ 10.000 institutions publiques
ou privées, emploie des inspectrices pour contrôler leur fonctionnement et des assistantes sociales ou infirmières visiteuses (plus de
80 en 1936) pour visiter les familles, assurer la liaison entre les institutions publiques et les œuvres privées et pour tenir le fichier du
secteur. Le fichier «constitue la carte sanitaire et sociale de la maternité et de l'enfance dans le département de la Seine puisque sont
consignés sur fiches toutes les femmes enceintes demandant un secours ou assurées sociales et tous les nouveaux-nés qui sont ensuite
visités». Ainsi en 1935, l'Office reçoit le «signalement» de 46.000
femmes enceintes (ce qui correspond à 3/4 des naissances du département) : 26.000 relèvent des assurances sociales et 20.000 de la
loi Strauss; il effectue plus de 200.000 visites. La rationalité de
l'organisation n'est pas encore totale; des femmes se présentent à
plusieurs consultations et la sectorisation n'est pas achevée; à l'assemblée générale de 1936, le rapport d'activité s'achève sur cette

phrase : «nous pensons que la véritable organisation sociale demande un service d'hygiène généralisé, limité à un secteur géographiquement restreint, où, dans chaque Famille, une seule infirmière-visiteuse, déléguée par des organismes multiples, pénétrera pour y apporter les règles d'hygiène et toutes les ressources d'aide et d'éducation que son cœur et sa formation sauront lui dicter avec une impartialité totale».

A côté de ces deux exemples privilégiés, la protection maternelle et infantile est organisée à l'échelle départementale dans la Gironde (grâce à la Fédération des œuvres girondines de l'enfance), dans l'Oise et la Seine-et-Oise, et à l'échelle locale à Lyon (Fédération franco-américaine des œuvres de l'enfance) et Marseille (Service social de l'enfance). Le Comité national pour l'enfance souhaite une organisation nationale utilisant le cadre départemental mais les Pouvoirs publics réagissent très lentement, alors qu'existent à la fin des années vingt 77 directions départementales d'hygiène. Par la circulaire du 15 juillet 1931, le ministre de la Santé Publique donne des instructions aux préfets pour «une organisation rationnelle de la protection maternelle et infantile dans le cadre départemental»; il leur demande d'impulser des centres auxquels adhéreraient toutes les institutions, placées sous le contrôle technique de l'administration; la mise en œuvre de ce projet est difficile devant les réticences des associations privées. L'année suivante, au congrès d'hygiène, la Confédération des syndicats médicaux propose un système complexe mais plus souple : la création, dans le délai d'un an, dans chaque département, d'un service de protection maternelle et infantile, sous l'autorité du préfet et la direction effective du médecin directeur départemental d'hygiène et qui passerait convention avec les syndicats médicaux départementaux pour organiser concrètement la surveillance de toutes les mères et des enfants jusqu'à cinq ans; la protection serait assurée soit par les médecins (avec libre choix du praticien), soit dans les consultations et structures publiques, soit par les œuvres privées; chaque enfant serait pourvu d'un carnet de santé et le contrôle de la population s'effectuerait par l'obligation d'envoyer régulièrement une carte-lettre au centre départemental. Ce centre s'adjoindrait des médecins contrôleurs nommés par le préfet et une Commission (de 12 membres dont 4 médecins) délibérant sur toutes les questions de protection maternelle et infantile. Cette proposition – avant-projet de loi – ne semble même pas avoir été discutée. Le carnet de santé est toutefois institué en 1938.

Si la France connaît de tels tâtonnements, c'est que la peur de la fonctionnarisation ou de l'autorité de l'État est grande chez les professions médicales, que les lois sociales se sont succédé, multipliant les catégories d'individus (secourus, protégés, assistés, assurés), enfin que la priorité accordée à l'enfance apparaît plus dans le discours que dans les budgets. Une commission de l'organisation sanitaire de la France est instituée au ministère, une circulaire du Front Populaire rappelle celle de 1931, mais il faut attendre 1939 et le Code de la Famille pour que soit inscrite dans la loi la protection maternelle et infantile. Enfin l'ordonnance du 2 novembre 1945 l'organise rationnellement pour lutter contre la mortalité infantile et rend obligatoire une consultation prénatale pour 20.000 habitants, une consultation de nourrissons pour 8.000.

La place des femmes dans ce modèle

Si la médicalisation de la maternité ne s'achève qu'après la deuxième guerre mondiale, le mouvement est largement entamé dans les années vingt et trente en France, avec les formes décrites précédemment. La maternité et les soins aux petits enfants deviennent l'affaire du monde médical. Cette emprise médicale a des effets positifs, mais, très normative, elle tend à cantonner les femmes, premières concernées, dans le rôle de mineures soumises. L'ignorance est combattue; éventuellement la femme, bourgeoise et «moderne» est invitée à devenir «l'infirmière au foyer» (Desse Houdré-Boursin) mais dans des limites nettement fixées : «par leur tendresse, leur aptitude au dévouement, la mère de famille ou la grande sœur sont déjà préparées à bien accomplir cette tâche difficile; mais la bonne volonté ne suffit pas, il faut un certain nombre de connaissances techniques. Non pas pour se substituer au médecin : quelle profonde et néfaste erreur ce serait ! mais pour être sa collaboratrice, pour bien appliquer les ordonnances, pour bien surveiller le malade, pour savoir l'entourer de soins précis et judicieux; une maman aimante mais ignorante peut faire courir à son enfant

les risques les plus graves». *Le Guide des Mères* est plus agressif :
«à l'heure actuelle aucune mère ne peut invoquer d'excuse si son
enfant manque de soins». Les femmes ne peuvent échapper à la
faute ou à la culpabilisation que par le recours au médecin et aux
institutions spécialisées, tandis que la psychanalyse, autre source
de culpabilisation reste très marginale (51).

De la conception au sevrage, les médecins proposent et imposent aux mères des règles de comportement pour une maternité
ainsi définie par la bouche de Couvelaire : «Enfanter, c'est de son
sang nourrir un nouvel être pendant la gestation, c'est le mettre au
monde dans la douleur, c'est le nourrir de son lait jusqu'au jour où
l'apparition de ses premiers groupes dentaires témoignent de son aptitude à une alimentation autre que le lait maternel». Propos d'homme, propos de médecin, projet de médecin. Il nous apparaît indispensable, dans une dernière partie, de changer de point de vue sur la maternité, de ne plus écouter les médecins ni les Pouvoirs publics, de regarder derrière le modèle médical et d'envisager le vécu féminin,
pour connaître les résistances, les souffrances, les plaisirs, les revendications des mères de l'entre-deux-guerres, nos grand-mères.

TROISIEME PARTIE

LA MATERNITÉ VÉCUE

«L'hôpital disparaît derrière moi.
D'autres femmes arrivent aujourd'hui, arriveront demain, chaque jour, pitoyables, marquées par toute la vie des femmes — et sortiront humiliées, brisées, aujourd'hui, demain, toujours peut-être...

Non pas toujours ».

Henriette Valet,
Madame soixante bis.

«Ah ! l'infinie douceur de te sentir si tiède sur ma chair... Mon enfant, l'être de ma chair et de ma souffrance, tu es l'Amour que j'ai créé».

Raymonde Machard,
Tu enfanteras.

A l'exception des avortées, je ne parlerai plus, dès lors, que des femmes qui, contraintes ou consentantes, ont connu la maternité, ont porté et mis au monde un enfant. Mais il s'agit d'un changement total de perspective : mon point de référence n'est plus la mère potentielle du démographe ou du politicien, ni la patiente du médecin, mais la mère vivante, ses comportements et son vécu physique et moral. Je voudrais à la fois connaître comment les mères de l'entre-deux-guerres sont traitées dans leur corps et leur esprit, ce que leurs comportements traduisent de soumission, ou de révolte et d'autonomie par rapport aux règles imposées, ce qu'elles osent dire d'elles-mêmes.

Une telle approche pose évidemment le problème des sources. Les sources médicales (articles, thèses) sont utilisables en déconnectant les faits rapportés du jugement de valeur et de l'idéologie médicale; elles disent (pour les critiquer, les infléchir ou les louer) les comportements féminins; elles révèlent, si on prend un point de vue de femme, ce que vivent les mères. Aussi des éléments déjà évoqués dans la médicalisation de la maternité prendront-ils ici une autre dimension. J'ai réservé, pour cette dernière partie, l'importante question de la douleur dans l'accouchement, car plus qu'un problème obstétrical, c'est un fait de société et le centre de l'expérience maternelle. Les sources médicales seront, dès que possible, confrontées à d'autres.

Les reportages d'enquête sont précieux mais assez rares. C'est une spécialité du *Journal de la Femme*, où Renée Lemaire visite et décrit dans une suite d'articles des années 1935 et 1936 «les maisons où l'on souffre». *Maternité, suite de dossiers vrais*, du journaliste Alexis Danan (1936) est de la même inspiration, mais le livre de Maïna Jablonska, *Sophie et le Faune. Contes très divers sur un sujet unique l'accouchement* (1932) apparaît plus littéraire, quoique décrivant certainement des situations réelles. Cependant nous disposons, pour l'entre-deux-guerres de quelques beaux romans dont le sujet est la maternité : un, d'un homme, Victor Margueritte; trois, écrits à la première personne par des femmes, Raymonde Machard, Henriette Valet et Louise Weiss, et, pour les deux premiers au moins, totalement autobiographiques. Voici les titres et une présentation succincte de chacun :

— Victor Margueritte : *Ton corps est à toi* (1927)

L'histoire de Spirita est l'occasion pour l'auteur d'exposer ses thèses sur la libre maternité; mais avec elle, fille-mère, nous pénétrons dans la maternité de Marseille, nous écoutons ses compagnes de misère, nous assistons aux souffrances de l'accouchement, réalités fondamentales auxquelles V. Margueritte est très sensible.

— Raymonde Machard : *Tu enfanteras. Roman de l'amour maternel*

Publié en 1919 chez Flammarion et couronné par l'Académie Française, il reparaît dans le *Journal de la Femme* en feuilleton à partir de juillet 1936, en hommage aux lectrices et malgré la perte douloureuse de l'enfant. Raymonde Machard, mère volontaire et heureuse, fait un récit sensible et détaillé de ses sensations et émotions de grossesse et d'accouchement, de sa relation avec l'amant-père. «Le livre est unique; aucune femme n'avait eu tout ensemble l'audace, l'inspiration et l'heureux génie de raconter la naissance de son enfant et de faire naître ainsi un des cantiques les plus passionnés du monde», dit une critique.

— Henriette Valet : *Madame soixante Bis* (Grasset, 8e édition, 1934)

Ce livre plusieurs fois réédité a connu un certain succès; Henriette Valet, pseudonyme d'une intellectuelle, a voulu un enfant seule, «malgré les lois et les gens»; elle partage le sort des filles-mères à l'asile de l'Hôtel-Dieu, en décrit l'infortune et raconte son accouchement. Dure expérience, longue plainte, cri de révolte et d'espoir.

— Louise Weiss : *Délivrance* (1936)

Le sujet du livre est les souvenirs de Marie : la difficile relation avec le compagnon, le choix pénible de l'avortement, mais Noémi, la confidente et l'amie rappelle son expérience de mère.

Je citerai de larges extraits de ces romans, parce qu'il serait dommage de trop les couper (notamment *Tu enfanteras* et *Madame soixante bis*), et parce qu'ils valent d'être connus, pour leurs résonnances très contemporaines et pour ce qu'ils nous apprennent de la condition des mères de l'entre-deux-guerres.

Il reste les témoignages recueillis oralement ou par écrit auprès de femmes ayant mis au monde des enfants dans les années vingt ou trente et âgées aujourd'hui de 60 à 90 ans (52). Une vingtaine de témoignages plus ou moins complets, même d'origines diverses (les origines sociales et géographiques des témoins sont assez variées) ne peuvent prétendre représenter la réalité dans son ensemble, mais ils permettent de dégager quelques constantes, ils confirment des éléments entrevus par ailleurs, ils recréent une atmosphère et donnent des détails significatifs que tout autre source néglige; ainsi Madame R. m'écrit : «J'ai accouché à la Maternité de Port-Royal — une quarantaine de lits; médecin et élèves passaient chaque jour; le pain marqué A.P. (assistance publique) est resté dans ma mémoire; c'était horrible». Enfin quelle source est plus précieuse pour connaître le vécu des mères, pour appréhender ce que les femmes ressentaient, vivaient comme normal ou intolérable ! Même si la mémoire, après de longues années, peut faire défaut (bien que les femmes aient presque toujours des souvenirs précis de leurs maternités) ou trier les souvenirs pour ne retenir, selon les individus, que les plus beaux ou les plus noirs, ce qui est raconté correspond à la réalité, au moins partielle. L'historien doit confronter les témoignages et les écrits mais l'historienne doit aussi s'effacer et écouter... avec l'émotion d'entrer de l'intérieur dans une condition féminine déjà ancienne mais toute proche encore. S'y ajoute la parole de quelques sages-femmes ayant alors étudié et exercé et à qui une longue vie professionnelle permet de déceler les évolutions et les singularités de la période; elles témoignent aussi d'un comportement conforme ou non conforme à l'image que donnent d'elles les associations professionnelles et les médecins.

Cette approche me paraît indispensable pour une histoire de la maternité. Ambitieuse, elle est limitée par l'insuffisance des sources et par le caractère individuel du vécu. Mme R. comprend la difficulté en glissant du «nous» au «je» : «la salle de travail où nous étions toutes allongées était surveillée par des infirmières; il fallait que le travail se fasse et c'était des cris, des hurlements de bêtes blessées que nous poussions avec terreur. Nous (j'avais) avions très mal; je me rendais compte que tout était à revoir à ce sujet». J'exposerai mes interrogations et laisserai dans l'ombre des aspects plus secrets, propres à chaque personne. Mais par delà la diversité des vécus individuels, il est possible de dégager des réalités, des comportements, des sentiments caractéristiques d'une période pour l'ensemble de la population ou pour des groupes particuliers. Après avoir décrit la condition des parias de la maternité, j'essaierai de rendre compte de l'expérience maternelle : la longue gestation, l'accouchement et les premiers contacts avec l'enfant.

***

CHAPITRE I

LES PARIAS DE LA MATERNITÉ

«Il n'est pas de drame féminin plus poignant et plus universel que la maternité. Toutes les femmes sont sœurs en ces instants sublimes et tragiques. Mais alors que beaucoup, réconfortées par l'amour d'un mari, la présence d'une famille au sein d'un tendre foyer, attendent dans la joie la venue du nouveau-né, il en est d'autres, des solitaires qui sont initiées à la Passion maternelle (aggravée parfois de quel lourd secret) dans les grandes salles communes où naît la vie et où passe hélas ! quelquefois la mort».

Raymonde Machard,
Le journal de la femme, 11 mai 1935.

L'entre-deux-guerres clame son respect de la maternité, inscrit dans la pierre boulevard Kellermann mais elle fut dure à celles qui ne respectaient pas le modèle d'épouse fidèle et prolifique. Une chape de mépris pèse sur les «filles-mères» (elles sont loin encore les honorables «mères-célibataires») et ce chapitre expose le tragique de leur condition. Mais il y a d'autres parias de la maternité qu'il ne faut pas oublier : l'avortée, coupable et punie; la femme tuberculeuse, mère sacrifiée; l'étrangère, procréatrice méprisée.

«L'avortée», «la tuberculeuse» et «l'étrangère»

Dans *La pratique de l'accoucheur en clientèle*, Démelin donne pour les cas d'avortements criminels (la patiente consulte pour hémorragie ou fièvre) les conseils suivants : «en présence d'une hémorragie grave, le moyen le plus simple de faire face à la perte, c'est de placer un tamponnement aseptique dans la cavité vaginale..., de bourrer le vagin de gaze aseptique ou de compresses stérilisées... L'hémorragie cesse, l'utérus se contracte et quelques heures plus tard, en ôtant le tampon, on trouve l'œuf derrière». En cas d'infection génitale et d'utérus fermé, il faut «nettoyer sans violence» et attendre que le travail se déclare, mais si l'état est grave, l'hystérectomie vaginale s'impose. De toute façon, il faut «prendre garde au curettage, qui, par ses ensemencements et ses attaques traumatiques est trop souvent responsable d'accidents toxi-infectieux suraigus, mortels en quelques heures ou de perforations gangréneuses». Ce respect des femmes ne s'adresse qu'à une certaine catégorie sociale; les avortées malades et sans ressources qui ne peuvent que s'adresser à la maternité, connaissent un sort peu enviable; des praticiens peu scrupuleux et pour qui transgression mérite punition, leur font subir le plus souvent un curettage à vif et des propos peu amènes; cette torture semble d'après des récits militants de l'époque et des témoignages de sages-femmes (pour elles c'est «un très mauvais souvenir») une pratique courante. Une infirmière se souvient que Devraigne laissait hurler les femmes jusqu'à ce qu'elles avouent la tentative d'avortement. Pour une ancienne sage-femme de Baude-locque, la maternité humilie les femmes qui avortent, les femmes pauvres et celles qui veulent abandonner.

Aucun praticien ne veut faire d'avortement thérapeutique aux mères atteintes de tuberculose; peu disent qu'il y a incompati-bilité entre la tuberculose et la maternité qui aggrave le plus sou-vent la maladie. Ils «préfèrent» pratiquer une césarienne d'urgence sur une femme mourante pour sauver l'enfant. Pour ces femmes, qui sont nombreuses à l'époque, le choix médical est clair : faire naître un enfant plutôt que préserver la mère. Même si la mère ne meurt pas à la maternité, elle est tout de suite, dans l'intérêt du nouveau-né, séparée de l'enfant placé en centre d'élevage pour qua-tre ans. «Quatre ans après la mère va mieux ou alors...», Renée Lemaire préfère les points de suspension aux mots trop violents. Visitant, pour son journal, la maternité Baudelocque et le pavil-lon Tarnier, elle est la seule à essayer de comprendre ces mères sacrifiées : en sortant après ses couches, la femme malade «entre-verra — sans le toucher ni l'embrasser, c'est défendu — un petit nouveau-né emmailloté, endormi; c'est la seule image qu'elle aura d'un être qu'elle eut tant de mal à porter, à mettre au monde et que peut-être, elle ne reverra jamais».

La France accueille beaucoup d'étrangers, essentiellement des Russes qui fuient la patrie des Soviets, des Italiens, des Belges et des Polonais à la recherche de travail. Celles qui ont les moyens accouchent chez elles; les plus démunies vont à l'hôpital : ce sont surtout des Polonaises à tel point que «la Pologne» est devenue une expression des maternités. Comme toutes les étrangères, elles sont mal aimées du corps médical parce qu'elles se soumettent dif-ficilement à la médicalisation de la maternité; Devraigne déplore très fréquemment que sur 100 femmes accouchant à Lariboisière en 1928, 21 n'ont pas consulté dont 42 % d'étrangères; «il y a là, dit-il, surtout à Paris qu'on a pu appeler récemment l'hôpital du monde, un danger du fait de la clientèle étrangère de passage». Peut-être parce qu'elles sont originaires d'un pays plus lointain et slave, parce qu'elles sont plus pauvres, les Polonaises sont particulièrement maltraitées. Henriette Valet, Mme 60 Bis, les décrit, cantonnées dans un coin du dortoir, en butte aux tracasseries des autres pensionnaires qui ne «pensent pas au destin des Polognes, chassées de leur pays par la faim et qui font les gros travaux agricoles» et qui s'amusent des plus faibles. Elles subissent en outre le mépris du personnel infirmier et médical; comme toute malade qui gémit la nuit, elles peuvent s'entendre dire par l'infirmière : «pas tant d'histoires... ça se fait faire un gosse et c'est pas capable de souffrir ! t'a pas dit non pour te le faire faire hein !», mais elles seules auront droit, de la part des médecins, à cet anonymat grossier : «Pologne lève ton cul qu'on regarde dedans». Ces attitudes semblent caractéristiques des grandes structures parisiennes où les étrangères sont nombreuses; une Polonaise interviewée dans un village de l'Aisne n'a pas du tout ressenti de discrimination à son égard dans la maternité rurale de Fargniers tenue par des religieuses. Dans les maternités de ville, les réfugiées espagnoles ne sont guère mieux accueillies à la fin des années trente. Cette attitude de mépris est le lot de celles qui sont porteuses d'une double tare : être étrangère et fille-mère.

La fille-mère : mère mais déviante

La France de l'entre-deux-guerres se moralise : il n'y a en 1936 que 41.000 naissances vivantes illégitimes contre 83.000 en 1920 et 65.000 en 1911; le taux d'illégitimité n'est que 6,4 % alors qu'il avoisinait 9 % avant la Grande Guerre. Bien sûr, les trois années qui suivent le long cauchemar connaissent une recrudescence de l'illégitimité : le désir d'oublier, l'éclatement des familles, les naissances retardées, la mort des maris et même la contestation des morales anciennes peuvent en rendre compte. Mais dès 1922, le taux d'illégitimité est inférieur à celui de 1911, alors que les circonstances — l'énorme déficit des sexes — pourraient l'enfler; stable dans les années vingt, il diminue régulièrement pendant la décennie trente, et plus fortement que la part des femmes célibataires : réduction d'1/7 entre 1926 et 1936 alors que l'illégitimité recule d'1/4. Paris connaît une évolution identique mais reste la ville de perdition avec une illégitimité deux fois et demie supérieure à la moyenne française,

220

L'illégitimité en France et à Paris

Année	FRANCE (Chiffres arrondis au millier)		PARIS		
	Naissances vivantes illégitimes	Taux d'illé-gitimité	Naissances vivantes illégitimes Femmes domiciliées	Taux d'illé-gitimité	Taux sur naissances totales (morts-nés compris)
		%		%	%
1911	65.000	8,7	11.735	23,9	
1919	–		11.600	30,0	30,4
1920	83.000	9,9	13.203	23,6	24,3
1921	73.000	8,9	11.682	22,4	23,1
1922	65.000	8,5	10.793	22,9	23,7
1923	66.000	8,6	10.918	23,3	24,1
1924	64.000	8,4	10.656	23,1	23,8
1925	66.000	8,5	11.012	23,3	23,9
1926	65.000	8,4	10.661	23,1	23,7
1927	62.000	8,3	9.976	22,2	22,9
1928	63.000	8,4	9.623	22,2	22,9
1929	61.000	8,3	9.789	23,1	23,8
1930	63.000	8,4	9.574	22,7	23,3
1931	58.000	7,9	8.982	21,7	22,3
1932	56.000	7,7	8.185	20,9	21,6
1933	51.000	7,5	7.340	20,1	20,7
1934	49.000	7,2	6.886	19,3	20,1
1935	45.000	7,0	6.195	18,7	19,5
1936	41.000	6,4	5.620	17,4	18,2
1937	–		5.370	17,0	17,8
1938	–		5.151	16,6	17,3
1939	–		4.434	17,8	18,5

Source : *Annuaire Statistique*, 1939;
Annuaire Statistique de la ville de Paris, 1938-41.

pour la population domiciliée intra-muros : c'est pourquoi elle attire aussi les jeunes femmes de province qui veulent cacher leur grossesse.

Qui sont chaque année, ces 40 à 60 mille filles-mères ? : rarement des mères volontaires comme Henriette Valet, souvent des «éclopées de l'amour» qui n'ont pas de recours contre les hommes sans scrupule et que A. Danan rencontre dans les hôpitaux parisiens comme «cette petite vosgienne engrossée par un riche parisien», ou l'étudiante de Strasbourg à qui un fonctionnaire colonial a fait un enfant à 19 ans. Selon Danan «les trois fins classiques de la jeune mère abandonnée sont la tuberculose, la Seine, la Prostitution». C'est en effet dans les bas-fonds de Marseille que se retrouve Spirita, l'héroïne de *Ton corps est à toi*, mais elle recule devant l'alternative «crève ou couche» et demande asile à la maternité. Plus souvent que les filles de milieu aisé, qui cherchent à avorter, les femmes travailleuses, modestes, s'adressent aux institutions d'assistance. De nombreuses institutions s'occupent des filles-mères et leur permettent de passer ce moment difficile dans des conditions matérielles correctes, mais leur capacité d'accueil est souvent limitée et leur fonctionnement traduit le mépris dans lequel la société les enferme.

La plupart des témoins qui ont évoqué le sort des filles-mères soulignent qu'elles sont «mal considérées», «méprisées», «reniées par les leurs et mises au ban de la Société»; une seule femme dit qu'«à la campagne, on les aidait». La société de l'entre-deux-guerres semble s'ouvrir quelque peu à la tolérance. Comme avant guerre, les militants, malthusiens, féministes dénoncent le sort réservé aux filles-mères; en 1934, la Ligue des Droits de l'homme, forte de ses 200.000 adhérents leur apporte une aide précieuse, en adoptant à Marseille une déclaration des droits et devoirs du citoyen et de l'humanité dont l'article 13 précise : «la maternité étant considérée comme fonction sociale doit être protégée et respectée par la société sans aucune distinction d'origine quant aux circonstances de la conception».

A ces inconditionnels des droits de la femme se joignent les réalistes, qui invoquent les circonstances — dénatalité et déséquilibre des sexes — pour demander respect et aide matérielle envers toutes les mères, mariées ou non. Pinard, suivi par Devraigne, a là aussi joué un rôle moteur; «il y a en France, à l'heure qu'il est, 1,5 million de jeunes filles qui ne se marieront pas... Une femme ne se porte bien que si elle est mère et autant que possible avant l'âge de 25 ans... la stérilité est contre nature, une législation qui l'encourage est inhumaine, partant contraire à la morale», écrit-il au début des années vingt et Devraigne demande dans son interview au *Matin* (9 septembre 1925) sous le titre «Honorons et protégeons toutes les mères» le remplacement du terme «fille-mère» par «mère abandonnée», beaucoup moins culpabilisant pour la femme. Un journal de 1925 demande «un peu de justice et d'indulgence pour ces ouvrières de la maternité et de la société». Ce mouvement prend quelque ampleur; devant le 9e congrès des Commissions départementales de la Natalité, le haut-fonctionnaire Sarraz-Bournet, qui présente une enquête sur les «maternités secrètes», conclut : «Ne peut-on proclamer que la maternité hors mariage n'est pas un sujet de honte quand la mère accomplit tout son devoir ?». La même attitude s'exprime au premier congrès international des sages-femmes catholiques à Lille en 1934 : «en ces temps de démoralisation, on ne peut jeter la pierre à une fille-mère; elle a au moins le mérite de n'avoir pas attenté à la vie de son enfant et d'avoir plutôt supporté le déshonneur». Mais ces voix sont encore minoritaires; au nom de l'Alliance Nationale et d'une majorité silencieuse, Boverat dit haut et fort qu'«il importe grandement, dans l'intérêt du pays, d'éviter de faire à la fille-mère, une situation privilégiée vis-à-vis de la mère légitimement mariée». Elles sont surtout plus charitables que tolérantes; pour presque toutes, les filles-mères restent des mères déviantes qu'il faut secourir, ou racheter. Le même Sarraz-Bournet poursuivait : «pour remplir nos berceaux vides, notre réseau de protection maternelle et infantile doit être renforcé en faveur de toutes celles qui ont succombé un instant devant les forces de l'instinct, de l'ignorance, et de la misère». En témoignent le débat sur les maisons maternelles et le fonctionnement des institutions envers les filles-mères.

«Les maternités secrètes» et l'abandon prohibé

Dans le contexte de l'époque, il est difficile à une fille-mère d'assumer sa grossesse au sein de la famille, et dans une petite ville. Assez souvent, elle fuit son milieu d'origine et cherche à cacher sa grossesse puis à abandonner l'enfant. Toute femme peut demander à accoucher sous le secret; elle est alors considérée comme assistée au domicile de secours départemental et bénéficie de l'A.M.G. D'après l'enquête de Sarraz-Bournet, il existe dans 30 départements «des établissements spéciaux publics ou privés recevant les femmes enceintes désireuses de cacher leur état de grossesse et d'accoucher clandestinement», comme la Maison des Mères à Gerland (429 femmes accueillies en 1931) ou l'établissement de Grézy les Meaux, le plus proche de Paris. Dans 31 autres départements, toute femme voulant conserver le secret de son accouchement peut accoucher dans une maternité sans enquête ou formalité administrative préalable (par exemple dans la Seine), mais dans 18 départements comme le Nord le secret de l'accouchement n'est pas garanti.

Si on admet avec le Dr Pelissier qu'il y a chez les femmes enceintes célibataires trois types de demandes — «la femme qui demande à ce que son nom ne soit pas connu mais à qui il est indifférent d'être vue par le personnel ou par les autres pensionnaires»; «la femme originaire de la région qui veut bien donner son nom mais ne pas être vue»; celle qui veut le secret absolu — la situation est quantitativement et qualitativement déficiente; selon ce médecin, qui n'oublie pas que l'hôpital est encore rarement le lieu des classes aisées, «une maternité secrète doit posséder des dortoirs en commun à petit nombre de lits, pour qu'il soit possible à la direction de catégoriser suivant le milieu social les entrantes et un quartier entièrement secret en chambres séparées, dans lesquelles une pensionnaire peut entièrement s'isoler».

La Maternité de Port Royal, tout comme Baudelocque, peut fonctionner comme maternité secrète; elle comprend une salle pour «les femmes enceintes qui ne peuvent plus travailler pour vivre et qui sont venues là en avance» et quelques lits offerts à celles qui n'ont pu trouver de place dans des asiles de nuit. «On n'exige de la femme qui arrive aucun papier; elle donne son nom et son adresse, on lui permet, si elle le désire, le secret; mais elle peut très bien donner un faux nom ou n'en pas donner du tout»; dans ce cas, notée X, elle est priée d'inscrire sa véritable identité dans une enveloppe cachetée, rendue intacte à la sortie, ouverte seulement en cas d'accident.

A Renée Lemaire qui enquête, l'Administration donne l'exemple d'une «jeune fille de bonne famille» qui a glissé une feuille blanche dans l'enveloppe et qui, morte, a été envoyée dans une salle de dissection parce que personne n'a pu la réclamer.

Après avoir erré dans Marseille, Spirita se réfugie, comme X, à la maternité que Victor Margueritte décrit comme sinistre par sa fonction et son architecture, mais chaleureuse par son personnel. Spirita est entrée, «le cœur serré», dans «la longue et lourde caserne»; «le bon bol de bouillon chaud qu'on lui a fait avaler, la gentillesse du médecin, qui au premier coup d'œil, a ordonné, sur le champ, qu'on la gardât — enfant mal placé — la facilité avec laquelle tout s'est aplani malgré son manque de papiers et son formel refus de donner son nom, l'ont un peu réconciliée avec cette maison qui à l'heure la plus critique de sa vie, va lui servir de foyer... Debout dans le vaste vestibule où débouchent deux grands corridors, Spi n'a pas assez de regards pour enregistrer ses impressions : nudité des murs clairs, portes qui s'ouvrent pour un va et vient de femmes déformées et d'infirmières et cette vague, fade odeur, ce relent spécial de l'infection sous les désinfectants. Des sonneries accrochent les oreilles, moins stridentes que par instants un cri appuyé sur du vide et aussitôt englouti». La sage-femme au «regard compatissant», à «la voix de velours», au «visage joliment encadré par le voile», la conduit dans un dortoir où une rangée de lits, doublés de berceaux, précède quelques boxes : «des numéros comme elle. Et de la souffrance. De la souffrance anonyme et banale... Matrices et matricules». La n° 4 confie à la n° 8 : «Heureusement que je suis venue aux X, pensez donc ! Nous avons déjà quatre gosses. Mon mari est tuberculeux. Moi j'suis esquintée de trimer pour tout le monde. Aussi ces deux là j'les abandonne !... C'est pour ça qu'j'ai pas donné mon nom. Qu'est-ce que vous voulez ! Faut-il que les autres crèvent de faim ? C'est pas avec les pauvres secours de la ville, ni avec les histoires de ceux qui vous poussent à la repopulation qu'on peut s'en tirer». Spirita aussi souhaite abandonner son futur nouveau-né.

Pour Sarraz-Bournet les maternités secrètes sont «un moyen de défense sociale contre l'avortement et contre l'infanticide, un moyen de défense sanitaire contre la mortalité et la morbidité infantile». Le but n'est atteint que si la jeune mère nourrit et garde auprès d'elle l'enfant, ou du moins le confie, sans l'abandonner, à une nourrice surveillée. Depuis la loi du 27 juillet 1904 existent des secours préventifs d'abandon versés à toute mère veuve ou abandonnée sans appui masculin; ils s'élèvent dans les années trente, à 50 à 150 francs par mois si la mère élève l'enfant, à 40 à 60 francs s'il est en nourrice. Le département de la Seine est particulièrement généreux; si la mère garde l'enfant, elle reçoit 120 à 150 francs à la sortie de la maternité, puis un secours mensuel dégressif : 120 à 150 francs la première année, 60 à 70 francs jusqu'à trois ans; lui sont octroyés un berceau, de la layette, du lait stérilisé et des primes d'assiduité aux consultations de nourrissons (un an d'assiduité = 25 F; avec allaitement : 50 F; jetons de présence = 1 F !). Si la mère souhaite placer l'enfant en nourrice, elle sort avec un bon de 135 francs pour choisir une nourrice agréée par la Préfecture de Police, ou un secours de 110 francs payable à une nourrice non agréée, ainsi que 60 francs en espèces et le billet aller-retour; une fois l'enfant placé est versé un secours mensuel, payable à la nourrice, de 60 à 30 francs jusqu'à trois ans. Nous ne disposons pas de données nationales sur les enfants bénéficiaires; à Paris ils sont assez nombreux : entre 10 et 15.000 dans les années vingt, autour de 12.000 la décennie trente. Comme ces secours durent trois ans, toutes les maternités illégitimes ne sont pas couvertes, mais proportionnellement de plus en plus. Certaines femmes se les voient refuser, d'autres ne les demandent pas, par ignorance, par refus d'être assistées, parce qu'elles ne veulent pas décliner leur identité, ou bien encore parce que, les trouvant dérisoires pour élever un enfant, elles préfèrent abandonner. Les abandons ne diminuent que très lentement, passant dans la Seine, de 1.800 en 1923 (2,47 % des naissances mais 6 % en 1918) à 1.200 en 1936 (1,93 %); d'autre part Danan souligne qu'en 1933, 205 enfants du ressort de Paris sont versés à l'Assistance publique faute de salaire versé à la nourrice.

La maternité et tout son personnel luttent contre l'abandon avec persévérance : persuader en jouant sur l'amour maternel ou la culpabilisation, ou bien encore pratiquer l'ostracisme contre les rebelles. Maïna Jablonska prenant partie pour la victime par son titre *Comment voulez-vous qu'elle lève !* (la fleur maternelle), raconte la scène suivante : à l'hôpital, cinq parturientes en salle de travail; une élève sage-femme dit du n° 3, silencieuse : «Encore une qui veut abandonner son enfant à l'Assistance !... J'étais présente lorsqu'elle est entrée à l'hôpital. Le sermon de la Directrice pour l'engager à changer d'idée ne lui a pas arraché un mot»; une autre, plus acerbe, lui refuse de l'eau : Ah ! la sale bête, elle peut en piler encore !... Si je pouvais lui mettre un bouchon 24 heures de plus, je la calerais de bon cœur». Le plus souvent, les assistantes sociales, tout en proposant des œuvres d'assistance, dressent un noir tableau de la vie des enfants de l'assistance et évoquent la mort prochaine de l'enfant abandonné.

Pour convaincre et contraindre Spirita, est déployé tout l'arsenal possible : «de la sage-femme en chef à la fille de salle, toutes ont beau s'appliquer à la persuader, elle et le n° 4, afin qu'elles ne rejettent pas sur l'État, la charge que celui-ci préfère leur voir incomber..., on leur montre les nouveaux-nés les plus beaux; le dimanche matin un prêtre vient les voir..., pas de ruses féminines que Melle Aurèle n'emploie. Elles feront comme les autres, avait-elle déclaré à la directrice, je m'en charge; après la première tétée elles les adorent tous». Après l'accouchement et le retour au dortoir, Spirita refuse de prendre l'enfant; «demain, pense la surveillante de l'étage, le lait aura monté; l'entêtée cèdera, contente d'être ainsi soulagée»; la directrice, vieille fille comme la sage-femme, vient demander le prénom et tenter de convaincre. Mais Spirita refuse d'allaiter; comme la température monte, on lui tire son lait pour le donner en biberons à l'enfant. A sa sortie, quinze jours après, elle doit elle-même porter l'enfant à l'Assistance publique, le garde deux semaines dans sa chambre, mais ne trouvant pas de travail, se rend à l'Assistance où on tente une dernière fois de la dissuader. Dès lors elle ne pourra plus voir son enfant; seule une carte mensuelle donnera comme nouvelle, «vivant» qu «mort». Spirita est l'héroïne énergique d'un roman didactique; plus d'une jeune femme seule et affaiblie a dû céder à ces pressions insistantes; mais le statut discriminatoire de fille-mère, avec le mépris et la misère, en poussent irrésistiblement d'autres vers l'abandon. A Paris, du moins pour Baudelocque et la Maternité, une infirmière accompagne les femmes décidées jusqu'aux Enfants Assistés, rue Denfert-

Rochereau, pour «éviter l'abandon dans un taxi, une église ou un coin sombre».

Une maternité secrète est souvent l'annexe d'une maison maternelle, qui selon la définition du rapporteur au congrès international de 1928 (53), le Dr Trillat, est une «institution où, sous la garantie du secret s'il est demandé, sont hébergées des femmes saines, en état de gestation, où elles peuvent accoucher où elles demeurent après l'accouchement pendant tout le temps que dure l'allaitement maternel». C'est le choix d'institutions spécifiques pour filles-mères qui met en œuvre leur isolement, leur quasi-réclusion alors que d'autres conceptions s'étaient exprimées.

La maison maternelle : ce qu'elle pourrait être, ce qu'elle est

Malgré le décret de la Convention du 28 juin 1793, l'institution est récente. En 1891, l'Académie de médecine émet un vœu sur l'assistance aux mères nécessiteuses et Pinard fait une conférence très remarquée. Le 6 mars 1892, Mme Becquet ouvre le premier refuge, avenue du Maine; l'année suivante est créé l'Asile Michelet, dans l'indifférence quasi générale. Mais les premiers asiles (le nom est significatif) sont le point de départ de constatations importantes, mises en valeur par Pinard qui jette les bases de la puériculture intra-utérine; constatant que des femmes amaigries et misérables à l'entrée prennent de l'embonpoint et mettent au monde de beaux enfants, il affirme : «le facteur principal qui abrège la vie intra-utérine alors que la mère est exempte de toute maladie, c'est le surmenage; le poids de l'enfant d'une femme qui s'est reposée pendant les deux derniers mois de sa grossesse est supérieur d'au moins 300 grammes à celui de l'enfant d'une femme qui a travaillé debout jusqu'à l'accouchement». Il fut dès lors militant farouche du repos et de la protection des mères, puis du non-travail des femmes, jusqu'à sa mort; pour Danan, la dernière phrase entendue de cet illustre médecin est : «il faut absolument soustraire la mère à la nécessité de gagner sa vie et celle de son enfant; sur cette mince question d'argent, c'est toute une civilisation qui se joue».

Pendant vingt ans, les novateurs furent peu suivis et la mère abandonnée est dans une «situation misérable». Paris ne leur offre dans les hôpitaux que quelques lits appelés «dortoirs» et la circulaire du 31 janvier 1840 portant règlement pour le service intérieur des hospices et hôpitaux est toujours en vigueur : «les femmes enceintes, faute de place, peuvent être traitées dans l'hospice ainsi que les teigneux, les vénériens. Les femmes enceintes indigentes ne sont reçues dans l'hôpital qu'en cas d'urgence ou lorsqu'elles ont atteint le terme de leur grossesse». Pendant la Grande Guerre, Pinard, vice-président de l'Office Central d'Assistance maternelle et infantile, ouvre 895 lits dans la place de Paris pour les femmes en état de gestation ou les mères nourrices. De même à St-Étienne, sur proposition du Dr F. Merlin, est créée, en septembre 1914, la Maison maternelle et familiale, œuvre départementale; c'est la première fois qu'est employé ce terme, dont s'explique le Dr Merlin : «nous n'avons jamais eu l'intention de créer une annexe d'hôpital ou de maternité, mais d'organiser un service nouveau d'assistance où pourra s'accomplir en dehors des milieux réservés à la maladie un acte physiologique qui, dans l'immense majorité des cas doit se produire sans complication».

La maison maternelle est la maison de la maternité; «œuvre synthétique» elle s'adresse à toutes les femmes, mariées ou non (54), et protège toutes les phases d'une maternité sans complications, grâce à de multiples services : consultations externes, service des enfants assistés, services où l'on reçoit les expectantes (à partir du 7e mois, le plus souvent au 9e), où l'on opère, où l'on soigne les accouchées (de 16 à 28 jours), où l'on garde les mères nourrices et les enfants. Cette maison maternelle est un petit établissement, mais P. Haury de l'Alliance Nationale, souligne en 1925 sa supériorité sur l'hôpital : «la vie de la mère se trouve compliquée au moment où il lui faudrait le plus de calme et de tranquillité : transport parfois précipité à la Maternité, puis séjour très court dans une atmosphère assez souvent pénible, enfin retour au domicile où la vie reprend avec ses difficultés», alors qu'à St-Étienne «tout est simplifié» et que, suprême avantage, les enfants peuvent y être reçus pendant le séjour de la mère; supériorité aussi sur les établissements réservés aux filles-mères : «en présence des difficultés croissantes de la vie, le problème de l'accouchement se pose aussi pour les femmes mariées».

En 1920, Pinard propose, pour augmenter la natalité, la création d'une maison maternelle (semble-t-il, pour toutes les catégories de mères) par département. La seule loi votée est celle instituant la Maison Maternelle Nationale de Saint-Maurice, dont nous verrons plus loin le fonctionnement. Lors de la session parlementaire de 1924, le député Faugère dépose une proposition de loi «instituant les maisons maternelles spécialement destinées à assurer les soins de natalité par hospitalisation et fixant les conditions d'entretien de ces établissements». L'année suivante, c'est au tour des communistes de déposer une proposition précise et maximaliste : ils demandent la création d'une maison maternelle par canton et ville de plus de 50.000 habitants, véritable maison de la maternité ouverte à toutes les femmes et assurant de multiples fonctions : hospitalisation, séjour, consultation, enseignement. La Commission des finances est réservée sur l'admission de toutes les femmes et la question traîne en longueur; ce n'est que le 1er avril 1930 que la Chambre adopte la proposition Faugère mais la Commission des finances du Sénat émet en 1932 un avis défavorable. Pour des raisons financières qui recouvrent aussi très certainement des raisons idéologiques (les mères honorables ne doivent pas cotoyer les filles-mères), et la question du pouvoir médical (la maison maternelle au sens large risque de le diluer alors qu'il est en train de conquérir la maternité par l'hôpital), le choix est fait de maisons maternelles, en nombre limité, et pratiquement réservées aux filles-mères ou aux mères très pauvres. En 1935, elles sont 108 en France et 33 départements en sont dépourvus.

Il existe trois catégories de maisons maternelles; la moins fréquente est la maison maternelle avec refuge d'accouchement, comme celles de St-Étienne, du Mont Saint Aignan, et la maison maternelle de la Marne dite «Maternité Anglaise» à Châlons, ouverte en 1914. Les deux autres sont le refuge prénatal et le refuge d'allaitement. Les refuges prénataux peuvent dépendre d'une œuvre privée comme, à Paris, les refuges ouvriers de l'œuvre de l'Allaitement Maternel : celui de l'Avenue du Maine (36 lits en deux dortoirs plus une infirmerie) ou de la rue J.B. Dumas (42 lits). L'Asile Pauline Rolland ouvert en 1890 accueille autant les femmes en chômage que les femmes enceintes. L'Asile Michelet, première œuvre officielle, riche de 180 lits, reçoit depuis 1893 en principe (mais le principe connaît de nombreuses entorses) les femmes françaises, domiciliées depuis un an à Paris, et atteignant 7 mois et demi de grossesse. L'Asile George Sand, œuvre municipale est un refuge de nuit pour toutes les femmes nécessiteuses (90 places). La province dispose aussi de quelques refuges comme la Maison des Mères de la ville de Lyon. Certaines maisons maternelles sont à la fois refuge prénatal et refuge d'allaitement comme celle de St Maurice.

Les plus anciens refuges d'allaitement dépendent de l'Assistance Publique : la pouponnière de Porchefontaine ouverte en 1891 et l'Asile Ledru-Rollin à Fontenay aux Roses (1892), où la durée de séjour n'est que de quinze jours et le nombre de place 50. L'œuvre de l'Allaitement Maternel en fonde un en 1910 (rue St-Fargeau) et l'œuvre des Mères et des Enfants, quatre pendant la guerre. La générale Michel, la colonelle Pallu ouvrent en banlieue de petits refuges (20 à 30 places) de deuxième convalescence où les mères sont accueillies pour des séjours de 6 à 8 mois. Au lendemain du conflit, l'A.P. et la Faculté de Médecine reconnaissent l'importance de ces refuges et ouvrent l'École de Puériculture de la rue Desnouettes (1919), l'Asile du Vésinet, l'Hôtel maternel de la rue Bidassoa (le fondateur est le Dr Le Lorier (55)), et la maison maternelle de Châtillon, annexe de l'Hospice des Enfants assistés. Cette dernière, sous la direction de Marfan, dispose de 60 lits et de 60 berceaux et accueille les mères sans ressources, quels que soient le mode d'allaitement ou la nationalité. «Le bien-fondé de ne pas séparer l'enfant de la mère» se traduit par un bas taux de mortalité infantile (28,6 o/oo en 1936); les mères restent environ trois mois et, assurant l'entretien ménager, elles reçoivent 1,50 F par jour et sont théoriquement placées à la sortie. Mais en 1936, sur 411 mères, 23 seulement ont pu se placer avec leur enfant, 95 ont rejoint leur famille, 95 ont mis leur enfant en nourrice, 2 l'ont abandonné; après l'asile, la vie reprend avec ses difficultés. La maison maternelle Louise Koppe a, quant à elle, un rôle bien spécifique : «recueillir gratuitement pendant trois ou quatre mois des enfants appartenant à des familles que la maladie, la misère, la mort ou la désunion ont disloquées».

Dès 1919, l'Alliance Nationale déplore l'insuffisance des places dans ces établissements; en région parisienne, pour les nouvelles accouchées, il n'y a que 339 places en première convalescence (séjour

MAISON MATERNELLE LOUISE KOPPE
(Cliché F. Thébaud)

d'un mois maximum au sortir de la maternité) et 190 en deuxième convalescence. *L'Annuaire statistique de la ville de Paris* permet de mieux connaître les utilisatrices de quatre refuges (Ledru-Rollin, Pauline Rolland, George Sand et Michelet) et de déceler quelques évolutions. L'Asile Ledru-Rollin (pour les mères) et particulièrement l'Asile Michelet (femmes enceintes) sont de moins en moins utilisés : 3.090 personnes y ont séjourné en 1919 (avec 180 lits, la durée de séjour n'a pu être longue) contre 560 en 1937 (1.551 en 1930). Par contre, Pauline Rolland et George Sand sont, à cause de la crise, plus fréquentées en 1930 qu'en 1919. Les femmes mariées sont très minoritaires ne dépassant le quart de l'effectif qu'à Michelet en 1919. Y sont essentiellement des femmes jeunes, âgées de 15 à 30 ans, et les parisiennes de fraîche date sont nombreuses; celles qui sont arrivées il y a moins de six mois à Paris constituent à Ledru-Rollin 47 % des pensionnaires en 1919, 35 % en 1930, à Michelet respectivement 41 et 53 %; Paris permet de cacher sa grossesse. Les étrangères de toute nationalité (mais belge surtout en 1919, polonaise en 1930) forment une minorité non négligeable : à Ledru-Rollin 3,9 % en 1919, 18 % en 1930; à Michelet 2,4 % en 1919, 16,6 % en 1930, 13 % en 1937; et dans les deux autres refuges environ 6 % dans les années trente. Presque toutes les femmes qui s'adressent à ces refuges travaillent mais ont des professions modestes : les domestiques (avec les cuisinières et les femmes de chambre, elles constituent du tiers à la moitié des pensionnaires, car être grosse et mettre au monde est impossible chez la patronne) et les journalières dominent mais s'y trouvent aussi des couturières, des ouvrières, des employées, et même des femmes de profession libérale.

A. Danan qualifie ces refuges «d'hôtelleries du Bon Samaritain». Pour Renée Lemaire, les maisons prénatales de la ville de Paris sont les «plus humaines». Voici la description qu'elle en fait, après enquête, le 17 octobre 1936 dans le *Journal de la Femme* : des femmes en uniforme, bas gris et pantoufles sont accompagnées au réfectoire par une surveillante (56) en blouse blanche qui leur dit : «Allons mesdames soyez sages» car il est interdit de parler au réfectoire. Comme dans les internats scolaires, après les repas il y a la récréation au préau; il est possible de sortir le dimanche mais en semaine il faut demander l'autorisation; au dortoir la surveillante veille et dort dans une cabine vitrée : «c'est la même palpitation que chaque soir elle entend et surveille, palpitation faite de murmures, de soupirs, de pleurs contenus». Renée Lemaire évoque la misère morale des jeunes filles et leur dénuement matériel («pas toujours de quoi acheter un timbre»), mais elle ne semble pas choquée de l'organisation carcérale de cet univers; elle ne perçoit pas la lucidité du jugement suivant d'une pensionnaire, qu'elle offre à ses lectrices pour montrer «l'insouciance générale des jeunes en groupe» : «l'épatant ici, c'est qu'il ne peut y avoir de jalousie; on est toutes du pareil au même : une vraie fabrique de filles-mères». Même ces deux journalistes, Alexis Danan et Renée Lemaire qui sur d'autres sujets ont adopté des points de vue progressistes, n'ont pas conscience ou ne veulent pas reconnaître que la fille-mère est une production sociale; ils demandent seulement plus d'assistance et louent la *Ligue pour la protection des Mères abandonnées*.

Cette œuvre privée, fondée en 1925 par Mme Besnard de Quelen, installée d'abord dans une baraque du Boulevard Lannes, puis rue du faubourg St Honoré, accueille toutes les mères qui ne trouvent pas refuge ailleurs, faute de papiers, de place, ou parce qu'elles n'ont pas le temps réglementaire de la grossesse; elle leur offre gratuitement «un lit, du lait, du pain, du secours, des conseils, une nourrice, une place» car un ouvroir et une école ménagère forment les femmes. L'œuvre facilite aussi l'adoption des enfants abandonnés. En onze ans de fonctionnement, l'œuvre a permis l'adoption de 150 enfants et aidé 10.000 mères : «il y a là dedans de tout. Des pauvres filles de toute race, des femmes mariées et mal mariées, des adultères et même des femmes du monde» car la maternité illégitime fait déchoir; «il y a des grand-mères qui apportent en secret le fruit caché de leur fille; il y a des institutrices épouvantées par le scandale; il y a des jeunesses que leur père tuerait; il y a tout ce que l'on voit de tragique autour de la faute et de ses conséquences».

«Faute», voilà le terme. Au nom de cette faute, la société qui veut sauver l'enfant et donc éviter la séparation, se réserve le droit d'exclure les filles-mères de la vie normale, avec des arrière-pensées de pénitence. Pour survivre, celles-ci n'ont pas toujours le choix.

Alors que dans les pays de langue anglaise, les maisons maternelles sont nombreuses, petites, souvent privées, ouvertes aux femmes mariées comme aux célibataires et disposent d'un règlement souple permettant à la mère d'aller travailler au dehors et de laisser son enfant dès trois mois à l'établissement, la France offre à ses filles-mères un sort peu enviable. Pénétrons dans la maison maternelle nationale de Saint Maurice, ouverte en 1920, la plus grande de France, et selon le Dr Trillat «le premier refuge d'allaitement établi d'après les données scientifiques».

Vivre à Saint Maurice (57)

Créée en octobre 1920, organisée par Pinard, et inaugurée le 12 février 1921, la maison maternelle nationale de Saint Maurice s'adresse à la fois aux femmes gestantes (depuis 1927 : 15 lits) et aux mères nourrices (195 lits); Pinard aurait souhaité une capacité de 600 à 1.000 lits, pour une durée de séjour d'un an. Maison nationale, elle reçoit provinciales et parisiennes sur leur demande mais une motion votée à l'unanimité en décembre 1920 par la Société des Accoucheurs des hôpitaux de Paris fait que les parturientes de Baudelocque, Tarnier et Port Royal sont admises en priorité; les chefs de service désignent les accouchées qui sont centralisées à la Maternité de Port Royal où l'ambulance de la maison maternelle vient les prendre lundi, mercredi et samedi. Son but est d'éviter l'abandon et la séparation, de conserver à l'enfant le lait de sa mère pour faire baisser la mortalité infantile des enfants illégitimes.

Les locaux sont ceux de l'asile de Charenton, partagé entre la maternité cantonale, la maison d'aliénés et la maison maternelle dans la partie droite de l'édifice. Ils comprennent sur deux étages neuf grands dortoirs de 24 lits dont un pour les infirmières et un pour les femmes gestantes, un dortoir de 12 lits, un lazaret de 8 chambres, un réfectoire, une salle de bains, une salle de jeux, une salle pour stériliser le lait et un laboratoire. Chaque grand dortoir est formé de deux salles de 7,80 m x 11,80 m avec 4,20 m de hauteur de plafond, les lits sont disposés de chaque côté avec les berceaux au pied; Saint Maurice ne semble pas souscrire à la recommandation du Dr Trillat d'un «logement confortable» pour le personnel, «meilleure façon de s'assurer une collaboration stable et dévouée». A côté des dortoirs se trouvent des salles de lavabos et des salles de change avec baignoires, lavabos, table de change, balance, et gaz pour chauffer les biberons (le Dr Trillat recommande en 1928 des boxes vitrés individuels et équipés pour la toilette des enfants). Comme les locaux, le personnel est partiellement commun avec la Maternité et la maison d'aliénés (un médecin résident, un adjoint, deux internes et une sage-femme) tandis que le personnel propre se compose d'une surveillante, de deux infirmières-chefs, de 21 infirmières et de deux assistantes sociales. Les ressources proviennent d'une subvention de l'État et de versements de l'Assistance Publique (8 francs par jour et par personne pour 60 mères en 1924, 12 francs pour 110 en 1926). Le prix de revient journalier est pour une mère et son enfant d'environ 20 francs en 1930, mais comme le souligne Roger Michel : «un enfant abandonné à l'Assistance coûte jusqu'à sa majorité de 20 à 25.000 francs, alors qu'un séjour de cinq mois revient environ à 3.000 francs». C'est au nom de tels calculs de rentabilité que le Dr Trillat demande dans son rapport de 1928 un statut légal et un budget national pour les maisons maternelles.

A Saint Maurice, la petite section pour femmes en état de gestation accueille des personnes «bien portantes», «nécessiteuses», «privées d'aide et de protection». Examinées par l'interne à leur arrivée, les pensionnaires ont un examen d'urine chaque semaine; elles peuvent, si elles le veulent, avoir un travail peu pénible à la lingerie ou faire des écritures; quinze jours avant la date présumée de l'accouchement, elles sont conduites en voiture à la Maternité Port-Royal. Selon Roger Michel, «beaucoup» reviennent après l'accouchement. Les femmes qui arrivent de la maternité sont munies d'une fiche de liaison où il est précisé qu'elles ne sont pas atteintes d'affection contagieuse (la petite infirmerie permet mal l'isolement; pendant son séjour, toute malade, sauf cas bénin, est évacuée sur un hôpital), que le poids du bébé est supérieur à 2,5 kilos (mais les hérédosyphilitiques sont admis la mère faisant elle-même les frictions mercurielles à l'enfant), qu'elles pratiquent l'allaitement au sein ou l'allaitement mixte et qu'elles désirent une longue convalescence. Les mères admises directement sont isolées pendant trois semaines au lazaret. Pour la plupart, ce sont des femmes célibataires (10 % seulement sont mariées, mais en divorce ou avec un mari au service militaire ou au sanatorium); les trois-quarts sont domestiques, à côté de petites employées, de modistes, de couturières, de dactylos; la moitié seulement viennent de Paris ou de la Seine. Dès leur arrivée, elles sont habillées avec les vêtements et le linge de la maison et reçoivent une literie pour le nourrisson; une fiche médicale est préparée pour l'examen détaillé du lendemain mais révéler son identité n'est pas obligatoire. La surveillance médicale est systématique : visite quotidienne aux malades et examen des sortants, visite d'un ou deux dortoirs chaque jour par le médecin chef et le soir contre-visite de l'interne.

Mais la maison maternelle est organisée avant tout pour l'allaitement des nourrissons. «La jeune maman inconsciente des besoins doit toujours non pas être remplacée, mais aidée par une infirmière patiente et dévouée»; les trois premières semaines, les mères sont au repos complet (elles se contentent de nettoyer la salle) dans le dortoir des «Petits Bébés»; il y a, avoue R. Michel, des «pertes», certaines femmes supportant mal cette claustration totale. L'allaitement maternel domine mais, malgré les «médicaments galactagogues», et «faute d'un personnel assez nombreux et spécialisé» pour mettre correctement les enfants au sein, plusieurs femmes n'ont pas assez de lait pour nourrir entièrement. Chaque jour arrivent 25 litres de lait de vache, aussitôt préparé (les biberons lavés à l'eau bouillie et garnis d'obturateurs bouillis sont chauffés 40 minutes au bain-marie à 100^0) et distribué à chaque mère pour la journée (les biberons sont tièdis dans les dortoirs au moment des têtées); le lait Gallia ou du lait de femme sont aussi utilisés. Saint Maurice ne semble pas avoir souscrit au conseil du Dr Trillat de «loger à part les nourrices insuffisantes» car c'est un phénomène contagieux avec le risque que circulent des biberons clandestins; d'autre part «du point de vue moral, il est de notion courante que la mère qui a nourri son enfant trois mois ne le donne jamais à l'Assistance». La dissuasion (tant pour les mères que pour les enfants !) inventée par Pinard est d'imposer la timbale au lieu de la tétine. Entre 4 heures et 21 heures, chaque têtée (toutes les 3 heures ou 2 heures 30) est pesée et inscrite sur un livre spécial.

«La vie de la nourrice doit être ordonnée» : tel est le principe qui régit la vie à Saint Maurice. Le lever est à 6 heures, le coucher

à 20 heures; la nourriture est «saine et substantielle» (viande, lé-
gume et bière midi et soir, un dessert en plus le midi, un potage
le soir), mais servie à des heures d'hôpital (7 h. 30, 11 h., 18 h.).
Les infirmières veillent sur les tétées et la bonne tenue; «la nuit
des rondes sont faites par la veilleuse pour éviter que les mères ne
donnent des tétées supplémentaires pouvant occasionner des troubles digestifs chez le nourrisson et aussi pour éviter qu'elles ne cou-
chent leur enfant dans leur propre lit». En cas d'indiscipline, l'administration pose d'abord un avertissement, puis c'est le renvoi à
Port Royal qui dirige sur une autre convalescence car «c'est une
mesure prise contre la mère et dont l'enfant ne doit point souffrir». Les visites sont rares : de 13 à 16 heures le jeudi et le dimanche au parloir, et interdites, par peur de la contagion, aux enfants
de moins de quinze ans; une autorisation spéciale peut être accordée au père et aux grands-parents de voir l'enfant dans une pièce
située près du bureau de la surveillante. Les sorties sont exceptionnelles; «les mères étant considérées comme des *convalescentes au
physique comme au moral*», aucune sortie régulière n'est admise;
il est des cas où la présence de la mère est cependant nécessaire
(convocations au tribunal, affaires de familles, décès), la sortie est
alors accordée par le médecin avec l'autorisation du directeur de
la Maison et après enquête du Service social, chargé de vérifier la
validité des motifs invoqués; à son retour la mère est considérée
comme suspecte et isolée pendant trois semaines au lazaret. Pour
éviter le motif inévitable qu'est la consultation de services de spécialités, R. Michel propose la création à la Maison maternelle de
consultations hebdomadaires pour yeux, nez, gorge, oreilles, dents.

Seul le travail (4 heures par jour) peut rompre un peu la mo-
notonie de cette organisation carcérale; certaines mères aident,
pour 25 francs par mois, à la lingerie, au réfectoire, à la blanchisse-
rie, ou au nettoyage; d'autres se voient confier, par l'intermédiaire
du Service social, de petits travaux de couture ou de tricot, ou pour
une rémunération faible «le soin de préparer des médailles pour les
familles nombreuses» !. Si le Dr Trillat déplore que «faire apprendre aux femmes un métier ou leur procurer des travaux rémunérés
se heurtent à l'indifférence», R. Michel est plus optimiste, tout en
regrettant «qu'elles n'économisent pas» : «la bonne volonté ne

manque pas... cette maternité est pour elles un accident, une épreuve; elles consentent à réagir, mais il faut les encourager, les aider, les diriger vers la reprise d'une vie normale».

Pour le travail des médailles dont le commanditaire est le ministère de l'Hygiène, l'argent est versé au Service social qui le distribue à la sortie seulement aux mères sans ressources ! Faut-il interpréter que cette production destinée aux femmes honorables ne doit pas rémunérer les mères fautives ? mais les racheter ?... L'assistante sociale a un projet d'ouvroir qui attend la nomination d'une surveillante de travail rétribuée (il fonctionne effectivement en 1932). Aussi seules 80 pensionnaires sur 180 travaillent régulièrement. Comme la société se refuse à payer la mère nourrice de son propre enfant (principe de Lagneau, vœu de Pinard), ces petits travaux sont pour les mères une aide financière à côté des secours charitables ou légaux. C'est le Service social qui s'occupe de l'obtention des secours normaux ou exceptionnels, organise trois fêtes pour les mères (à la mi-carême avec l'Appui maternel de Tarnier, en mai seul, à Noël avec deux bienfaitrices de la Maison), assure les liaisons avec les administrations, les œuvres privées et la famille et prépare la sortie des filles-mères, leur réinsertion sociale et surtout une solution pour l'enfant.

La première solution recherchée est qu'à la sortie l'enfant soit placé avec sa mère, ce qui advient, pour les trois années où je dispose de statistiques (1928, 1930, 1931) aux deux tiers des petits pensionnaires. L'idéal est que la mère rentre chez elle, dans sa famille – «il n'est pas de meilleur avocat que le Service social pour plaider la cause de la fille coupable auprès des parents» –; chez son mari ou ami – «le Service social tâche d'amener le père à plus de loyauté et au besoin fait intervenir les tribunaux» –; ou à son domicile, chambre qu'on l'a aidée à payer pendant son séjour à la maison maternelle. Les femmes qui vont habiter Paris ou la banlieue sont dirigées vers les crèches et les consultations de nourrissons proches de leur domicile; le Service social leur adresse une fiche de liaison contenant tous les renseignements importants car «on ne saurait se fier aux mères pour fournir ces indications, souvent elles n'ont pas compris l'importance de la thérapeutique entreprise et ne cherchent qu'à dissimuler ce qu'elles estiment déshonorant ou faux : que de mères ont des

Bordet-Wasserman positifs et restent convaincues de leur parfaite intégrité physique; si bien que la fiche qui leur serait remise en main propre, risquerait fort de ne pas être donnée au médecin de l'œuvre où on les envoie». La crèche exige pour l'admission un examen médical et les vaccins; l'enfant baigné et changé, y est nourri à heures fixes de biberons de lait stérilisé (58). La mère est visitée par des infirmières visiteuses et on lui indique les œuvres où elle peut trouver de l'aide, particulièrement les cantines maternelles si elle allaite.

Pour garder son enfant, la mère peut être placée comme domestique, nourrice, aide-infirmière ou berceuse de crèche. Lorsque la mère est domestique,«on cherche à placer l'enfant, dans une famille habitant à la campagne, un pays salubre, dans un local sain et bien tenu»; le salaire n'est que de 150 à 200 francs par mois mais «vêtir est la seule dépense qui reste à sa charge»; solution «intéressante» pour le logement, la nourriture et la facilité accordée à l'allaitement maternel, elle ne donne pas de garanties sanitaires sérieuses. Pour être nourrice, il faut disposer d'un excédent quotidien de 500 grammes de lait sur les besoins de son nourrisson, ce qui est assez rare; la nourrice est placée soit dans les hôpitaux parisiens (elle bénéficie ensuite d'une place de fille de salle et peut suivre des cours d'infirmière), soit dans les cliniques privées, les pouponnières ou encore chez des particuliers où le salaire est de 800 francs par mois (douze femmes seulement dans ce cas en 1928, deux en 1931). À défaut elle est placée comme aide infirmière ou berceuse au maigre salaire de 200 francs. Si la mère est mineure, elle est mise sous la surveillance d'un patronage, dans la dépendance du tribunal pour enfants. Enfin il y a des mères qui sont «évacuées» sans avoir trouvé de place suffisamment rétribuée pour élever leur enfant; elles sont envoyées en deuxième convalescence (parce que l'allaitement est artificiel, pour raison disciplinaire ou sur leur demande) ou confiées au Service social des hôpitaux, admises à l'hôpital en cas de maladie de l'enfant ou d'elles-mêmes.

Un tiers des enfants environ sont séparés de leurs mères à la sortie de la maison maternelle, celles-ci n'ayant pu ou voulu les garder, pour conserver le secret, reprendre un emploi, céder à la pression d'un patron, à cause du logement insalubre ou de ce que Delpech appelle «de la mauvaise volonté, le refus de subir le discrédit et l'isolement». La plupart des enfants sont alors placés en nourrice et protégés dans le cadre de la loi Roussel; certains sont placés non par le Service social mais par la mère; le coût de la nourrice est de 200 à 300 francs alors que salaire d'une domestique est de 300 à 400 francs et qu'une femme non diplômée à Paris vit difficilement car elle ne gagne que 600 à 1.000 francs par mois. Quelques enfants, après un isolement de 21 jours sont admis en pouponnière jusqu'à deux ans, et nourris au lait de vache provenant d'une vacherie contrôlée. D'autres plus nombreux sont placés jusqu'à quatre ans en centre surveillé qui assure une bonne surveillance médicale : des gardiennes nourrices, que la mère paie 200 francs par mois, dépendent d'un dispensaire qui distribue lait et conseils et où la consultation de nourrissons est obligatoire. Un très petit nombre d'enfants, issus de parents tuberculeux est envoyé en placement familial des tout-petits, placement gratuit mais, nous l'avons vu, sévère pour les parents malades, d'autres au dépôt pour un séjour temporaire, notamment lorsque la mère est malade. Enfin l'enfant peut être recueilli par sa famille.

Que deviennent ensuite les mères et les enfants ? Les assistantes sociales de Saint Maurice ont essayé de suivre 148 enfants sortis entre juin 1929 et juin 1930, et 269 enfants sortis l'année suivante. Respectivement 32 et 69 enfants n'ont pu être retrouvés; un seul a été abandonné, mais 12 et 29 enfants sont morts. La formule la plus meurtrière est le placement par la mère chez une nourrice souvent «ignorante» et «dénuée de qualité morale»; la meilleure est le placement par le Service social en centre surveillé car, explique le médecin résident de Saint Maurice : «la mère qui travaille et garde son enfant près d'elle est très souvent amenée à négliger ou son travail, et elle perd alors sa place, ou son enfant; dans l'un comme dans l'autre cas, c'est l'enfant qui souffre de la situation». Aussi Delpech propose-t-il la création d'un centre surveillé réservé aux enfants sortant de Saint Maurice, ou un service de garde d'enfants dans la maison maternelle; de même R. Michel souhaite une organisation permettant à la mère qui reprend son travail d'assurer la garde de l'enfant pendant la journée sans trop de frais, le seul établissement qui existe étant le refuge de Mme La Comtesse Hocquart à Nanterre, «sinon une dactylo devient domestique pour garder son enfant».

La maison maternelle ne résoud que quelques mois le problème des mères seules et des enfants illégitimes. Mais le Dr Trillat, tout comme R. Michel et R. Delpech, loue son existence et son fonctionnement. Car elle diminue le nombre des avortements et des prématurés, elle fait baisser la mortinatalité, la mortalité puerpérale et la mortalité infantile : à Saint Maurice la mortalité des enfants est en moyenne pour la décennie vingt de 17 o/oo. Elle est rentable car elle évite de nombreux abandons en développant le sentiment maternel : «il n'est pour s'en rendre compte que de voir combien les données de puériculture sont faciles à faire admettre et à faire suivre». Elle permet enfin le «relèvement moral de la mère abandonnée» : «les femmes de bas étage, les prostituées ne viennent guère y demander asile; les règlements sévères, les visites surveillées, la claustration prolongée éloignent de ces refuges les professionnelles du vice». Les améliorations demandées par R. Michel pour Saint Maurice sont, sauf un «travail facile, obligatoire et rémunérateur pour toutes les mères», d'ordre médical : la création d'une infirmerie dotée d'un personnel diplômé et compétent, de consultations de spécialités, d'une salle d'examen gynécologique, d'une chambre pour les rayons U.V., et l'amélioration de la technique de l'allaitement maternel en le faisant surveiller par un personnel moins insuffisant.

Sur Saint Maurice, nous ne pouvons malheureusement qu'écouter la voix du monde médical, qui, au nom du salut de l'enfant et de la société, préside à cet univers. Quelques voix minoritaires (celles de Lereboullet ou de Le Lorier) préfèrent la formule anglaise car «l'asile d'allaitement maintient la femme relativement enfermée et met obstacle à l'organisation de sa vie future»; deux sages-femmes interviewées m'ont dit, qu'à la fin des années trente, Saint Maurice commençait à être critiquée, mais personne n'écoute les pensionnaires. Dès 1922, la maison reçoit chaque année de 600 à 800 femmes qui y séjournent en moyenne entre 49 (1929) et 95 jours (1920), en réalité quatre mois, si on n'inclut pas dans le calcul celles qui partent les premiers jours. Elles survivent matériellement, paient un faible tribut à la mort mais subissent quatre mois d'enfermement : discipline rigoureuse, absence totale d'autonomie vestimentaire, éducative, et même de mouvement, impossibilité de s'isoler, difficulté de communiquer avec l'extérieur, solitude cruelle, absence de réconfort et de tendresse. Etres à part, femmes parquées, infantilisées, admonestées; fallait-il préférer la misère et affronter la société ? A travers le discours médical, on perçoit quelques éléments de rébellion : certaines femmes ne supportent pas le régime imposé et quittent rapidement la maison, d'autres sont renvoyées pour indiscipline, peu expriment d'ardeur au travail et presque toutes se méfient du Service social. Il est difficile de savoir comment était perçue la maison maternelle : comme un secours charitable, comme la juste punition de la déviance, comme l'expression de l'injustice sociale envers les femmes ? Tout est possible, avec plus ou moins de nuances, selon la personnalité et l'histoire de chacune. Mais il faut peut-être, pour oser s'exprimer, être un peu moins écrasée par la vie et les institutions. Henriette Valet témoigne.

«Madame Soixante bis» : Le cri d'une mère célibataire

«Suis-je moi aussi une femme écrasée par la vie et la misère ?» se demande Henriette Valet, après avoir erré autour de l'Hôtel-Dieu, forteresse où «les femmes enceintes pauvres viennent chercher un abri», avoir été admise, avoir revêtu − «honte écrasante» − l'uniforme − «une camisole et une chemise en toile d'emballage coulissées dans le haut, avec un matricule à l'encre grasse sur le devant» et des savates −, avoir été menée sous les toits dans la salle commune et être devenue Madame Soixante bis : son brancard est glissé entre les lits 60 et 61. Pas vraiment, dirai-je, car elle jette sur le monde de l'hôpital et la société un regard lucide et inquisiteur, pour en faire ce témoignage qui est aussi l'expérience personnelle et charnelle de la maternité.

Ses compagnes, «opprimées parce qu'elles sont pauvres, parce qu'elles sont femmes, parce qu'elles sont mères» sont des «boniches», des «zonières», des «chiffonnières», des marchandes des quatre saisons, des putains, «des demoiselles qui avaient des places dans les ateliers et les magasins» et que «ça embête de venir ici», des jeunes paysannes chassées de leur famille. Ses deux voisines sont une bonne de 23 ans au maigre salaire de 300 francs par mois, et une «petite juive engrossée un soir de fête». Ce monde est décrit comme un univers cloisonné − les femmes mariées ne se mêlent pas aux filles-mères, les étrangères sont reléguées dans un coin −, et mesquin :

disputes, médisances, boucs émissaires; à la petite juive atteinte de syphilis (le patron a dit «positif» lors de sa visite) on crie «pourriture»; on se moque des Polonaises. Médecins, étudiants qui «viennent repasser leurs leçons», et infirmiers n'ont aucun égard envers ces pensionnaires.

Henriette Valet décrit aussi les distractions : discuter, raconter sa vie, écrire à Rothschild qui donne de l'argent aux filles-mères, ou jouer la «mascarade» : un soir, c'est «une caricature bouffonne de la fécondité», le dimanche après les visites, c'est «la grande revue» où défilent la société et ses travers. Madame 60 bis est très dure contre la charité et ses personnages : l'aumônier «se moque bien des douleurs réelles, ce qu'il lui faut, c'est qu'elles soient bien supportées»; pouvoir être nourrice dans une maternité ne lui semble pas un cadeau mais un an d'enfermement; quant à la Dame de charité qui apporte des bonbons et la «Bonne parole», elle l'imagine «dans un futur musée avec cette pancarte à ses pieds : la Dame de charité — Époque : Capital».

L'accouchement approche. Henriette Valet se sent humiliée «de ne pas pouvoir penser», «masse qu'un levain travaille» et «prise tout entière par cette préparation», bientôt conduite en salle de travail. «D'abord je ne vois rien et je n'entends rien; la clarté est trop forte, les cris trop stridents; mais cette odeur, une odeur d'excréments et de pharmacie et aussi, et surtout, cette odeur plus âcre, poignante, l'odeur des secrètes entrailles, me prend». «Enfer de cris et de puanteurs». Dans la salle de travail, il y a dix lits et huit femmes «plus agrippées que des fauves aux barreaux»; les Polonaises «hurlent», elle fait de même bien qu'ayant juré de ne pas crier.

L'expérience la plus douloureuse est celle de la solitude, bien que peu à peu se dégage entre les parturientes une «fraternité» dans la douleur : «Personne ne s'occupe de moi. La solitude de la douleur me frappe d'un coup et m'affale sur un lit. Je suis seule... comme je voudrais voir un visage se pencher, le visage d'une femme qui sache ce qui se passe dans mon corps et qui ait de la bonté. Comme je voudrais serrer la main d'un ami». L'indifférence du personnel médical la choque profondément : les étudiants discutent littérature; «le docteur passe devant la file des ventres; mains gantées, blouse impeccable; il passe sans voir nos visages, seulement les ventres; pas un mot... pas le temps de parler aux femmes, évidemment. On donne de l'hygiène. Ça ne vous suffit pas ? C'est pourtant déjà bien beau pour des pauvres gens... Nous sommes des habituées de la souffrance : pas besoin de nous ménager». A la fin du travail, Henriette Valet est toute à l'écoute de son corps; voici le récit de son accouchement, l'expulsion et la réappropriation du corps après la sortie de l'enfant : texte très beau, unique — semble-t-il — à l'époque, certainement quelque peu scandaleux parce qu'une femme ose écrire l'indicible, le secret, parce qu'elle donne de la valeur à ces minutes qui ne sont essentielles que pour elle et où il peut y avoir de la «jouissance».

«J'ai dans mes membres tendus une sorte de joie sauvage... Je pourrais soulever un monde... Cette douleur n'est rien. Elle se résoudra dans la joie de la délivrance.

Encore un cri, un dernier, plus profond, un spasme, une torsion, une brisure. L'enfant se détache violemment; il est encore moi, et il n'est plus moi. Pendant un dixième de seconde, la souffrance est absolue. Je chasse mon enfant comme un ennemi. Je le lance et je suis déjà dans la folle joie. Et je le sens déjà vivre. Il jaillit de moi. Sa tête passe comme un énorme globe, comme une terre. Son corps coule, glisse.

C'est fini. Je ne sais plus ce qui s'est passé. J'ai entrevu, dans la féroce clarté, des visages enfin attentifs, des mains tendues vers un morceau de chair à forme humaine. On l'a emporté.

Que font les femelles dans la solitude, dans les forêts ? Moi, je ne pense pas à mon fils. On l'a emporté. Je m'anéantis. La vie s'étend, des bruits me bercent, expirent à mes oreilles, vents de feuillage, mers, rumeurs de foule. Je ne sens plus mon corps. Mêlé, fondu, désagrégé; en même temps la vie y rentre et c'est le bruissement liquide délicieux du flot sur la plage, fait de tous les bruissements, de toutes les gouttes, de toute l'écume, de tous les grains de sable. Ainsi toutes mes fibres ramènent à elles la vie et ce vide dans mon corps se remplit comme par la création d'un monde nouveau. Plus de solitude. Plus d'appel. Silence, jouissance.

Mais c'est court. Et bientôt me revoici au milieu des autres, face à l'horloge, avec les femmes douloureuses qui se tordent. J'ai soif. Je suis renfermée en moi, face aux instruments et aux murs et aux indifférentes infirmières dans la salle d'hôpital».

L'institution reprend ses droits et ne permet pas à la mère de vivre ces moments selon son rythme et sa sensibilité. «Embrassez votre enfant» : «l'infirmière apporte sur ses bras plusieurs paquets étiquetés, remuants, criards. C'est ça mon enfant ? Yeux sans regard, peau rougeâtre. Je frémis au contact des joues froissées, des mains fraiches, douces feuilles pas encore dépliées. Il ouvre sa bouche sans dents. Il crie. Je voudrais le garder un peu, connaître sa chair tiède, savoir pour qui j'ai tant souffert. Non. On l'enlève. Baiser rituel des mères. Après cette cérémonie morale, on le remet à côté des autres, sur une planche, alignés comme des pains de trois livres».

Dernière expérience tragique : la délivrance ne se fait pas et l'interne mécontent — «ce que c'est emmerdant celle-là, —ca n'a pas l'air d'aller et moi qui ai rendez-vous avec Titine» — plonge, sans gants, sa main dans le ventre d'Henriette Valet : «douleur inimaginable», «rugissement»; il ordonne la délivrance artificielle et le chloroforme car «elle gueule trop». Peur, douleur, fièvre puerpérale, la maternité accomplit son œuvre. Henriette Valet sort affaiblie, triste de n'être attendue par personne, mais forte de son expérience et d'une lueur d'espoir : «Oui, je rentre dans la ville, après une amère et salutaire expérience. Je reviens plus lucide, décidée, à agir non seulement pour moi mais pour toi, mon fils — mon enfant que j'ai conquis, qui est mien, uniquement mien et que je veux défendre et mener à la vie. Je n'ai pas su répondre à cette question : que faire ? J'ai seulement appris que mes colères intérieures et mes révoltes étaient inutiles. Je chercherai... L'hôpital disparaît derrière moi. D'autres femmes arrivent aujourd'hui, arriveront demain, chaque jour, pitoyables, marquées par toute la vie des femmes — et sortiront humiliées, brisées, aujourd'hui, demain, toujours peut-être... Non pas toujours !».

CHAPITRE II

LA MATERNITÉ, DES MATERNITÉS

«On l'assiste en tant que reproductrice pour des raisons économiques et non pour des raisons d'humanité; mais de la femme en tant qu'individu, de la mère, on ne prend nul souci».

Madeleine Vernet,
La Mère éducatrice, 1920.

«La tétée... la nature parfois bienfaisante a voulu que ce fut de la volupté».

Raymonde Machard, *Le Journal de la femme*, 2 déc. 1933 :
«L'amour maternel».

«Pas une mère, depuis le premier enfant, qui consentit à dévoiler son mystère. Mon étonnement est sans borne. Impuissance ?... Pudeur curieuse ?...» écrit Raymonde Machard. Dans *Tu Enfanteras*, elle «essaie humblement de traduire des émotions qui ont dépassé toutes celles qui enfantèrent». Lorsqu'elle consulte une sage-femme pour s'assurer de son état, «l'amant heureux devine», «il est devenu le père»; contrastant avec la solitude des parias, cette harmonie conjugale ouvre une grossesse heureuse, que Raymonde Machard prend le temps et revendique de vivre intensément. Ce fut une maternité triomphale; elle connut cependant des moments difficiles et n'empêcha pas la mort de l'enfant.

«On travaillait, on n'y pensait pas», puis, pendant l'accouchement, «on nous disait de serrer les dents» témoigne une cuisinière habitant un village. La maternité : des maternités. La diversité des vécus individuels est primordiale mais elle recouvre en partie des différences socio-culturelles; rurales et citadines, femmes du peuple, bourgeoises et intellectuelles ne vivent pas leurs maternités de la même façon. Je me propose de rendre compte de cette diversité, mais aussi de dégager des constantes caractéristiques de la période et de la place qu'elle donne à la femme-mère; sans prétendre à l'exhaustivité; en suivant les étapes de la maternité.

La grossesse : une période particulière ?

C'est le souhait des médecins, qui, tout en soulignant que la grossesse n'est pas une maladie, veulent imposer aux femmes des règles de vie et les placer sous surveillance médicale. Mais il y a l'exemple des mères et des grands-mères, il y a le poids des maternités non désirées, il y a l'organisation sociale qui n'accorde qu'un congé de maternité court et avec perte de revenu. Peu de femmes — semble-t-il — songent à faire de leur grossesse une période particulière.

Si Raymonde Machard a préparé avec ferveur son corps pour l'amour et la maternité, nulle source ne dit l'angoisse des règles qui ne viennent pas, signe que guettent les femmes avant — si elles y vont — toute consultation chez le médecin ou la sage-femme. A la fin des années vingt est mis au point un diagnostic biologique de la grossesse, fiable et précoce (59). La méthode la plus courante était alors l'examen clinique de l'utérus mais il ne donnait de certitude qu'à deux ou trois mois; les recherches étaient actives pour trouver des moyens de diagnostic précoce mais les procédés mis au point étaient soit dangereux (comme la méthode de Reeb : l'injection d'1/4 de cm^3 d'hypophyse provoque une contraction si l'utérus est gravide) soit peu efficaces (comme la réaction du venin de cobra : le mélange de venin, de globules de cheval et d'une goutte de sérum de femme provoque une hémolyse rapide si elle est enceinte). En 1928, Ascheim et Zondek utilisent comme animal réactif la souris femelle impubère et comme élément réactif l'urine de la femme; le principe du test est le suivant : le prolan, hormone pré-hypophysaire apparaît très vite en proportion considérable dans les tissus, les urines de la femme enceinte, sa présence est révélée par son action (après injection d'urine) sur l'appareil génital de la souris. Comme la folliculine produit les mêmes effets sur la femelle, la méthode est perfectionnée, l'année suivante, par Brindeau, Brouha, Hinglais et Simonnet qui utilisent des souris mâles sacrifiées huit jours après l'injection. Ainsi, dès trois à quatre semaines, la grossesse peut techniquement être connue avec certitude. Mais nous n'avons malheureusement aucune information sur la rapidité de diffusion de ce procédé, sauf que l'Alliance Nationale demande une réglementation sévère afin que l'avortement ne soit pas facilité. Les journaux médicaux mentionnent à la fin des années trente, deux tests expérimentés à l'étranger : la décoloration du bleu de méthylène par les cheveux de femme enceinte (découverte du soviétique Afanievski), et l'intradermo-réaction de Gilfillen et Gregg (apparition d'un érythème chez la femme non enceinte à qui on injecte une solution de prolan).

La science ne peut rien encore pour connaître le sexe de l'enfant dans le ventre maternel; des moyens empiriques sont employés sans fiabilité. Telle est la réponse du biologiste consulté par Raymonde Machard; il prédit cependant un garçon en enregistrant au stéthoscope les pulsations de l'embryon : ce fut une fille ! Peut-être les femmes évoquaient-elles entre elles des signes annonciateurs mais mes sources n'en font aucun écho; de même toutes les réponses des témoignages sur l'existence de recettes permettant d'avoir un enfant du sexe voulu sont négatives. Est-ce à dire que la parole médicale a détruit tout discours parallèle ? La faiblesse de mes sources sur ce sujet ne permet pas d'affirmation tranchée; la médicalisation de la maternité est une entreprise ambitieuse qui déploie de grands moyens mais elle rencontre parfois une résistance passive.

A Paris et dans les grandes villes, au début des années vingt, les femmes de milieu aisé ont pour leur majorité l'habitude de consulter un médecin ou une sage-femme pendant leur grossesse. Mais il y a les femmes de milieu modeste et le monde rural. En 1922, sur 100 femmes accouchant dans les maternités parisiennes, 25 n'ont pas consulté; à Lariboisière en 1928, encore 21 dont presque la moitié d'étrangères. Devraigne avoue être «désarmé» contre «les femmes négligentes»; il dénonce «les vieilles habitudes basées sur des préjugés», notamment l'idée que la grossesse est un «acte naturel» qui ne nécessite aucune précaution; il déplore «la fausse pudeur de jeunes filles redoutant la visite chez le médecin ou le spécialiste».

Même s'il recommande à ses étudiants la courtoisie et le respect envers les consultantes, il est facile d'imaginer, dans une société où le corps ne se montre pas, où le sexe est tabou, la gêne, le malaise des femmes qui bénéficient rarement, comme à Baudelocque, de cabines de déshabillage et de boxes individuels d'examen. La pudeur peut empêcher de nombreuses personnes de venir une première fois, et le malaise ressenti de tenter une seconde démarche. D'autant qu'à l'hôpital, «l'indifférence pour l'inconnue qui passe» est, selon l'Association des sages-femmes catholiques, une pratique trop fréquente; le ton des docteurs et infirmières est «parfois rude ou tout au moins empreint de commisération méprisante»; ce reproche de la *Mère éducatrice* est confirmé par le témoignage de deux sages-femmes de maternité. Le service social peut apparaître, même s'il distribue une aide effective, comme une instance policière qui juge et condamne un mode de vie; Renée Lemaire journaliste qui est du même monde que l'assistante sociale peut difficilement comprendre cette répulsion comme le montre sa description de Bandelocque : «à l'assistante so-

ciale, chacune donne don nom, son âge, indique ses maladies antérieures, le nombre de ses enfants, l'état de santé du mari, le prix du
loyer, les ressources du ménage, toutes indications qui, soigneusement notées, complétées à chaque visite permettront de mieux connaître la femme et de la mieux aider. Bien plus encore que dans ces
renseignements presque confidentiels, inscrits sur des fiches identi-
ques, c'est dans sa façon d'entrer, de s'asseoir, de répondre et de re-
partir que chacune m'a semblé dévoiler le plus d'elle-même». S'ajoute
souvent, puisque la consultation ouvre tel jour à telle heure sans
fixer de rendez-vous, une longue attente, incompatible avec une activité professionnelle.

L'idée que la surveillance médicale de la grossesse est un luxe
inutile est plus répandue encore à la campagne où la consommation
de soins est plus rare et l'infrastructure défaillante. Les citadines que
j'ai interviewées avaient consulté régulièrement pendant leur grossesse; deux villageoises m'ont fait les réponses suivantes : «on ne
pensait pas à se faire surveiller», et «quand ça va bien, pourquoi ?».
Pour une partie de la population féminine, si la mise au monde
nécessite la présence d'une personne de métier, la prévention pendant
la grossesse est une absurdité. Le développement des consultations
publiques ou privées, la loi sur les Assurances Sociales favorisent dans
les années trente une fréquentation plus large et plus assidue, malgré
toutes les limites déjà exposées. Le préfet E. Renard considère que
pour la Seine, les chiffres de l'année 1931 sont «réconfortants» :
pour environ 75.000 naissances, 50.000 femmes enceintes sont
inscrites dans des consultations, consultations d'hôpital pour les deux
tiers; avec celles qui consultent en médecine libérale, la plupart des
femmes ont ainsi accès à une surveillance de la grossesse. Mais il se
méfie de statistiques établies «sans aucune règle uniforme»; il soup-
çonne «des doubles emplois», car — et il n'est pas le seul à dénoncer
le phénomène — certaines femmes s'inscrivent à plusieurs consultations dans l'espoir de cadeaux.

Ainsi, dans la France de l'entre-deux-guerres, les attitudes devant les consultations de grossesse ne sont pas homogènes; il n'y a
pas encore de consensus social sur leur nécessité. Pour certaines elles
sont inutiles ou ne constituent qu'une obligation, et non un droit ou
un progrès social; car être enceinte ne change rien à la vie quotidienne.

Il faut le souligner : il est des femmes pour oser écrire ce qu'elles ressentent à l'écoute de leur corps, pour dire le plaisir de sentir la vie se développer en elles, pour analyser les sentiments et les sensations d'un état qui a pour chacune d'elles une valeur propre. A côté de Madeleine Vernet, nous trouvons Noémi, un personnage de Louise Weiss, et Raymonde Machard. Une nuit Noémi se réveille, son enfant ayant remué pour la première fois : «je n'osais bouger; anxieuse de ne pas manquer à son appel, je ne parus ni au bureau, ni à l'ambulance, ni à la mine; il me fallait du loisir; allongée sur une chaise longue, enveloppée d'un vêtement lâche, je fermais les yeux et ne pensais à rien; la gestation m'absorbait, de toutes mes forces je créais mon enfant». Mais cette sensation est ambivalente : la deuxième fois «le prodige s'évanouit en ne me laissant que le sentiment étrange et presqu'amer de l'indépendance du petit que je portais dans mes flancs... quelle suite pathétique de séparations que l'histoire de la maternité». Maîtresse de son travail, Noémi peut s'accorder de longs moments à elle pour répondre au grand bouleversement de son être, vivre et penser cet événement. De même, la journaliste et écrivain Raymonde Machard prépare de la layette, «trésors que (son) amour élabora pour lui» et écrit ce qu'elle vit pour offrir à un large public «un chant parfaitement modulé de l'amour maternel». Pour elle, la grossesse est avant tout joie, extase, beauté d'une vie qui naît et d'un amour qui se transforme avec l'amant-père, malgré les malaises et les douleurs qu'elle ressent périodiquement. Écoutons-la : «Mon ventre... même informe, menue pelote de ligaments rouges, où se devine l'émouvante structure d'un corps, mon cœur maternel en défaillirait de bonheur... Je souris en extase : mon fils a bougé, une ferveur qui me cloue sur place comme une croix de délices... Le corps de celle qui va être mère; ces deux vies en une seule; corps de mère, triste corps, torturé, étiré, balloté, battu...; combien l'amant en ces minutes se sent impuissant et souffre, cependant que la mère a posé dévotement les mains sur cet enfant bourreau jouant au bilboquet avec son cœur».

L'existence et l'intensité des malaises pendant la grossesse varient d'une femme à l'autre. Pour presque toutes, ils sont considérés comme «tout à fait normaux» et «on les supportait fort bien sans chercher à les atténuer»; il n'est pas question de s'allonger, de se ménager : les malaises de la grossesse ne sont pas un motif acceptable pour un arrêt de travail. Mme R. est très explicite sur ce sujet : «il fallait subir les malaises, nausées, vomissements; aucun remède ne m'a jamais été prescrit; il ne fallait pas penser arrêter le travail; un patron ne l'aurait pas admis». Une grande majorité de femmes, pour qui l'impératif premier est le travail ménager ou professionnel, vit la grossesse, par la force des choses, comme une période ordinaire dotée de quelques désagréments supplémentaires. Chez certaines, et particulièrement les femmes rurales, s'ajoute – mais il est impossible de dire dans quelle proportion – le sentiment positif qu'elles sont capables de mener, enceintes, une vie normale; il y a de la fierté rétrospective chez celle qui raconte que «deux jours avant l'accouchement, elle binait les carottes», chez celle aussi qui «entre les douleurs voulait faire de la tarte». Travailler jusqu'au dernier moment est le lot de beaucoup et la préparation à l'accouchement est quasiment inexistante.

«On attendait tranquillement» dit une personne interviewée, tandis qu'une autre précise : «entre femmes nous en parlions mais jamais avec ma mère; il y avait des récits traumatisants; comme toutes les autres j'ai eu peur; il n'y avait pas de préparation». Pour les primipares, les récits d'autres femmes étaient la seule source d'information sur ce qui les attendait : tantôt résignés et rassurants – «c'est le mal joli, sitôt fini on rit», disait-on – tantôt angoissants : une aide soignante de la Salpétrière «s'attendait à souffrir» selon les dires d'une mère de onze enfants. Par pudeur, honte ou peur, certaines jeunes femmes évitent ces conversations. Les mères sont tantôt celles qu'on ne peut pas interroger, tantôt les confidentes qui racontent et aident à attendre «l'heureux événement». Plus ou moins anxieuses selon leur entourage et leur réceptivité, toutes les femmes enceintes vivent dans l'incertitude jusqu'à l'échéance. La D^esse Houdré Boursin décrit longuement les lieux possibles d'accouchement mais n'en explique pas le processus; elle indique seulement qu'il donne lieu «à des douleurs variables»... Pourtant, dans les années trente, des méthodes de préparation à l'accouchement existent ou sont à l'étude en Europe. C'est en U.R.S.S. la gestation de la méthode psycho-prophylactique basée sur la physiologie cérébrale et la théorie des réflexes conditionnés; le but de

Velvoski, élève de Pavlov, est de démystifier l'inéluctabilité physiologique de la douleur et de former les femmes à adapter leur comportement aux différentes étapes de l'accouchement. C'est en Angleterre la mise au point par G.D. Read de «l'accouchement sans crainte»; pour Read en 1933, «aucune loi naturelle ne justifie la souffrance de l'accouchement»; la cause de la douleur résulte d'une interprétation fausse des sensations due à l'état émotionnel des femmes en couches; or les contingences émotionnelles peuvent se résumer d'un mot : la peur, peur provoquée par la solitude, l'ignorance, les récits terrifiants, le cadre des maternités; il s'agit alors de rompre la triade peur-tension-douleur par l'entraînement physique, la relaxation et l'information. Cette méthode bénéficie essentiellement à la clientèle de Read qui reste isolé, en butte à l'hostilité du corps médical anglais et de l'Église anglicane. Il ne semble pas connu en France où le monde des médecins est particulièrement fermé à ces recherches, à l'exception de l'Association des femmes-médecins qui fait connaître en France en 1937 l'expérience de kinésithérapeute de Margaret Morris, et souhaite une expérimentation précise dans les maternités françaises.

La méthode de M. Morris présente des similitudes avec celle de Read si elle n'en a pas le fondement idéaliste. J'ai déjà évoqué l'hygiène de la grossesse et les exercices physiques destinés à maintenir le corps en bonne santé et à préparer les muscles adéquats. Il s'agit aussi d'instruire les femmes du mécanisme «dilatation-expulsion-délivrance» car l'ignorance fait de l'accouchement «un moment redouté sans proportion avec la réalité des faits»; de leur enseigner «à supporter au mieux la période généralement pénible au point de vue moral et souvent fort longue des douleurs de dilatation» par la pratique de la relaxation et de la détente respiratoire; de leur apprendre à pousser pour l'expulsion et à se décontracter entre les douleurs. «S'il est vrai qu'un homme averti en vaut deux, une femme instruite et préparée au déroulement mécanique de son accouchement facilitera beaucoup le rôle de son accoucheur» : au nom de leur expérience — la vue de parturientes «inquiètes et crispées», «poussant à contre-temps» —, les femmes médecins demandent la promotion de telles méthodes qu'elles lient «à l'avenir de la race humaine et à l'angoissant dilemme de la natalité». Sans toujours mentionner explicitement l'objectif de l'atténuation de la douleur. Dans la France de l'entre-deux-guerres, l'accouchement semble devoir être une épreuve douloureuse.

L'accouchement : une épreuve ?

Comme toute technique du corps, l'accouchement présente un caractère culturel. Claude Revault d'Allonnes, dans *Le Mal joli* paru en 1976, montre qu'il s'inscrit alors dans un schéma doloriste faisant de la femme une mineure assistée : «l'accouchement traditionnel des pays occidentaux est un fait culturel dont le dolorisme est l'axe central et la douleur le mode d'expression, en même temps que la passivité en est la référence fondamentale imposée à la femme». La douleur est considérée comme normale, comme une loi de l'espèce; le dolorisme n'est pas seulement une attitude du malade mais aussi du médecin et de toute la société. A la veille de la deuxième guerre mondiale, René Leriche est une des rares personnalités à dénoncer ce schéma fondamental; dans *Chirurgie de la douleur* écrit en 1937, il écrit : «je crois de plus en plus que la douleur n'est pas sur le plan de la nature... qu'elle n'est pas dans l'ordre de la physiologie comme un bienfaisant avertissement de défense... La douleur n'étant pas le fruit d'un sixième sens de l'ordre humain, nous devons faire tout ce que nous pouvons pour la supprimer... Le devoir du médecin est de soulager ceux qui souffrent».

Les médecins-accoucheurs comme Devraigne (60), en liant contractions utérines et douleurs, font de la douleur un signe et un symptôme de l'accouchement; la douleur marque le début du travail et ses caractéristiques successives, reconnaissables aux cris de la parturiente, signalent les différentes phases : «il est facile de suivre le travail par l'allure et les cris de la femme». «Jusqu'à la dilatation de deux francs, les douleurs sont d'ordinaire supportables (douleurs-mouches); puis jusqu'à la dilatation complète, elles augmentent de violence, arrachent des cris déchirants aux femmes qui s'agitent et se tordent (douleurs préparantes)»; pendant la période d'expulsion, «les douleurs expulsives» arrachent des «cris sourds et gutturaux»; lorsque la tête sort, les douleurs deviennent extrêmement violentes («douleurs concassantes»). La parturiente peut-elle échapper à ces comportements attendus ?

Dans ce système culturel, les sages-femmes adoptent, selon l'enquête de C. Revault d'Allonnes, les attitudes suivantes :

1) la douleur est inévitable, la femme est un sujet souffrant : «il faut bien en passer par là, c'est pour tout le monde pareil et puis ça ne va pas durer longtemps»;

2) un enfant se mérite : «il faut être bien sage, être une bonne petite fille et tout supporter pour mériter son beau bébé»;

3) la souffrance est la rançon du plaisir : «c'est bien fait, vous vous êtes bien amusée quand vous l'avez fait; ça vous apprendra à faire l'amour comme une idiote; maintenant qu'il est rentré, il faut bien qu'il sorte»;

4) impatience et mépris : «qu'elle se grouille de faire son enfant celle-là; si elle ne se dépêche pas, on va lui faire un forceps».

Pour concrétiser et éventuellement nuancer ce schéma pour l'entre-deux-guerres, examinons ce que le monde médical impose aux femmes, ce qu'elles ressentent et expriment.

L'accouchement : sécurité ou corps meurtri ?

L'objectif de l'accoucheur n'est pas de réaliser un accouchement bien vécu par la mère comme grande expérience de sa vie de femme, ni un accouchement confortable, mais d'assurer la sécurité de la mère et de l'enfant, de réaliser un accouchement sans dégâts. Les progrès de l'obstétrique permettent le plus souvent d'atteindre cette fin heureuse, mais la mort, l'accident, les traumatismes sont encore menaçants. Il n'y a intervention contre la douleur que si les réactions de la femme, son agitation, nuisent au bon déroulement mécanique de l'accouchement. Comme le professe Devraigne en 1934 : «si l'accouchement est particulièrement long et douloureux, il est bon de permettre à la femme quelques moments d'accalmie... Un peu avant la dilatation complète *on* se trouve souvent bien de faire une anesthésie légère dite à la reine»; l'analgésie est une pratique exceptionnelle qui doit tout autant permettre à l'accoucheur de faire son travail que soulager la mère.

Mais, comme sur les interventions chirurgicales et les autres techniques d'intervention, l'unanimité n'est pas totale et les pratiques divergent quelque peu; la position de certains évolue au fil des ans. Pour Couvelaire, la douleur ne pose aucun problème, elle valorise au contraire la femme : «pour ma part, je garde encore toute ma tendresse pour les femmes qui, pleines d'espérance et de sérénité joyeuse, attendent sans crainte l'heure des suprêmes douleurs et les acceptent avec la volonté parfois stoïque d'être les premières à entendre le premier cri de l'être qu'elles ont nourri de leur sang; ne laissons pas périmer cette source de joie profonde, gardons-nous de cultiver systématiquement le désir des solutions rapides à heure fixe, dans le sommeil des anesthésies complètes; ne faisons rien qui contribue à diminuer la beauté morale des mères de nos enfants» (61). Couvelaire donne son point de vue mais s'arroge aussi le droit de parler au nom des femmes; elles ne sont pourtant pas toutes d'accord lorsque les douleurs sont trop longues ou trop violentes; comme Raymonde Machard qui subit un accouchement difficile dans une maternité religieuse, qui demande à être endormie et à qui on ne répond que «courage»; comme celle qu'entend crier Renée Lemaire dans sa visite de Port Royal : souffrant depuis deux jours, elle demande une piqûre; à la sage-femme qui l'encourage : «Allons, mon petit, vous allez avoir un beau bébé», elle hurle : «ça m'est égal ! tuez-moi, tuez-moi, je vous dis».

Le Dr Maurice Borgey qui écrit dans *La grande Réforme* de février 1935 un article au titre significatif — «Tu n'enfanteras plus dans la douleur» — dénonce les passéistes et vante au contraire «l'admirable trouvaille» : «de jeunes mamans, lorsque le temps de leur délivrance est venu, s'endorment d'un sommeil invisible et agréable et passent dans l'inconscience les moments terribles qui les attendaient. Elles sortent de leur sommeil au bout de quatre à seize heures, pendant lesquelles leur insensibilité a été absolue; en s'éveillant elles trouvent leur enfant mis au monde sans incident; désormais la plus injuste souffrance est évitée aux pauvres femmes; on les anesthésie sans gêner en rien le travail de la délivrance et sans nuire au nouveau-né; toutes les femmes auxquelles on applique la méthode déclarent que si elles avaient d'autres enfants, elles espéraient bien, d'une part, recourir à nouveau à l'anesthésie, d'autre part, conseiller son emploi aux femmes enceintes qu'elles connaîtraient».

De nombreux médecins invoquent les risques que comportent l'anesthésie et l'analgésie obstétricales et dénoncent les abus pratiqués dans les pays anglo-saxons où ils sont cause de mortalité. Fermés aux méthodes psycho-physiques, ils ne disposent en effet que de méthodes médicamenteuses qui leur apparaissent comme des armes à double tranchant : les analgésiques les plus courants n'agissent qu'en début de travail quand les contractions sont encore peu douloureuses; les plus actifs arrêtent le travail en même temps que la douleur et peuvent entraîner une naissance par forceps, donc sous anesthésie; ils exposent ainsi la mère et le nouveau-né à un double traumatisme : celui du forceps et celui de leur propre toxicité...

De quoi disposent les accoucheurs de l'entre-deux-guerres ? (62) Les produits utilisés pour une anesthésie générale sont le protoxyde d'azote, le chlorure d'éthyle qui présente un danger de contracture des muscles et d'asphyxie, l'éther, facile à donner par l'appareil d'Ombredanne, peu dangereux mais long à agir, et enfin le chloroforme très usité en obstétrique, d'action rapide et facile, mais nocif pour le foie et à l'origine de morts par syncope. En 1928, le professeur Delmas fait à la Société d'obstétrique et de gynécologie de Montpellier une communication retentissante sur «l'évacuation extemporanée de l'utérus en fin de grossesse» grâce à la rachianesthésie, injection d'un dérivé cocaïnique dans le canal rachidien, qui insensibilise la partie inférieure du corps et fait perdre toute tonicité au périnée et au col utérin. Les réactions sont vives; si Devraigne considère que «la question n'est pas encore fixée», d'autres accoucheurs comme Le Lorier ou Metzger dénoncent après quelques observations la difficulté et les dangers de cette nouvelle méthode, qu'il ne faudrait surtout pas considérer comme «un procédé assez anodin pour justifier son emploi dans l'accouchement à heure fixe pour l'agrément de la femme ou la satisfaction de l'accoucheur». Les résistances restent très nombreuses mais la rachianesthésie est progressivement adoptée par d'autres accoucheurs que Delmas pour répondre à des situations précises : en cas de résistance du périnée pour Brindeau, de rigidité du col pour Balard et Mahon, ou pour les césariennes, et Raymond Mahon lui prédit en 1931 «un gros avenir en obstétrique».

En 1935, Renée Lemaire assiste à Baudelocque à une césarienne opérée dans ces conditions :«entre les deux chirurgiens, une femme est étendue, la tête en bas, sur une table d'opération basculée; son ventre énorme est badigeonné de teinture d'iode, ses jambes flasques pendent entourées de flanelle; les cheveux cachés sous un bonnet de caoutchouc, les yeux grands ouverts, mais sans pensée, rien que l'angoisse résignée d'une bête qui meurt, elle assiste silencieuse aux ultimes préparatifs; elle n'a pas été endormie mais insensibilisée; une piqûre dans la moëlle épinière; de lourdes minutes passent dans le silence». La césarienne se passe bien, une sage-femme reçoit l'enfant dans un drap chaud; les risques pour la parturiente étaient peut-être moindres qu'en cas d'anesthésie générale, mais il est possible d'imaginer ce que suscite d'angoisse d'être livrée à une méthode nouvelle, et de voir partiellement l'opération.

L'anesthésie a de plus une très faible place dans l'enseignement médical français où il n'y a pas comme à l'étranger de chaires spéciales; le chirurgien utilise un externe qu'il forme sur le tas; quant aux sages-femmes elles ne bénéficient d'aucun cours ni d'aucune démonstration. Aussi l'anesthésie générale est-elle rare, pratiquée pour l'application des forceps ou la césarienne et utilisée surtout en maternité; mais il arrive que la sage-femme en clientèle, qui appelle un médecin pour un accouchement difficile, doive anesthésier à domicile...

Pour une analgésie, «atténuation notable de la douleur obstétricale», sans perte de connaissance, les accoucheurs disposent de plusieurs procédés. L'injection par voie sous-cutanée de scopolamine-morphine, qui est beaucoup utilisée en Allemagne, au Royaume-Uni et aux États-Unis, est, au 1er congrès de l'Association des gynécologues et obstétriciens de langue française à Bruxelles en septembre 1919, condamnée par Rapin de Lausanne comme hypnotique retardant l'accouchement, mais défendue par Leroy : selon ce dernier, le ralentissement du travail est sans danger sauf en cas d'inertie utérine; l'injection se pratique avant dilatation complète, le produit agissant au bout de dix minutes et pendant deux à trois heures. Douze ans plus tard, la méthode est semble-t-il (selon R. Mahon) abandonnée pour avoir provoqué trop de morts fœtales. Les progrès de la chimie ont apporté le somnifène que Mahon juge dangereux car il provoque des accidents et une agitation chez la parturiente et l'hémypnal, «maniable», ayant «une bonne action sur la douleur» tout en maintenant l'activité musculaire utérine, mais à l'origine d'états d'apnée chez les enfants. Ce même produit est considéré comme totalement inoffensif par le Dr Didier, assistant à la Maternité de Paris, qui affirme : «les enfants n'ont jamais paru souffrir en quoi que ce soit de l'analgésie des mères», «l'insensibilisation est pratiquement complète dans 25 % des cas, moins marquée dans les autres, mais cependant toujours appréciable et appréciée des parturientes». Publiant à la fin des années vingt une étude sur «la question de l'accouchement indolore», ce médecin considère que l'inodolence complète est encore un «but chimérique», mais l'atténuation de la douleur une ambition réalisable. Ainsi, les incertitudes scientifiques, réelles mais tolérées, s'ajoutent aux a-priori idéologiques pour faire de l'analgésie une pratique très controversée; chaque médecin, chaque accoucheur a son point de vue, sa pharmacopée qu'il considère comme la moins toxique, sa méthode qui lui semble la plus sûre et peu de femmes sont à même de choisir en connaissance de cause.

Le chloroforme à la reine – ainsi appelé parce que Simpson a appliqué cette technique à la reine Victoria pour la naissance de son huitième enfant le 7 avril 1853 – est pour R. Mahon le seul procédé qui présente une totale innocuité : la parturiente aspire par le nez quelques gouttes de chloroforme au début de la contraction. Pinard s'y oppose car une chloroformisation longue, nécessaire pour insensibiliser une primipare qui met longtemps à accoucher, provoque une inertie utérine et des hémorragies de la délivrance. Pour l'Association française des femmes-médecins, la méthode est au contraire d'une «innocuité suffisante» pour enquêter sur son existence et militer pour sa généralisation. G. Montreuil-Strauss présente un rapport à la séance de travail du 19 janvier 1932 : si la crainte de nuire n'est plus un argument recevable, les préjugés d'origine biblique sont encore forts et il est difficile de faire admettre par tous – elle ne souligne pas la différence d'aptitude entre les sexes – l'«idée qu'il soit désirable, utile même, de soulager des douleurs reconnues comme particulièrement violentes qui se répètent à chaque naissance et assombrissent d'appréhension, d'angoisses et de plaintes l'acte qui donne au monde un nouvel être humain».

Dans les pays anglo-saxons, cette analgésie d'abord réservée à quelques femmes privilégiées et aux cas de dystocie s'est peu à peu généralisée à toute «la classe bourgeoise» en clientèle de ville; en France, «la même évolution se produit actuellement et de plus en plus nombreuses, les femmes désirent voir atténuer leurs douleurs au moment de leurs couches». Dans le *Times* a été lancé un appel de fonds qui doit permettre aux maternités de Londres d'offrir ce confort à toutes, et l'Association des femmes-médecins pose publiquement, avec l'espoir d'une action en ce sens, la «question de savoir s'il serait pratiquement possible de permettre à toute femme en faisant la demande de recevoir dans les services hospitaliers une anesthésie partielle capable de supprimer tout au moins les douleurs de l'expulsion». L'analgésie ne lui semble pas devoir être un privilège de classe réservé à la clientèle riche et elle organise une enquête internationale, tout au moins européenne, sur sa diffusion dans les maternités. Melle Labeaume, responsable de l'enquête en Angleterre et obstétricienne dans le 17e arrondissement de Paris, obtient d'une maison de produits pharmaceutiques la fabrication d'ampoules de chloroforme de très faible contenance, et les expérimente avec succès sur sa clientèle; elle s'enquiert aussi auprès des services hospitaliers dont «plusieurs paraissent disposés à expérimenter cette méthode de narcose à doses fractionnées». Nous sommes au milieu de l'année 1932, aucune source ne mentionne pour les années suivantes l'état de l'expérience.

Il n'existe pas de statistiques sur l'emploi des analgésiques; les thèses de médecine sur le fonctionnement des maternités (Baudelocque, Boucicaut ou Lariboisière) sont muettes sur cette donnée et leur mutisme n'est pas innocent. Il semble que ce soit une pratique très rare, tant dans les maternités qu'en clientèle, bien que les sages-femmes puissent utiliser le chloroforme à la reine. Aucune témoin, de celles qui ont écrit à l'époque ou raconté aujourd'hui, n'a bénéficié d'une quelconque analgésie, et la douleur est au centre de leur expérience. Une seule, concierge dans le 15e arrondissement, qui a connu deux accouchements difficiles (une fille mort-née, puis un très gros bébé), bénéficia de ce qu'elle appelle «un accouchement artificiel» (sans doute l'injection d'ocytociques et peut-être d'analgésiques, puisque «ça va très vite», et qu'elle reste éveillée); elle précise que cette méthode était refusée à beaucoup d'autres car — sinistre idéologie du mérite — «c'était seulement pour les femmes qui avaient déjà eu beaucoup d'enfants».

Les sages-femmes sont des femmes, parfois des mères qui ont mis des enfants au monde mais elles peuvent difficilement échapper à la représentation que la société et le monde médical donnent de l'accouchement. Pour Mme Godillon, secrétaire générale de la Confédération des syndicats de sages-femmes, leur rôle est lors de l'accouchement de «faire entendre la voix de la sage patience, de la modération avisée, du respect des lois naturelles» (1938); les catholiques insistent sur la bienveillance qui doit ne pas ôter à la mère l'envie de refaire un enfant, et sur la charité envers la femme souffrante. Comme elles manquent aussi d'information et de formation, les sages-femmes dans leur grande majorité ne pratiquent pas l'analgésie. Nous ne pouvons avoir, pour l'entre-deux-guerres, l'équivalent de l'enquête de Cl. Revault d'Allonnes sur leurs attitudes; les deux premières semblent fréquentes, les deux autres, plus dures, ont dû exister; toutefois une ancienne sage-femme de Saint Louis soulignait que «l'accouchement sans crainte» est une «invention des sages-femmes» qui «parlaient» aux parturientes, et entretenaient une relation plus chaleureuse, plus rassurante que l'autoritaire et lointain accoucheur.

Mon propos n'est pas de distribuer félicitations ou reproches; accoucheurs et sages-femmes, groupes concurrents, s'attribuent chacun la paternité des pratiques progressistes et s'accusent réciproquement d'immobilisme. En 1941, Devraigne dont le point de vue a quelque peu évolué, fait dans *La Médecine* un article sur «l'évolution des idées pour rendre l'accouchement moins douloureux» : il souligne que, grâce «à l'expérience clinique des grands accoucheurs qui purent enfin prendre le pas sur la sage-femme», des progrès ont été faits pour «rendre l'acte sublime de la maternité moins pénible, plus supportable», pour «adoucir et abréger» l'accouchement. Adoucir par les analgésiques, abréger par les ocytociques qui favorisent les contractions de l'utérus.

Entre-les-deux-guerres, les étudiants apprennent que la durée normale du travail est de 18 à 24 heures pour les primipares (63), de 8 à 10 heures pour les multipares, longs moments de souffrance pendant lesquels le corps de la femme est totalement livré à l'accoucheur ou la sage-femme. Si l'association des sages-femmes catholiques recommande de laisser la femme prendre la position qui lui plaît jusqu'à l'expulsion, la relation avec la parturiente est le plus souvent dirigiste. Les accoucheurs ont mis au point des positions favorables à l'expulsion qui, «en usage chez les peuples civilisés» remplacent selon les appréciations de Devraigne «les sièges vraiment bizarres» longtemps utilisés.En Angleterre la position courante est le décubitus latéral et il se trouve des praticiens pour défendre la position accroupie qui augmente le diamètre pelvien. En France, la position banale est d'être allongée sur un lit avec un bassin sous le siège, les cuisses en demi-flexion, les jambes en flexion, les pieds sur le lit. Pour les bassins cyphotiques, Duncan a proposé la position de la taille − hyperflexion des cuisses − revue par Descamps et Devraigne qui conseillent dès 1910 l'extension des jambes qu'il faut alors soutenir pour éviter la fatigue; une position adéquate peut éviter une opération, faciliter l'application du forceps, et Devraigne qui n'a pas «l'esprit chirurgical» est un adepte de ces méthodes.

Dans un accouchement normal, les deux genoux de la femme sont calés de chaque côté et il lui est demandé de pousser avec les poings sur la tête du lit; le praticien «la dirige dans ses efforts en lui montrant à chaque douleur à faire une grande inspiration et à pousser en bas, la glotte fermée, sans proférer une plainte car «tout ce qui se manifeste par le larynx est perdu pour le périnée». La parturiente dont les cris étaient auparavant attendus, est invitée à ne plus se laisser aller à crier, et, sans préparation aucune, à contrôler sa respiration et ses muscles, à participer activement à son accouchement. Quant au praticien, il doit faire sortir la tête sans rupture du périnée, par une progression lente et une action des doigts qui dégagent d'abord l'occiput, puis une bosse pariétale, puis l'autre. Devraigne professe que l'épisiotomie est possible, mais que la technique et la patience permettent de l'éviter. Schéma trop idyllique : la réalité était aussi ou plus souvent celle de femmes affolées, et de praticiens pressés ou peu soucieux de l'intégrité physique de leur patiente.

En 1924, le Dr J. Greder, accoucheur à la maternité Cognacq-Jay, réagit vivement contre la tendance, fréquente, à considérer les déchirures du périnée comme «des lésions banales» et accuse «le défaut de technique de l'accoucheur» car il est rare que l'enfant soit trop gros ou les tissus peu élastiques; ces lésions touchent alors, selon deux études, 30 à 35 % des primipares, 9 à 10 % des multipares (64). Les sages-femmes ont perdu l'habitude encore en vigueur au début du siècle de mettre la main sur le périnée mais le souci d'éviter les déchirures ne semble pas se développer rapidement. Au congrès des obstétriciens et gynécologues de 1937 est discutée la question de l'incontinence d'urine chez la femme qui résulte souvent de lésions mal soignées de l'accouchement : «le médecin, fatigué par un accouchement souvent pénible et ayant hâte d'en terminer, procède à la reconstitution du périnée dans des conditions défectueuses : insuffisance d'éclairage, absence d'anesthésie, désinfection trop rapide de la peau, suture n'intéressant que celle-ci ou application de quelques agrafes»; pour que la plaie ne se désunisse pas et que le périnée retrouve sa solidité, le professeur Vanverts de Lille préconise, en soulignant leur importance, les règles suivantes : anesthésier, désinfecter, utiliser des instruments stériles, reconstituer la partie musculaire de la plaie et surveiller la guérison.

«Dans nos pays et même en milieu hospitalier, trop de sages-femmes ont encore recours, pour obtenir un accouchement dit spontané, à une expression abdominale dont l'efficacité n'est pas douteuse mais dont la brutalité est révoltante et dont les dangers sont évidents» écrit le professeur Balard dans le *Journal des Accoucheuses* de septembre 1935. Mes sources ne mentionnent aucune autre dénonciation de cette pratique. Par contre l'expression de l'utérus et la traction sur le cordon pour précipiter la délivrance semblent assez fréquentes bien que fortement critiquées en France (en Allemagne elles sont courantes). Normalement, après une courte période de repos physiologique, les contractions reprennent et décollent le placenta qui tombe dans le vagin, sans une grosse hémorragie. Dans ses nombreuses conférences aux sages-femmes, le Dr Portes pour qui la délivrance artificielle est l'opération la plus dangereuse, recommande de ne «pas se hâter», d'attendre jusqu'à deux heures, de repousser la tentation, forte après la fatigue de plusieurs accouchements, de tirer sur le cordon. Devraigne conseille d'attendre trois heures avant de pratiquer la délivrance artificielle, puis de ne pas quitter la parturiente pendant une heure — en maternité le délai réglementaire est de deux heures — et de faire un examen sérieux de l'arrière-faix.

La surveillance des suites de couches adjoint à la mesure de la température la prise du pouls qui traduit mieux l'infection. Les injections vaginales, autrefois fréquentes, sont considérées comme dangereuses. Par contre l'unanimité est loin d'être réalisée sur la période de repos nécessaire. En 1947 le Dr Paul Morin peut encore écrire que les accoucheurs préconisent le lever de l'accouchée entre 10 et 21 jours après la naissance de l'enfant. Dans les décennies vingt et trente, les partisans d'un repos prolongé sont majoritaires. Pour Portes, le lever précoce est cause de rétroversion de l'utérus ou d'embolie; il permet, à celle qu'il qualifie de «malade», de se lever après 15 jours de pouls normal, et 21 jours si elle est primipare; il déplore la reprise trop rapide du travail et la brièveté du séjour en maternité : «c'est une chose très mauvaise dans les hôpitaux de faire sortir les femmes le douzième jour, toutes les femmes quelles que soient les conditions physiques dans lesquelles elles sont; c'est évidemment un gros danger; l'Assistance publique a une excuse : c'est qu'elle n'a pas assez de maternités et il faut bien que les femmes sortent pour faire place aux autres». Devraigne est du même avis, il autorise les premiers levers (très courts) à partir du quinzième jour.

Pourtant, dès 1919, Brouha concluait devant le congrès de gynécologie et d'obstétrique à l'avantage du lever précoce précédé d'une gymnastique rationnelle au lit; sans convaincre. En 1935 Gosselin commente dans un long article une expérience soviétique qui compare l'état de santé de 148 accouchées témoins et de 192 autres ayant pratiqué le lever précoce et des exercices de gymnastique; ces dernières ont de meilleures fonctions respiratoires, des selles dès le troisième jour, une involution utérine rapide, un sommeil facile, plus de lait et ne subissent pas d'accidents cardiaques; il peut conclure que le lever précoce permet une récupération plus rapide des capacités fonctionnelles et constitue le meilleur traitement préventif des prolapsus et de la rétroversion post-partum. Il n'est suivi que par l'Association française des femmes médecins qui propose en 1936 d'appliquer la kinésithérapie (exercices et massages) aux suites de couches et souligne que l'objection faite au lever précoce — le risque d'embolie − ne tient pas devant les récents travaux qui montrent que l'immobilité est un facteur nécessaire à la formation du caillot; «l'élément moral euphorique» ne lui paraît pas non plus négligeable. Comme pour la lutte contre la douleur, nous retrouvons ici une grande résistance du corps médical français. Pourquoi ? Incertitudes scientifiques, moyen d'empêcher les jeunes mères de se remettre trop vite au travail ? Certes, mais ce comportement ne traduit-il pas aussi − hypothèse vraisemblable − la peur de perdre un pouvoir difficilement acquis sur les parturientes. Portes ne conseille la gymnastique que le deuxième mois pour que l'ex-accouchée perde sa graisse et affermisse ses muscles de l'abdomen... afin de pouvoir être la future mère d'un autre enfant !

Le même disait aux sages-femmes en 1931 : «la question aujourd'hui, ce n'est pas tellement d'aider − au sens charitable du terme − c'est d'éviter les inconvénients réels qui peuvent se produire». Si l'individualité et le vécu de la parturiente sont effectivement rarement pris en compte, les «inconvénients» ne sont pas tous évités. La sécurité, voulue par les accoucheurs, n'est pas totale et s'accompagne souvent de traumatismes physiques et de l'expérience de la douleur. Laissons la parole aux femmes de l'entre-deux-guerres.

L'expérience féminine : douleur et solitude

Retrouvons Spirita, héroïne de *Ton Corps est à toi*, à la maternité de Marseille. «Spi a peur. Pourvu qu'elle ne meure pas... Les douleurs se rapprochent, perçantes, longues... Spi ne pense plus qu'à elle et à ce sale gosse qui lui distend le ventre, commence à coups de poings et à coups de pied son combat pour l'existence. Plus elle souffre, plus elle sent sa haine croître contre le père et l'enfant. Elle s'était jusqu'ici contenue, mordant ses lèvres. Maintenant elle fait comme les autres. Quand une grande douleur la parcourt, lui tord les reins, le bas ventre et jusqu'aux jambes mêmes, elle l'exhale d'un tel *cri* que la pièce entière en vibre... On l'emmène, *bête* terrifiée, vers la salle d'accouchement... Spi ne peut détacher ses regards du lit qui lui fait face. Une masse énorme, demi-nue − et dont elle n'aperçoit que le ventre qui baille et les jambes relevées, bouclées aux bras de force − pousse des han ! de geindre, entrecoupés de *beuglements de bête* qu'on égorge... Une *vocifération* suprême puis un aigre vagissement. Cette fois, c'est son tour. Les sages-femmes s'approchent, la font glisser vers le pied du lit, l'attachent... Cramponnée à son matelas, poussant de toutes ses forces pour se délivrer de son bourreau, elle perd toute conscience de ce qui n'est pas sa propre torture, toute notion du temps et d'elle-même. Elle est à son tour la *bête qui ahane et qui beugle*». La douleur de l'accouchement fait de la parturiente une bête hurlante; description romanesque, voix d'homme, certes mais les mêmes mots sont utilisés par Mme R. pour raconter son accouchement à Port-Royal : «il fallait que le travail se fasse et c'était des *cris*, des *hurlements de bêtes blessées* que nous poussions avec terreur; nous avions très mal». Évoquons encore le *«cri inhumain»* qu'entend Raymonde Machard lors de sa première consultation, sa peur de mourir lorsque son tour arrive; rappelons le serment non tenu d'Henriette Valet : ne pas crier.

Que disent ces témoignages ? Que l'accouchement est vécu, dans l'angoisse de la mort, comme une agression violente qui fait perdre toute dignité humaine et qui suscite le cri. Cris qui meurent contre les murs de la chambre familière ou cris qui s'entrechoquent dans la salle de travail collective : il n'y a pas de mise au monde sans cris. Cri multiforme : cri de souffrance, cri libérateur sans doute, cri de haine ou d'impuissance aussi, cri attendu par l'entourage. «Les femmes criaient beaucoup à l'époque» racontent deux ex-sages-femmes de Baudelocque; une personne âgée, ayant eu deux enfants dans les années vingt, emploie même une formule d'obligation en évoquant l'accouchement : «il faut crier». Les femmes semblent se couler dans le schéma doloriste décrit précédemment.

Il est intéressant de souligner que même les plus féministes, Madeleine Vernet, Madeleine Pelletier, Henriette Alquier parlent des «souffrances inévitables» de l'accouchement, tandis que Fernande Féron du *Journal de la femme* définit la maternité comme une «fonction sublime» qui «consiste à créer une vie nouvelle au péril de sa propre vie». Que penser de l'affirmation de Mme R. qui, après avoir évoqué les cris et la souffrance, écrit : «je me rendais compte que tout était à revoir à ce sujet» ? A-t-elle réellement fait cette réflexion à l'époque, n'est-ce pas plutôt la prise en compte de l'évolution des trente dernières années ? Il semble qu'il n'y eût pas alors, hors le milieu spécialisé des femmes médecins, de demande précise d'intervention contre la douleur de l'accouchement, ni de discours cohérent pour dissocier souffrances et mise au monde. Pour certaines, ce fut un traumatisme; d'autres souscrivaient à la formule : «c'est le mal joli, sitôt fini on rit» et on oublie; quelques-unes, les plus hardies, osaient réclamer une anesthésie lorsque la douleur durait trop longtemps; quelques-unes aussi le vivaient très bien. Mais à l'époque, il va de soi pour toutes que l'accouchement est une épreuve. Pour ceux qui savent ou peuvent revendiquer, l'insupportable est ailleurs...

Raymonde Machard a écrit un très beau texte, sensible et émouvant, sur son accouchement. A cause de «particularité physique», il est très long, et elle réclame tardivement une piqûre qu'elle n'obtient pas; elle accepte et revendique même les souffrances endurées, dans une version édulcorée de «l'enfant ça se mérite» : «mon accouchement fut anormal; sans doute était-ce pour que le rêve d'amour qui en devait éclore n'en fut que plus rayonnant». Cependant, elle dénonce la solitude qui lui est imposée, et crie le besoin d'une présence amie dans ces moments difficiles. Sa première expérience de la «grande épreuve» est la solitude, solitude dans la maison de santé de bonnes sœurs où «l'ostracisme terrible d'un esprit religieux» interdit à son mari de rester, solitude à l'hôtel où elle séjourne car elle n'était pas prête d'accoucher, solitude qui s'ajoute à la souffrance lors du retour à la clinique.

«La souffrance annihile tout, jusqu'à mon désir de rebellion. Elle a raison de ma volonté comme elle a raison de mon corps. Je ne suis plus occupée que de la recevoir écrit-elle. C'est une recherche savante — où il y a encore de la défense — de poses bizarres, sur les côtés, tantôt à plat, les bras étendus ou les jambes serrées... serrées... (Bientôt) je ne serai plus qu'une proie sous le joug de la nature. Attentive je m'absorbe dans le progrès de mon mal. La pince sournoise a lâché son étreinte.C'est maintenant comme une vrille qui travaille mes chairs. Je suis parfaitement son mouvement régulier qui semble faire le tour de mon être intime. J'ai le souci de savoir quand cette rotation intérieure atteindra mes nerfs, ces principes féminins de vie. Alors je crierai...». Tandis qu'elle espère

---

la venue de son mari, la dilatation se poursuit : «on dirait qu'une bête me creuse en dedans comme de la terre». Puis elle pénètre dans la salle de travail : «je voulus lancer mon cri comme le bûcheron lance son han qui semble le soulager de l'effort. Je ne le pus. Toutes mes fibres depuis les plus délicates qui bordent les tempes, celles du larynx si mouvantes, jusqu'aux solides rameaux qui se cachent dans les profondeurs de l'être, parurent s'amalgamer, composer une force unique pour le rejet magistral d'un corps devenu brusquement étranger. Soudain la sérénité des choses reprit et pour la première fois depuis que l'enfantement était commencé. Ce fut comme un éblouissement, tant cette saute bienveillante avait été inattendue. Mon système nerveux me parut être un vaste filet rejeté sur une surface calme. Chaque veinule ressentit sa propre détente, ma poitrine reprit son rythme habituel, ma bouche tout naturellement se ferma. Je connus la béatitude d'un havre. Plus rien. Pas même un trouble subsistant, rien qu'un apaisement profond né de cette dépense vivante. Et mon esprit s'aiguisait étrangement, atteignait à une acuité qui ne laissait pas de me surprendre». Mais les douleurs reprennent, longues heures sans répit où elle songe à l'enfant et à l'amant : «Pour la première fois — ce fut atroce et si brutalement cruel — je doutai de toi. Quel déchirement ! Comprends-tu, je doutais de toi, je ne croyais plus en toi, j'étais seule de nouveau, toute seule, épouvantablement seule». L'accouchement s'achève par une manœuvre de force dont elle «garde l'impression incroyable de mains, d'un bras presque, s'insinuant dans (s)on corps pour arracher une vie à (s)a propre vie». Voici, dans son intégralité, la fin de son récit :

«Ah ce dernier cri de l'écartelée, ce cri de résurrection et de suprême déchirement, ce cri de femme qui accouche, ce cri qui fait pâlir les hommes.

Il donnait le jour à un petit être sortant de mon être, lentement, et ressenti au passage, dans ses moindres formes, par une émotivité presque surnaturelle de mes chairs pantelantes.

Et son petit cri abolit mon grand cri.

....

C'est le ciel.....

Le ciel après l'enfer.....

L'oubli profond de ce qui fut pour ce qui est : mon enfant...

Je le tiens contre moi, farouchement. Mon enfant, mon enfant à moi... mon petit. Ah ! l'infinie douceur de te sentir si tiède sur ma chair... Mon tout petit... Tu pleures !... Est-ce que je te fais mal avec mon amour ?... Mon tout petit... Non ! Laissez-le moi !... Je veux le regarder sans fin... que m'importent vos soins... C'est lui que je veux... c'est pour lui que j'ai souffert... Laissez-le moi !... Ah ! quel vertige !... Voici que sa bouche gloutonne vient de trouver mon sein...

Et personne n'ose, malgré mon état, venir me le reprendre... Il est des sentiments si puissants qu'ils arrêtent les gestes les plus simples, des sentiments si divins qu'ils arrêtent la mort elle-même.

Et je revis en Lui.

Mon petit... ma petite, il paraît... mais qu'importe ! Je souris à l'ignorance des hommes comme au souci de fixer un sexe à ton entité bien aimée...

Mon enfant, uniquement, l'être de ma chair et de ma souffrance, tu es l'Amour que j'ai créé».

Raymonde Machard jouit des derniers instants de l'accouchement, son corps est à l'écoute de la sortie de l'enfant qu'elle peut toucher, contempler, sentir dans un tendre contact charnel; il ne lui est pas enlevé immédiatement comme à l'Hôtel-Dieu pour Henriette Valet. Mais toutes deux ont souffert d'une très grande solitude et leurs témoignages sont un appel à plus d'humanité dans les institutions hospitalières, afin qu'elles tolèrent la présence du compagnon ou d'une amie. Dès 1919, dans une série d'articles sur «le mensonge social et la maternité», Madeleine Vernet dénonçait cette réalité fondamentale de l'accouchement à l'hôpital qui traduit le mépris des hommes et pénalise les femmes pauvres : «elles doivent y entrer seules et il n'est permis à personne de les assister pendant les heures de souffrance». «Lorsqu'on vient en aide aux pauvres gens, écrit-elle, il semble qu'on le fasse en les méprisant, en ne tenant pas compte de leur individualité morale et affective; j'en appelle aux femmes qui ont été mères, qui ont traversé l'épreuve douloureuse et je leur demande si ce n'est pas un puissant réconfort moral qu'une chère présence, qu'un tendre baiser ému entre les crises de douleurs, qu'une main amie qu'on peut étreindre, serrer, broyer, dans ces mi-

nutes d'affolement et de terreur où il semble que la mort jalouse
guette dans l'ombre... Le compagnon, ou la mère, ou une sœur, ou
une amie, l'être cher devrait être autorisé à rester près d'elle... Comme on comprend bien que ce sont des hommes qui ont arrangé et
ordonné tout cela». Si la revendication est sincère et clairement ex-
primée, l'analyse est peut-être un peu schématique : elle tend à idéa-
liser l'accouchement à domicile et à parler en termes d'opposition
de classe alors que les cliniques qui accueillent la classe moyenne ap-
pliquent souvent le même règlement. La différence entre le domicile où tout est théoriquement, mais non culturellement possible, et
l'établissement hospitalier est l'existence d'une règle rigide qui y refuse la présence d'une personne étrangère. L'assistance du mari à
l'accouchement était «impensable à l'époque» disent mes anciennes
sages-femmes de Baudelocque; l'argument invoqué – l'hygiène – a
des fondements réels, il masque aussi une évidente volonté de pouvoir. D'autre part, les hommes, on y reviendra, ne semblent pas souhaiter assister à l'accouchement de leurs compagnes.

Madeleine Vernet reproche en outre aux maternités hospitalières la «rudesse» de l'accueil, le «manque d'hospitalité». Qu'en
est-il ? Le personnel, même à Baudelocque, n'est pas très nombreux
compte tenu de l'activité déployée; aussi les sages-femmes et les infirmières ont-elles peu de temps pour parler avec les parturientes et
les contacts sont limités. Le manque de personnel ou sa relative indifférence peuvent conduire à de petits incidents ou à de véritables
drames; en juin 1920, une aide-soignante était seule pour accoucher
à la Pitié et elle a été déchirée : l'interne était en vacances et l'unique sage-femme a dû s'occuper d'une urgence arrivant de ville. Maïna
Jablonska raconte une nuit de garde tragique dans une maternité de
province : une femme de marin atteinte de coxalgie congénitale
vient accoucher à la maternité (le premier enfant est mort à la naissance) car le professeur a promis un accouchement réussi avec forceps à dilatation complète; mais l'interne – indifférence meurtrière – refuse de venir à temps pour appliquer le forceps...

La maternité apparaît aussi comme un univers hiérarchisé, cloisonné, où est manifeste une très «grande différence de considération
entre les gens» : les sages-femmes sont des personnages importants
tandis que les malades, rarement de milieu aisé, sont peu considérées,

et que les plus pauvres, les avortées, celles qui veulent abandonner, sont humiliées. En général les sages-femmes méprisent les mères «lapines» qu'elles revoient tous les ans et certaines font discrètement de l'information contraceptive dans les visites de suites de couches (65). Si la maternité offre souvent un certain confort, compte tenu du niveau de vie de la majorité des clientes — et plusieurs témoins ont un «bon souvenir de leur séjour, disent avoir été «bien traitées» — elles n'a aucun respect pour la personnalité de la parturiente, niant ses susceptibilités, ses attaches et sa culture pour offrir de l'hygiène et de l'assistance. Celle qui arrive est déshabillée et lavée; «les gens étaient sales», «il y avait de la vermine, des poux, des morpions, et la siphilis», m'explique-t-on mais cette pratique serait aujourd'hui «impensable» car elle est humiliante, culpabilisante; est-ce pour cela qu'aucun témoignage ne l'a mentionnée ? Puis, après rasage du pubis, la parturiente est habillée du linge de la maternité, marqué A.P. à Paris : aucun vêtement personnel n'est autorisé et certaines femmes, disent encore les sages-femmes, vivaient mal cette obligation d'anonymat. Aucune mère ne l'a évoquée devant moi mais Madame R. se souvient avec horreur des initiales A.P. sur le pain.

La maternité est enfin un lieu de vie collective avec des règles strictes de fonctionnement. A Baudelocque les repas sont distribués très tôt : à sept heures, onze heures trente et dix-huit heures trente; le droit de visite est chichement octroyé : les visites ne sont autorisées que pendant une heure (deux, le dimanche) en début d'après-midi (de treize heures trente à quatorze heures trente) et trois personnes au maximum sont admises; les isolées ont droit à une demi-heure supplémentaire le soir. Les familles sont des intruses, d'autant que la salle commune ou la chambre collective ne permettent pas l'intimité. Se reposer ne devait pas être facile parmi des dizaines d'autres mères et enfants; si les plus grands dortoirs de Baudelocque sont de dix lits, Port-Royal connaît encore des salles communes pour quarante mères. Cette expérience de vie commune a pu être pour les unes un enfer — l'impossibilité de s'isoler, de se reposer, une solitude écrasante pour celles qui ne reçoivent ni visites, ni cadeaux —; pour les autres une période d'échanges et de relations chaleureuses. «Les femmes bavardaient beaucoup entre elles» racontent les sages-femmes, tandis qu'une mère se souvient «des gâteaux qu'on partageait».

La solitude et la dépersonnalisation qu'impose la maternité sont dénoncées par les partisans de l'accouchement à domicile. Il est vrai qu'un environnement familier, la présence réconfortante de la mère ou d'une autre femme de la famille font de l'accouchement une expérience moins pénible à vivre. C'est seulement parce qu'elle était «toute seule», sans famille, qu'une Polonaise mariée s'adresse à la maternité de la ville voisine. C'est parce qu'elles refusent la promiscuité, que beaucoup de femmes aisées accouchent chez elles. La douleur n'est pas épargnée à ces parturientes, la sécurité surtout à la campagne n'est pas toujours assurée, mais elles se sentent entourées. Dans certaines campagnes subsistent des traditions de mise au monde dont les gestes et les incantations conjurent les accidents, la maladie, la mort et même les déviations morales. Inscrivant l'accouchement dans le cycle des générations, elle le dédramatisent et la parturiente, entourée de codes et de personnes amies, ne connaît pas la solitude et l'angoisse de la mort.

Mon propos n'était pas de rechercher ces héritages et je ne peux en mesurer l'ampleur; aucune source médicale n'en parle, aucun témoignage n'évoque ces pratiques. Elles doivent concerner essentiellement des provinces reculées comme l'Auvergne dont Maïna Jablonska raconte la tradition; dans l'étable où se déroule l'accouchement, la «prière des honnêtes filles» : «Mon Dieu, bonne vierge, faites ouvrir la porte que mon homme a tant peiné pour ouvrir»; pendant ce temps, le mari va chercher la sage-femme, ou plutôt la matrone qui ne veut pas d'eau bouillie car les lavages sont des «façons pour femmes perdues»; «sous le drap pudique, elle glisse la main pour examiner sa cliente, le mari qui vient d'entrer détourne discrètement la tête»; puis, avant de l'emmailloter, elle bande les yeux du nouveau-né : «il ne se souviendra plus de ce qu'il a vu, de la porte par laquelle il est venu et il ne sera pas perverti, avant qu'il ait l'âge d'être un homme».Il est recommandé à l'accouchée de ne pas dormir pendant une heure pour mieux retenir son sang; tandis que la matrone et les hommes mangent une omelette, la grand-mère lui donne les instructions suivantes : «quand le cordon de ton petit sera desséché et tombera, tu le ramasseras dans le coin de ton mouchoir, puis quand tu seras levée, sans le dire à ton homme, tu coudras ce cordon dans la doublure de sa veste; tu lui laisseras porter sept jours bien comptés et après tu seras assurée d'au moins sept ans de vie pour ton petit gars... Ne coupe pas les ongles de ton gars avant un an sonné : sans quoi il aurait tendance à être voleur. Ne lave pas ses pieds avant le même temps : plus tu le laveras, moins il aurait d'esprit, car tu attirerais en bas le bon sang de sa tête». Imaginons le sursaut horrifié de nos doctes puériculteurs...

L'expérience masculine : un silence quasi général

Les hommes médecins inscrivent l'accouchement dans un schéma doloriste tout en exigeant des femmes françaises de nombreuses naissances. Les compagnons, les maris se taisent; le plus souvent ils tentent d'ignorer ce moment par la fuite; rares sont les hommes qui assistent à l'accouchement de leur épouse; sur dix-huit témoignages, deux évoquent la présence du mari pour un accouchement bien évidemment à domicile, sans préciser s'il est dans la maison ou près du lit. Plusieurs autres soulignent que l'homme refuse d'assister à cette affaire de femmes : «il n'y pensait pas», «il ne voulait pas», «il ne voudrait pas», «c'était impensable»... Absence, ignorance, bonne conscience ou fatalisme : attitude commode qui commence à s'effriter dans certains milieux. Faute de sources, je peux difficilement parler des sentiments masculins en face de l'accouchement, ou étudier l'éveil d'un comportement plus chaleureux. L'environnement socio-culturel et les règlements hospitaliers interdisent une participation masculine à l'accouchement et une communion entre les deux amants-époux. Mais une voix isolée, celle du mari de Raymonde Machard, nous dit que les choses ne sont pas ou plus aussi simples; dans une très belle «lettre du papa», il essaie d'expliquer à sa femme les ambiguités de son comportement et de ses sentiments :

«Ma chérie,

Je te demande pardon. J'aurais pu être là (à la porte de la salle de travail). Je n'y ai pas été parce que j'ai eu peur, comme un enfant nerveux, qui la nuit dans une chambre close attend, glacé d'horreur, la manifestation dans l'invisible de quelque chose qui doit venir et qu'il ne connaît pas.

J'avais peur...

Quand tu m'as dit : «va te reposer mon petit», je n'ai point refusé. Du moins à peine... J'ai pris mon chapeau avec tant de hâte que j'ai vu dans tes yeux étonnés passer une ombre. Qu'importe ! Je me suis sauvé, furtif et sournois, par les sombres corridors, en courant. Car je courais, pour fuir ainsi plus vite ta voix. Elle pouvait tout à coup, dans le silence monastique de la sainte maison me jeter son grand cri de faiblesse, son appel éperdu. Mon amour lui aurait obéi, tant il s'est habitué à t'environner, à t'escorter, toi ma sensible, plus égarée dans la solitude qu'une petite fille qu'on a perdue dans la campagne.

Je serais revenu près de toi. Mais je courais afin que la distance éloigne ta voix. La peur rusait avec l'amour... (marche dans la campagne pour se calmer). *Mais la pensée me vint, qu'à cet instant, alors que je m'appuyais sur une barrière rustique... tu subissais dans ton âme et dans ta chair les affres de la plus grande douleur humaine, toute seule, épouvantablement seule et à cause de moi...*

(Remords). *Puis j'ai tenté de m'absoudre par comparaison. Je me remémorais des souvenirs... Combien d'hommes n'avais-je point vus comme moi, durant l'accouchement de leur femme, avec des faces de pauvres bêtes aux abois, chercher des prétextes pour quitter la chambre pleine de cris, pour marcher, pour s'en aller n'importe où, mais s'en aller.*

(Retour lent, puis course quand l'effleure la peur de la mort de sa femme; personne dans la chambre; il se dirige vers la salle de travail). *Je fis quelques pas hésitants... J'avais honte de tant de couardise. Mais je savais bien que l'étrange malaise qui asservissait alors ma volonté et contre lequel je ne pouvais rien, dépassait mon raisonnement d'homme.*

A ce moment de tes flancs martyrisés naissait une vie faite aussi de ma chair et de mon âme, et ma chair et mon âme en souffraient mystérieusement. Tout à coup, un cri d'horreur, un cri d'abominable supplice vrilla le silence, s'étira, dura longtemps comme pour expirer toute la révolte d'un corps crucifié.

Ah ! je fus lâche abominablement. Je battis en retraite,

poursuivi par ton cri maternel, où se mêla, il me parut indis-
tinct et comme étouffé, celui d'un enfant qui naissait.

(Dans la chambre, à la fenêtre). *Atroce pensée : quelle*
chance d'être homme... c'est Elle qui a souffert et... moi je
respirais le parfum des roses... et pourtant dans la douleur un
enfant est né qui est mon enfant.

(On lui apporte l'enfant, il part retrouver sa femme).
Quand je t'ai aperçue, allongée sur la table d'opération, immo-
bile et si blême, avec tes beaux grands yeux noyés d'ombre, tes
lèvres sans salive, tes dents sèches et la sueur de tes tempes et
la misère de tes mains pâles sur lesquelles saillait le réseau com-
pliqué des veines bleues, un long gémissement s'est exhalé de
mon cœur. Je n'ai plus été l'homme pusillanime, ni le cérébral
nerveux, égoïste et compliqué, mais un homme qui aurait
alors souffert pour toi mille supplices sans une plainte s'il
avait pu abolir tous ceux que tu venais d'endurer.

(Après «un long et intime baiser», il retourne voir sa
fille). *Mon baiser s'appuya sur cette chair pour en connaître*
et savourer le goût. Un singulier vertige me fit fermer les yeux;
et quand deux petites lèvres humides, fureteuses, goulues, hap-
pèrent les miennes, quelque chose de divinement doux s'épan-
dit dans toutes les fibres de mon être et ruissela dans mes vei-
nes avec mon sang. (Il la prend dans ses bras). *Je sus alors, aux*
mots éperdus d'amour qui montèrent de mon cœur que ma pa-
ternité était née».

Ce texte est d'une grande modernité : analyse subtile du rapport
à la souffrance de l'être aimé, du rapport à l'enfant conçu mais non
porté, de la naissance de la paternité. Paternité qui peut se développer dans l'élevage et l'éducation du jeune enfant. Dans les décennies
vingt et trente, la paternité est rarement active, sauf dans quelques
milieux qui la prônent. En 1937, J. Debû Bridel dénonce dans la
Grande Revue le foyer bourgeois comme «harem monogamique»,
évoque sa joie «à donner le bain ou tricoter les pull-overs», et souligne une évolution positive dans le monde des travailleurs : «aujour-
d'hui, de jeunes ouvriers en casquette promènent leurs bébés dans
les parcs des faubourgs, le samedi, donnent même le biberon; cela ne
se serais jamais vu avant 1914» (66). Cet effort dans le partage des

tâches nous paraît aujourd'hui dérisoire; pour la société de l'entre-deux-guerres, élever les enfants et particulièrement les nourrissons est un rôle strictement féminin. Comment le vivent les mères françaises ?

La mère et le nourrisson : maman, marâtre ou puéricultrice ?

Les médecins, la plupart natalistes, moralistes et dirigistes, stigmatisent les mauvaises mères : celles qui abandonnent, celles qui refusent d'allaiter, celles qui se séparent de leur enfant, celles encore qui suivent des «préjugés» plutôt que des conseils éclairés. La mère idéale doit être une puéricultrice dotée d'instinct maternel, c'est-à-dire de dévouement et de sens du devoir.

Sans prétendre faire l'histoire de l'éducation ni celle de la relation mère-enfant, je voudrais analyser quelques comportements envers le nouveau-né et le nourrisson, et dégager ce qu'ils traduisent du sentiment de l'enfant et de la place de la maternité.

Les mères qui accouchent dans une structure hospitalière et qui y gardent le lit une douzaine de jours, ont, avec l'enfant qu'elles viennent de mettre au monde, une relation codifiée par le règlement et la pratique de l'établissement. Les soins au nouveau-né ne sont jamais assurés par les mères, mais les situations peuvent être très différentes; à la maternité religieuse de Fargniers, les enfants sont séparés des mères, et amenés seulement pour l'allaitement; à la Pitié, ils sont installés dans un coin de la salle commune; à Baudelocque, ils sont, sauf exception, près de leurs mères qui doivent, nous l'avons vu, participer à leur surveillance : conséquence d'une structure de petites unités, mais aussi volonté d'exercer le «sentiment maternel»; à Lariboisière, Devraigne a fait installer les berceaux au pied des lits et explique que ses clientes ont toujours « la hantise qu'on ne leur change leurs enfants». Même chose à Tarnier et Port-Royal. Sur ce point précis, nous ne savons pas ce que les femmes préféraient : elles étaient certainement partagées entre le besoin de repos, l'idée qu'elles ont droit à ce rare temps de non-travail, et l'envie de toucher, de connaître, d'embrasser leurs nouveaux-nés. De toute façon, la spontanéité n'est pas permise. Elle peut s'exprimer plus facilement en cas d'accouchement à domicile; la jeune accouchée garde le lit — certaines femmes rurales ne s'accordent que quelques jours et ne se font suivre ni par un médecin, ni par une sage-femme – mais l'enfant repose près d'elle, soigné par la grand-mère, la tante ou par une garde rémunérée.

Par un ensemble de pressions psychologiques, la maternité fait de l'allaitement au sein une obligation. Port-Royal semble particulièrement stricte. Renée Lemaire, dans sa visite, se fait raconter par une mère la vaine tentative de refus «d'une espèce de petite poule qui faisait un tas de chichis», et recueille le commentaire d'une infirmière : «ce qu'elle craint cette femme-là, c'est d'abîmer ses nichons... elle fait du cinéma». Ce mépris pour les récalcitrantes ou... les femmes sans lait est confirmé par le témoignage de Madame R. : «pas question de ne pas nourrir; moi j'avais du lait, ça allait mais il y en a qui vraiment ne pouvaient pas; alors c'était lamentable, les infirmières mécontentes s'en prenaient à ces pauvres femmes». A Baudelocque, la montée de lait n'est arrêtée, pour celles qui refusent d'allaiter, que le quatrième jour, et par la purge.

A domicile, le choix entre le biberon et le sein est possible, mais la pression culturelle favorise le sein. Il est impossible d'évaluer le pourcentage national d'enfants nourris par leurs mères; mais en milieu rural subsiste une tradition, encouragée par les autorités, d'allaitement au sein : il peut être long, dix mois, un an, et même seize mois (67); en milieu urbain, la propagande médicale semble avoir imprégné les esprits. Tous les témoignages explicites sur le mode d'allaitement soulignent qu'il est «bon pour l'enfant», «normal» de lui donner le sein; en cas d'impossibilité – manque de lait ou sa mauvaise qualité – le regret est exprimé. Toutefois, si la croisade pour l'allaitement au sein ne faiblit pas tout au long de la période, c'est qu'il existe encore des femmes à conquérir. Pour certaines, ce devoir a pu être vécu comme une charge inacceptable. D'autres ont ressenti et exprimé le bonheur d'allaiter; «c'était un grand bonheur d'avoir l'impression de continuer à donner la vie en nourrissant le bébé» m'écrit une mère de cinq enfants. Noémi, personnage de Louise Weiss, ose décrire un plaisir sensuel et affectif, si éloigné de la froideur exigée des mères et du dressage alimentaire : «j'adorais allaiter mon petit André; il était aussi avide de boire que moi de laisser couler en lui le lait dont il se gorgeait; sa tête duvetée s'appuyait contre ma poitrine; ses menottes me griffaient les seins, quand, amolli par le bien-être de la digestion, il les posait contre ses joues entre lui et moi et s'endormait dans mes bras comme dans un nid».

La maternité se voudrait aussi une école des mères non par le séjour qu'elles y font — le repos et la faiblesse du personnel gênent les relations d'échange et d'apprentissage — mais par la consultation de nourrissons que toutes sont invitées à fréquenter régulièrement. A défaut, il leur est conseillé de s'adresser à celle qui est proche de leur domicile. Lorsqu'elles fonctionnent bien, ces consultations semblent utilisées par les mères, mais elles sont très rarement la source exclusive des conseils d'élevage; les mères ou les amies sont fréquemment consultées et, en cas d'avis contradictoires, très certainement écoutées. D'autre part, elles sont insuffisantes et la médiocre qualité de certaines ne leur donne pas une bonne réputation; René Delpech déplore la petitesse des locaux et l'insuffisance du personnel; sans espérer l'idéal — les boxes individuels — il souhaite au moins que toutes les consultations disposent «d'un local vaste et aéré, d'une petite salle d'isolement pour les douteux et d'un cabinet médical à part». Aussi certaines femmes disent-elles n'avoir reçu aucun conseil et que «c'est venu tout seul», tandis que d'autres se souviennent des conseils de la sage-femme, de la consultation assurée par un médecin à l'école maternelle du quartier, et des médailles obtenues par leurs enfants aux concours de bébés. La médicalisation de la société est loin d'être achevée et les situations sont très diverses. Les cours ne semblent pas avoir eu un fort impact — même chez celles qui par leur âge auraient pu en bénéficier — et les manuels de puériculture réservés à une couche encore étroite de population.

Tous les témoignages explicites soulignent l'identité des soins accordés aux garçons et aux filles. En pleine époque du bleu et du rose, les attitudes sur l'alimentation, la propreté, les pleurs... de l'enfant devaient souvent différer selon le sexe. Il ne s'agit pas de mensonges, mais de pratiques inconscientes (ou faites en toute bonne conscience) auxquelles notre génération a été peu à peu sensibilisée (68). Par contre, pendant ces deux décennies, l'indifférence vis-à-vis de l'enfant recule encore pour disparaître presque complètement; sauf dans quelques familles, l'enfant a de la valeur et sa mort — la mortalité infantile est encore élevée — est douloureusement ressentie. Si une de nos témoins — Polonaise, cuisinière, femme de mineur qui devient ouvrier agricole dans un village de l'Aisne — se souvient que pour certains, la perte d'un enfant «c'était comme une bouteille cassée», elle-même élève ses deux enfants avec beaucoup de soins; pour Raymonde Machard, la perte de sa fille est un drame qu'elle met longtemps à surmonter; et Madame R. semble donner le ton de la période en écrivant : «je crois que quand un petit est entouré de beaucoup d'amour, il est protégé de bien des choses».

D'autres attitudes confirment cette place nouvelle de l'enfant. Dans une France où la protection sociale est encore faible, et le niveau de vie relativement bas, le malthusianisme peut aussi s'expliquer par ce regard porté sur l'enfant. Il se traduit pour le nouveau-né, par une moindre fréquence de l'abandon et surtout par le recul considérable de la mise en nourrice. Celui-ci peut être étudié précisément pour les enfants parisiens grâce à l'*Annuaire Statistique de la ville de Paris*. La Grande Guerre crée une rupture : avant 1914, un tiers des petits parisiens ne sont pas élevés chez eux, pour la plupart envoyés hors de Paris; dans la décennie vingt la mise en nourrice concerne 18 à 20 % des nouveaux-nés et ce pourcentage décroît rapidement au début des années trente, pour se situer en-dessous de 10 % à partir de 1935. La mise en nourrice des enfants de la capitale n'est pas encore un phénomène totalement marginal, mais c'est une pratique de moins en moins courante. Pourquoi ? Il y a certes une crise des nourrices, les femmes ne voulant plus accepter ce métier pas très rémunérateur; avec la crise économique des années trente, payer une nourrice devient impossible pour beaucoup de couples aux trop faibles revenus. Mais ce recul résulte tout autant de l'idée partagée par les nourrices potentielles et les mères, que chaque femme se doit à son enfant, que celui-ci est dès sa naissance un pôle de la cellule familiale. Une aide-soignante de la Salpétrière, épouse d'un employé de chemin de fer, m'a raconté avoir confié sa fille jusqu'à seize mois à une nourrice de la région de Sens : c'était en 1920; la nourrice était recommandée par une amie et demandait 160 francs par mois (soit le quart environ d'un salaire ouvrier); elle a cependant éprouvé le besoin de faire une visite à l'improviste, envoyant un télégramme tardif, pour voir comment sa fille était quotidiennement traitée. Cette femme exprimait la méfiance parfois justifiée de sa génération envers les nourrices : «la nourrice est souvent mauvaise... elle a toujours un poulet pour l'inspecteur... elle met de l'eau dans le tapioca...».

Ainsi, le principe qui selon les moralistes et les médecins doit présider aux relations mère-enfant : la non-séparation, est de plus en plus appliqué. Que deviennent alors les nourrissons en cas de travail de la mère ? A défaut d'une enquête systématique, je ne peux que formuler quelques remarques et hypothèses. Il y a selon Landry 534 crèches privées ou municipales en 1929; il est probable que la méfiance des travailleuses envers ces institutions (69) s'est amoindrie, et qu'avec la médicalisation de la maternité et de la société, les aspects fonctionnels − l'hygiène, la règle, la place des spécialistes... − sont de mieux en mieux acceptés. Mais leur capacité d'accueil est très insuffisante. La garde du nourrisson et du petit enfant devient pour les femmes qui travaillent à l'extérieur du domicile − elles sont de plus en plus nombreuses dans la population active féminine − un problème très complexe où l'aide des grands-mères, sœurs, amies, voisines n'est pas toujours suffisante. Ce problème peut aussi être considéré comme une des causes du malthusianisme urbain et il a poussé nombre de femmes à arrêter temporairement de travailler pour élever leurs enfants en bas-âge.

Qu'elles travaillent ou non, les mères de l'entre-deux-guerres sont de plus en plus des mamans, même si certaines refusent d'être des puéricultrices.

*

* *

Pour les mères de l'entre-deux-guerres, il est préférable d'être de condition aisée, de ne pas avoir «fauté», et de posséder une bonne santé. Mais qu'elles soient ou non des parias de la maternité, toutes les femmes subissent le dirigisme des institutions et des pratiques médicales; punies, rachetées, conseillées, elles ne savent pas et ne décident pas; leur personnalité est pour un temps niée, mise entre parenthèses. Toutes connaissent aussi, avec plus ou moins d'intensité, les douleurs et les angoisses de l'accouchement. Presque toutes se taisent, mais quelques-unes, des intellectuelles pour la plupart, osent dire et écrire ce qu'elles ressentent physiquement et moralement.

Pourquoi ne pas avouer mon heureuse surprise à la découverte de ces textes aux résonances si contemporaines... «Les gens ne réclamaient pas à l'époque» témoigne une ancienne sage-femme de Saint Louis; certes, la parole (y compris celle sur les douleurs inévitables...), la science, le pouvoir du médecin sont de plus en plus reconnus et acceptés, mais, prenant appui sur les anciennes pratiques à domicile, une revendication s'exprime clairement : le besoin d'une présence amie lors de l'accouchement car la solitude est alors inhumaine.

Depuis quelques années, de plus en plus d'établissements hospitaliers et de cliniques autorisent une présence étrangère; l'assistance à l'accouchement du compagnon, d'une amie, d'une parente est de plus en plus fréquente même si une étude fine montrerait de grandes disparités selon les localités, les établissements et les milieux sociaux. Mais depuis la guerre, pendant près de trente ans, alors que disparaissait progressivement et sans trop de résistance l'accouchement à domicile, les femmes ont accouché dans la plus grande solitude affective. En contrepartie elles pouvaient espérer la sécurité et un accouchement sans douleur. L'A.S.D., introduit en France dans les années cinquante sous l'impulsion du Dr Lamaze, constitue une véritable révolution mentale : il refuse l'ordre divin, l'inéluctabilité physiologique de la douleur, l'image de la femme passive et il forme les futures mères à adapter leur comportement aux différentes phases de l'accouchement. Il n'est pas de mon propos de faire l'histoire de l'A.S.D. (70), mais je ne peux résister à la tentation de citer cette perle dithyrambique, parue en guise de conclusion de «*L'accouchement au cours des siècles*», ouvrage de 1958 qui se veut le «panorama des progrès scientifiques de l'obstétrique» : «Nous n'avons pas voulu que la persistance anachronique d'anciennes superstitions puisse écarter ce livre du «plateau» de l'accouchée. Qu'il tranquillise la parturiente en l'amusant avant et après son accouchement sans douleur, distraie parfois son médecin et fasse prendre patience à son mari pendant ces heures qui ne restent plus pénibles que pour lui». Fort de son indéniable caractère progressiste, l'A.S.D. est parfois devenu une méthode normative et culpabilisante pour les femmes qui se préparent mal, contrôlent peu leur comportement ou éprouvent de la douleur. De plus en plus de mères en dénoncent les insuf-

284

fisances, se sentent mystifiées et osent le dire. Le livre de Marie-José Jaubert, *Les Bateleurs du Mal joli*, a libéré des paroles de femmes.

Depuis quelques années aussi les témoignages d'accouchement, les critiques et les revendications sur les conditions faites aux parturientes se multiplient. La voix puissante d'Annie Leclerc dénonce dans *Parole de femme* (1974) l'inhumanité de la maternité : «quelles que soient les garanties d'hygiène et de sécurité apportées à l'hôpital ou la clinique, l'accouchement pratiqué en série est ramené à la dimension de l'extraction dentaire... le mépris, la déconsidération de cet événement, qui représente pour la femme le moment d'une épreuve extrême et cruciale de la vie n'est autre que le mépris de la femme en général»; elle veut vivre la mise au monde de son enfant, moment essentiel de sa vie de femme, dans toute sa plénitude et non comme un acte médical pris en charge par des spécialistes indifférents; elle crie le bonheur d'accoucher — «de tels éclats du corps, de tels triomphes de l'organisme, une telle évidence de la chair emportée» — puis «l'exquise jouissance» de l'enfant. Au même moment, Frédéric Leboyer opère avec *La Naissance sans violence* un subtil glissement dans la réflexion sur la douleur; à la douleur de la femme qui accouche, il substitue celle de l'enfant, sujet et non pas nourrisson insensible; la souffrance de la mère se dissout dans l'accouchement-fête qu'est l'accueil sans violence de son enfant. Hortense Dufour a décrit «la promenade à Pithiviers» mais d'autres femmes craignent d'être «oubliées». Des expériences d'accouchement à domicile (71) ou la maternité des Lilas essaient de répondre à ces nouvelles préoccupations et de promouvoir ainsi une véritable démédicalisation de la maternité.

Au dirigisme de l'accouchement traditionnel ou de l'A.S.D. tentent de se substituer, avec la reconnaissance de la subjectivité de la douleur, le respect des rythmes individuels, le refus des règles (cris, positions, présences...), la recherche de relations chaleureuses. Mais par leurs témoignages, les Lucines des Lilas (70) montrent la grande diversité et la complexité des vécus; dans l'expérience de la maternité et de l'accouchement interfèrent de multiples éléments de la vie d'une femme : son rapport au corps et à la sexualité, ses relations avec la mère et le compagnon, sa vision du monde et de l'avenir... Peut-être est-ce pour cela que le «mouvement des femmes» n'a pas pris de position sur l'accouchement idéal, même si des groupes de réflexion sur la maternité sont nés...

Ainsi les grands traits du vécu maternel sont historiquement conditionnés par l'environnement culturel et les pratiques médicales et sociales. Si le schéma doloriste s'est effacé progressivement depuis les années cinquante, si la parole des femmes s'est récemment libérée et a imposé de nouveaux comportements, la continuité avec l'entre-deux-guerres s'exprime dans l'achèvement du processus de médicalisation de la maternité : généralisation de la protection des mères avec la mise en place de la Sécurité Sociale, disparition de l'accouchement à domicile, sophistication des techniques médicales et obstétricales. Ce processus a indéniablement fait reculer la mort et les accidents; aussi démédicaliser, vivre autrement grossesse et accouchement ne sont-ils encore que des vœux et des pratiques minoritaires, porteurs peut-être de débats et de transformations futures.

***

CONCLUSION

Pour tous, l'entre-deux-guerres évoque la paix fragile en Europe, la naissance et les problèmes du socialisme en U.R.S.S., la grave crise économique des années trente, la montée des fascismes et la marche à la guerre. L'histoire tragique d'une guerre à l'autre, la «grande histoire» qui a broyé deux générations et qui mobilise à juste titre les historiens. La France de la IIIe République s'y inscrit avec les «années folles», sa prospérité relative des années vingt, une crise qui ne fit que 300 à 400.000 chômeurs, sa peur du fascisme et «l'embellie» du Front Populaire, On rend compte généralement des archaïsmes de ses structures économiques et sociales, de la lenteur de la modernisation, du cloisonnement social maintenu par l'égoïsme des possédants; on évoque enfin le réflexe fondamentalement malthusien des Français des décennies vingt et trente, réflexe qui caractérise une société malade ou peureuse de vivre et qui, s'il n'est pas le mal absolu, est porteur de multiples effets négatifs.

Mon propos apporte un éclairage complémentaire et nuance quelques affirmations. Selon Lucien Febvre (72), «une histoire à part entière» embrasse «tout ce qui, étant à l'homme, dépend de l'homme, sert à l'homme, exprime l'homme, signifie la présence, l'activité, les goûts et les façons d'être de l'homme». Donner la vie est une activité humaine qui, si elle relève de choix individuels, est aussi le reflet de conditions concrètes historiquement déterminées; mettre au monde n'est pas seulement un acte biologique; la façon dont s'effectue la mise au monde varie selon les époques et exprime une culture, des rapports sociaux, la place de la femme et même un niveau de développement à un moment donné. Les femmes sont les protagonistes de cette histoire qui n'est pas de la «petite histoire». Le dirigisme des discours ou des pratiques médicaux, ou même le fonctionnement d'une maternité éclairent tout autant la société française que le bipartisme du système scolaire ou la répartition du patrimoine, sans «oublier» «la moitié du ciel».

Je voudrais aussi proposer une vision plus dynamique, plus positive du malthusianisme. D'une part, il manifeste la résistance des femmes et des couples aux exhortations multiples : tandis que s'affrontent en un combat inégal natalistes et malthusiens, tandis que tous les hommes veulent diriger les mères, les femmes se montrent rebelles à la maternité au nom d'une morale qui leur est propre. D'autre part, il stimule des Pouvoirs publics et des hommes politiques quelque peu indifférents au sort des familles, des mères et des enfants, un patronat longtemps crispé sur des situations acquises, un corps médical fier de ses progrès et sûr de ses prérogatives; il suscite des mesures sociales, ce grand mouvement hygiéniste de l'entre-deux-guerres dont la médicalisation de la maternité n'est qu'une des faces et qui veut faire reculer la mort. «La dénatalité est telle que...», leit-motiv des décennies vingt et trente en France; les assurances sociales et les allocations familiales, le développement des consultations pour femmes enceintes et nourrissons, la création des visiteuses d'hygiène sont des réalités nouvelles qui procèdent plus ou moins directement du malthusianisme français. S'il ne s'agit pas d'une véritable relation de cause à effet, le malthusianisme sert au moins d'argument de plus en plus recevable pour les législateurs réformistes et les hygiénistes convaincus. Si les mesures sociales apparaissent bien insuffisantes, elles ouvrent des brèches dans l'insécurité matérielle des familles et amorcent une reconnaissance sociale de la maternité. Si la pratique hygiéniste s'accompagne d'autoritarisme, si la médicalisation de la maternité est encore limitée, elles sauvent des vies humaines...

Lucien Lefebvre écrivait encore que l'histoire est «une reconstitution des sociétés et des êtres humains d'autrefois par des hommes et pour des hommes engagés dans le réseau des réalités humaines d'aujourd'hui». L'histoire est un questionnement du temps passé qui dépend des interrogations du temps présent et permet de mieux comprendre et s'engager. L'histoire est remise sur ses pieds, légitimée...

Mais dans un monde secoué par la crise, dans un monde où s'effondrent les assurances de croissance et de progrès, fleurit depuis quelques années une histoire qui se veut la recherche de racines et permet de s'inscrire dans la filiation des générations.

Ces femmes qui ont mis au monde des enfants pendant l'entre-deux-guerres, ce sont nos grands-mères. Nous faisons l'histoire de nos grands-mères, femmes-mères, d'il y a deux générations; histoire parfois susurrée de mère à fille, mais histoire collective gommée ou entrevue à travers le regard des hommes. Il s'agit certainement d'une démarche affective et d'une recherche de racines mais cela correspond aussi au besoin des femmes en mouvement de faire surgir une histoire trop longtemps ignorée ou déformée. Comme celle des peuples décolonisés, l'histoire des femmes réconcilie l'histoire-filiation et l'histoire questionnement engagé.

A nos grands-mères, je voudrais aussi rendre justice. Il est dit couramment que le féminisme était faible à l'époque. Certes peu de femmes lancent des attaques frontales (même pour exiger le droit de vote ou le droit au travail), mais beaucoup résistent au moins passivement, ou jouent sur les rôles imposés. On demande aux femmes de l'entre-deux-guerres d'être des mères prolifiques, de faire le plus d'enfants possible pour la France, de bien les élever, tout en ne leur promettant que douleurs et devoirs : devoir d'allaiter, devoir de discipliner, devoir de suivre les directives médicales... Tragique perspective. La réponse est une grève des ventres et pour certaines une façon autre de vivre et de dire leurs maternités, des maternités dont le plaisir n'est pas absent...

L'histoire des mères de l'entre-deux-guerres ou plutôt l'histoire de la mise au monde − son refus, son cadre social et idéologique, ses conditions matérielles, son vécu... − est un sujet complexe, indécis qui relève à la fois de l'histoire démographique et sociale, de l'histoire de la médecine et des mentalités. Leurs composantes éclairent un aspect fondamental de la condition féminine de l'époque. Depuis la guerre, elles se sont développées chacune à un rythme spécifique, pour donner aujourd'hui un ensemble d'héritages et de rupture : héritages plus ou moins solides, ruptures plus ou moins récentes. J'ai déjà écrit que l'accouchement en maternité (privée ou publique) s'est facilement généralisé, que l'A.S.D. a été reconnu après des années de combat, puis critiqué pour ses insuffisances, que les mères sont de mieux en mieux protégées grâce à la Sécurité Sociale (le congé de maternité a doublé...), que l'obstétrique et la médecine périnatale ont fait d'énormes progrès : aujourd'hui la technique triomphe. Si elle s'adapte à certaines exigences sociales comme la présence du père, si elle a presque fait disparaître la mort des mères et fortement réduit celle des enfants, elle néglige certains domaines (l'emploi de l'anesthésie péridurale par exemple), présente quelques ratés (Baudelocque peut connaître une infection difficilement maîtrisable) et étouffe l'autonomie des femmes en couches. Quelque peu contestée, la logique de la médicalisation de la maternité semble atteindre prochainement un point de rupture, du moins pour certaines de ses formes. Rupture déjà consommée pour une puériculture longtemps très dirigiste.

L'unité démographique de l'entre-deux-guerres est brisée par la guerre. Jusqu'au milieu des années soixante, le baby-boom accorde à la France un taux de natalité au moins égal à 18 o/oo et supérieur à 20 o/oo au lendemain du conflit mondial. Aujourd'hui le malthusianisme français est de nouveau une réalité, avec un taux de natalité faible — autour de 14 o/oo —, taux qui n'assure pas le renouvellement des générations mais qui, à la différence des années trente, donne plus de naissances que de décès annuels. Le mouvement malthusien s'est transformé en «Planning familial» mais ses concepts sont appliqués à la planète par une partie du mouvement écologiste. Par contre les natalistes, s'ils sont moins nombreux et moins virulents, développent toujours les mêmes arguments — le coût de l'éducation d'un enfant augmente tandis que les allocations qui se sont multipliées depuis la guerre perdent du pouvoir d'achat; le sens social se perd et la permissivité est trop grande — et proposent encore parfois le vote familial. Mais ils ont perdu deux batailles : la loi Neuwirth de 1967 autorise la contraception en France, la loi Veil de 1975, l'avortement. Quant aux Pouvoirs publics, ils ont abandonné le langage du devoir pour reconnaître que l'enfant doit être voulu, et que leur rôle est de permettre l'expression du désir d'enfant..., rupture fondamentale, même si elle n'est encore que verbale. La volonté de diriger les femmes ne s'exprime plus officiellement et les mesures d'incitation sont envisagées avec modestie : la liberté des couples et des femmes met à mal toute politique démographique.

Les femmes ont aujourd'hui la maîtrise de leur fécondité. Depuis une quinzaine d'années, un mouvement féministe s'étend, se diversifie, suscite par des combats plus ou moins difficiles, des brèches dans l'ordre ancien et une lente évolution des mentalités. Que de différences positives par rapport à la condition de nos grands-mères ! Nous ne sommes pas cependant au temps des certitudes et des réalités multiples et contradictoires se côtoient. La «fille-mère», rebut social, est devenue l'honorable «mère-célibataire», statut assumé et revendiqué par certaines, mais le changement de terme masque pour d'autres des difficultés matérielles et morales et l'immobilisme de l'opinion. La «libre maternité» est une conquête indéniable, mais une grande partie des Françaises n'utilise pas de méthode contraceptive «moderne»; elle contraint au choix difficile, à la décision quelque peu angoissante d'avoir ou non des enfants. Les féministes elles-mêmes sont divisées : le refus de la maternité-devoir s'est longtemps exprimé par le non à la maternité, position minoritaire aujourd'hui devant la maternité-vie. Pour l'ensemble des femmes, donner la vie et être mère sont des expériences complexes et riches de contradictions; moins muettes que nos grands-mères, beaucoup témoignent et amorcent une réflexion collective sur la maternité; l'histoire en est partie prenante.

***

ANNEXES

ANNEXE N° 1

Population, mariages, naissances et décès, France : 1914-1939 (1)

en milliers

Années	Population résidente (2)	Mariages	Naissances vivantes (3)	Décès (4)	Excédent ou déficit (5)	Proportion pour 1.000 habitants		
						des nouveaux mariés	des naissances vivantes	des décès
1911	39.600	308	743	776	− 33	15,5	18,7	19,4
1914	41.700	205	753	1.130	− 377	9,8	18,1	27,1
1915	40.700	86	480	1.065	− 585	4,2	11,8	26,2
1916	40.100	125	382	965	− 583	6,2	9,5	23,9
1917	39.500	180	410	855	− 445	9,2	10,4	21,6
1918	38.750	202	470	1.115	− 645	10,4	12,1	28,6
1919	38.700	553	504	737	− 233	28,6	13,0	19,0
1920	39.000	623	834	671	+ 163	31,9	21,4	17,2
1921	39.240	456	812	693	+ 119	23,2	20,7	17,7
1922	39.420	385	760	688	+ 72	19,5	19,3	17,5
1923	39.880	355	762	666	+ 95	17,8	19,1	16,7
1924	40.310	355	754	679	+ 75	17,6	18,7	16,9
1925	40.610	353	770	708	+ 62	27,4	19,0	17,4
1926	40.870	345	767	713	+ 53	16,9	18,8	17,4
1927	40.940	336	744	676	+ 67	16,4	18,2	16,5
1928	41.050	339	749	674	+ 75	16,5	18,3	16,4
1929	41.230	334	730	739	− 9	16,2	17,7	17,9
1930	41.610	342	750	649	+ 101	16,4	18,0	15,6
1931	41.860	327	734	679	+ 55	15,6	17,5	16,2
1932	41.860	315	722	660	+ 63	15,1	17,5	15,8
1933	41.890	316	679	660	+ 18	15,1	16,2	15,8
1934	41.950	298	678	634	+ 44	14,2	16,2	15,1
1935	41.940	285	641	658	− 18	13,6	15,3	15,7
1936	41.910	280	631	642	− 12	13,4	15,0	15,3
1937	41.950	274	617	629	− 12	13,1	14,7	15,0
1938	41.980	274	612	647	− 35	13,1	14,6	15,4
1939	41.980	258	614	643	− 29	12,3	14,6	15,3

(1) D'après un tableau rétrospectif de l'Annuaire Statistique de la France, 1939.
(2) Evaluée au milieu de chaque année.
(3) Enfants déclarés vivants.
(4) Morts-nés non compris.
(5) Cinq erreurs manifestes sont rectifiées. Le résultat peut différer d'une unité de la soustraction car les chiffres sont arrondis au millier.

ANNEXE N° 2

Structure et intérêt du registre des entrées
de la maternité Baudelocque

I — *Structure* : sur une double page sont remplies les colonnes suivantes :

- *numéro d'ordre*; une note précise : «inscrire en marge le mot *secret* quand une femme enceinte l'a demandé (titre 2 art. 4 du Code de la maternité) et ne pas délivrer d'extraits du registre. Inscrire également le mot *consignée* quand une femme est envoyée par la Préfecture de Police».

- *Nom et prénom* :
- *Profession* :
- *Age* :
- *Lieu de naissance* :
- *Nationalité*   (Paris
- *Demeure actuelle*   (banlieue
- *Domicile de secours*   soit (départements
                                (étranger
Une note précise : «acquis par un domicile réel d'un an»

- *mariée, veuve, ou célibataire* : une note précise d'inscrire dans la catégorie veuve les femmes «séparées judiciairement ou divorcées de plus de dix mois».

- *date de l'accouchement* :
- sexe de l'enfant :
- *n° de l'état civil de l'enfant* :
- *date de la sortie, ou date du décès* :
- *asile qui a hospitalisé* :
- *nom de la salle* :
- *asile de convalescence* :
- *observations diverses* : une note précise la signification des initiales à utiliser : V = envoi au Vésinet; AM = asile maternel; AB = abandon; M = médicale; C = chirurgicale; I = chambre d'isolement; SF = sage-femme; AN = asile de nuit; PP = préfecture de Police; EC = sortie enceinte; N.M = né mort.

II – *Remarques* :

- les dernières colonnes sont rarement remplies et les initiales n'apparaissent presque jamais, à l'exception de l'indication «mort né» ou «sortie enceinte». Il est donc impossible de savoir si l'assistance à la mère a été celle d'un médecin ou d'une sage-femme ou si l'envoi dans un asile est fréquent.

- à chaque bas de page (avec report page suivante) sont comptabilisées les différentes catégories de domicile et de situation au regard de l'état civil.

- à partir de 1927 régulièrement (épisodiquement avant) la personne qui tient le registre marque chaque mois le nombre d'entrantes correspondant aux trois groupes d'âges suivants :
0-19 ans; 20-39 ans; 40-59 ans.

III – *Intérêt*

- En réalisant des séries statistiques sur l'ensemble des femmes entrées à la maternité, il est possible d'étudier :

    . l'évolution de leur état civil
    . leur origine donc l'évolution de l'aire de recrutement de la maternité
    . l'évolution de l'âge

- Par la méthode du sondage au hasard (100 cas étant considérés) il est possible :

    . de classer les femmes selon leur profession et d'étudier l'évolution de l'origine sociale des «clientes»,
    . à partir de 1930 de connaître le pourcentage des femmes relevant des Assurances Sociales,
    . de calculer la durée moyenne de séjour,
    . de préciser l'origine géographique.

Structure et intérêt du registre des naissances

I – *Structure* : chaque jour les naissances sont inscrites de la façon suivante :

N°	Naissance de ----- du sexe -----	
(numéro de l'état civil des enfants dans le registre d'entrée)	aujourd'hui au dit Établissement à ----- heures du -----, fils (fille) d'une femme qui a déclaré se nommer -----, exercer la profession de -----, être âgée de -----, native	Sorti(e) le -----
nom de l'enfant	de -----, département de -----, demeurant à -----, arrondissement	
salle	de -----, département de -----, rue -----, n° -----, être épouse	
lit n°	de -----, exerçant la profession de -----, âgée de -----, natif de -----,	
(numéro d'ordre de la mère)	département -----, et avoir été mariée à -----, département de -----, le -----.	

II – *Remarques* :

- Ce registre complète la connaissance des femmes «choisies» par le sondage au hasard parmi les entrantes. La date de l'accouchement permet de les retrouver facilement. Les registres des entrées et des naissances doivent donc être consultés en même temps.

- Seules les naissances vivantes sont inscrites.

III – *Intérêt*

- Connaître la profession du mari. Cette donnée permet de connaître le milieu social des femmes «sans profession». Pour les autres, elle est moins intéressante, car les unions se font presque toujours dans les mêmes catégories sociales.

- Calculer la part des «filles-mères», les célibataires des entrées pouvant être aussi des jeunes filles venant au service de gynécologie.

- Accessoirement étudier l'importance des conceptions prénuptiales.

ANNEXE N° 3

Les témoignages

L'enquête orale n'a pas été utilisée systématiquement mais complément indispensable des sources écrites, elle apporte un autre regard sur la maternité. Des femmes qui ont eu leurs enfants pendant l'entre-deux-guerres ont été contactées dans la région parisienne, à Laon et dans un village de l'Aisne. Les méthodes utilisées sont l'entretien non directif, l'entretien dirigé et l'envoi de questionnaires. Quelques sages-femmes ont aussi été interviewées.

Sont reproduits ici deux témoignages particulièrement denses.

Mme R.

1) Identité

Née à St Marc dans le Finistère.
67 ans, retraitée, habite Paris depuis 1929,
Catholique.

2) Conception et grossesse

- J'ai eu deux enfants; je n'en voulais pas plus;

- Je ne m'occupais pas des campagnes du gouvernement ou de l'Église. Obligée de travailler, la vie difficile n'était pas faite pour encourager la maternité et je voulais élever mes enfants décemment;

- Pour limiter, il n'y avait que des choses très simples : retrait, savon de Marseille dans le vagin, préservatifs masculins. La méthode Ogino était très contestée à l'époque et l'on disait surtout que lorsqu'une femme est indisposée, il n'y avait rien à craindre; oui, il y avait beaucoup, beaucoup d'avortements.

- Je désirais des garçons, j'en ai eu deux;

- Il fallait subir les malaises : nausées, vomissements, aucun remède ne m'a jamais été prescrit. Il ne fallait pas penser arrêter le travail, un patron ne l'aurait pas admis;

- J'étais assurée sociale mais les droits des travailleurs étaient bien minces.

3) L'accouchement

Entre femmes, nous en parlions mais jamais avec ma mère. Il y avait des récits traumatisants; comme toutes les autres, j'ai eu peur. Il n'y avait pas de préparation.

- J'ai accouché à la Maternité de Port Royal — une quarantaine de lits — Médecin et élèves passaient chaque jour. Le pain marqué A.P. est resté dans ma mémoire. C'était horrible.

- La salle de travail où nous étions toutes allongées était surveillée par des infirmières. Il fallait que le travail se fasse et c'était des cris, des hurlements de bêtes blessées que nous poussions avec terreur. Nous (j'avais) très mal. Je me rendais compte que tout était à revoir à ce sujet.

- L'accouchée pouvait recevoir cadeaux et visites. Le bébé était dans un petit lit au pied de celui de la mère et à l'heure des tétées l'infirmière nous le mettait au sein. Pas question de ne pas nourrir; moi, j'avais du lait, ça allait, mais il y en a qui vraiment ne pouvaient pas, alors c'était lamentable, les infirmières mécontentes s'en prenaient à ces pauvres femmes.

- Il y avait trois filles-mères que les infirmières traitaient très mal.

4) Le petit enfant

- Les conseils pour élever mon Petit, je les ai eus aux consultations de nourrissons. Il n'y avait pas de cours de puériculture. D'autres mamans m'ont aidée.

- Garçon ou fille étaient soignés de la même façon.

- Je n'ai pas connu de femmes ayant perdu leur enfant en bas âge. Je crois que quand un petit est entouré de beaucoup d'amour, il est protégé de bien des choses.

Mme X.

1) Identité

Née à Paris, 76 ans, résidence : Paris.

Secrétaire de direction 1920-1928, arrêt à la maternité puis chef du Personnel aux Établissements Financiers de 1942 (décès de

mon mari) en 1975;
Catholique.

2) Conception et grossesse

Deux enfants : 1 garçon en 1928, 1 fille en 1929.

Le premier très désiré. Le deuxième joyeusement accepté (13 mois plus tard). De sérieuses difficultés causées par une maman infirme au foyer, nous ont fait, d'un commun accord, limiter à deux notre descendance.

- Je ne me souviens d'aucune campagne en faveur de familles nombreuses, d'ailleurs aucune allocation n'était accordée à l'époque.

- Tout ce qui se rapportait aux rapports sexuels était encore sujet «tabou». Entre jeunes femmes, on commençait à parler de la méthode Ogino surtout pour tourner en dérision les nombreux insuccès du procédé.

- Beaucoup d'avortements. Avec les gens aisés, les «faiseuses d'ange» faisaient fortune. Pour les autres, ayant fréquenté très longtemps les services hospitaliers de chirurgie, j'ai vu de nombreuses femmes affreusement mutilées pour avoir employé elles-mêmes les instruments et les procédés les plus invraisemblables.

- On supportait fort bien les malaises, sans chercher à les atténuer. Ceux-ci étaient considérés comme tout à fait normaux. Très peu d'arrêts de travail pour ce motif.

- Consultations périodiques à la clinique où je devais accoucher.

- En 1930, je ne travaillais plus. Mon mari n'était pas assuré social (cadre supérieur).

3) L'accouchement

- Ma mère et moi étions très intimement liées; mon accouchement était un événement heureux dont nous parlions beaucoup.

- Pas de préparation particulière. Une bonne hygiène alimentaire, de l'exercice sans fatigue. Aucune appréhension.

- A l'époque, les accouchements à domicile étaient déjà très rares. Tout le monde s'accordait à dire que les Maternités présentaient toutes garanties de soins et d'hygiène, tant pour la mère que l'enfant. J'ai donc accouché en clinique et n'ai eu qu'à m'en louer à tous points de vue.

- Sage-femme (ou médecin si nécessaire). Certes un accouchement n'est jamais indolore mais on disait jadis : «c'est le mal joli. Sitôt fini on rit» et c'est si vrai que bien peu de femmes parlent de souffrances en se remémorant leur accouchement.

- Visites et cadeaux sont toujours une joie.

- J'ai connu plusieurs filles-mères. A l'époque elles étaient souvent reniées par les leurs et au ban de la Société. J'ai été à même de constater au fil des années, une amélioration certaine, mais tout ostracisme n'est pas encore totalement éliminé, surtout en province.

4– Le petit enfant

- A mon grand regret, je n'ai pu nourrir. Mon lait abondant était de mauvaise qualité.

- Je me suis trouvée fort bien des conseils de ma mère. Les cours de puériculture étaient rares et trop théoriques.

- Pas de soins différents entre filles et garçons.

- Quelques décès d'enfants autour de moi : malformations congénitales, toxicose.

***

NOTES ET BIBLIOGRAPHIE

1 — Une vaste et passionnante synthèse est parue en 1981 : Catherine Fouquet et Yvonne Knibielher, *Histoire des mères du Moyen Age à nos jours*, Éditions Montalba.

2 — Outre les ouvrages cités dans le texte, les notes tiendront lieu de bibliographie. Les sources de ce travail présentent trois caractères : la faiblesse des archives à l'exception des registres des hôpitaux de Paris, la prédominance et le grand nombre des imprimés (publications officielles, particulièrement les recensements; thèses de médecine; manuels d'obstétrique et de puériculture; ouvrages et articles d'auteurs; journaux et revues), enfin l'intérêt de l'enquête orale (effectuée auprès d'une vingtaine de témoins) et de la recherche de vestiges matériels (bâtiments et monuments).

3 — Le mouvement familial a été étudié par René Talmy, *Histoire du mouvement familial de 1896 à 1939*, Paris, 1962 (thèse en deux volumes).

4 — L'affrontement natalistes-malthusiens est envisagé dans deux livres :
Roger-Henri Guerrand, *La libre maternité*, Castermann, 1971.
Francis Ronsin, *La grève des ventres*, Aubier Montaigne, 1980.
Il est très instructif aussi de dépouiller la *Revue de l'Alliance nationale* et *La Grande Réforme*. Sauf précisions les citations du texte en sont extraites.

5 — Elles sont répertoriées dans l'*Annuaire de la famille nombreuse*, publié par le Musée Social (plusieurs éditions dans les années trente) et rédigé par Fernand Boverat ainsi que dans l'ouvrage de Germaine Montreuil-Strauss, *Avant la maternité*, Paris, Stock, 1935.
Deux livres récents apportent beaucoup d'éléments sur l'histoire de la Sécurité sociale et des Allocations familiales : Henri Hatzfeld, *Du Paupérisme à la Sécurité sociale*, A. Colin, 1971; D. Ceccaldi, *Histoire des prestations familiales en France*.

6 — Pour la décennie vingt, les salaires journaliers donnent à Paris un revenu

annuel ouvrier de 9000 francs en 1921, de 16000 francs en 1930 puis ils stagnent comme le coût de la vie.

7 — Il est encore visible dans un square fermé au public, ouvert seulement le jour de la fête des mères où le maire de Paris y dépose une gerbe.

8 — La bibliothèque féministe Marguerite Durand (mairie du 5e arrondissement, Paris) possède des dossiers et de nombreux textes de Madeleine Pelletier, Madeleine Vernet, Nelly Roussel. La condition des femmes de l'entre-deux-guerres est envisagée par Huguette Bouchardeau, *Pas d'histoire, les femmes...*, Syros, 1977.
L'Union nationale des Caisses d'allocations familiales a publié une brochure, résumé d'enquêtes, *L'avortement et les moyens anticonceptionnels*, Paris, Sefi, 1947.

9 — *Recherches n⁰ 29* : «Le péril vénérien au début du siècle : prophylaxie sanitaire et prophylaxie morale». Alain Corbin a aussi écrit : *Les filles de noce, misère sexuelle et prostitution aux XIXe et XXe siècles*, Aubier Montaigne, 1978.
Le discours de Queyrat est reproduit dans le journal *Maternité* de février 1924.

10 — L'opinion est encore sous le coup du drame de Lubeck où 71 enfants sur 272 vaccinés sont morts d'infection tuberculeuse. La souche a été envoyée par l'Institut Pasteur le 29 juillet 1929. L'enquête conclut à une erreur commise au laboratoire dans la préparation du vaccin.

11 — Les services extérieurs du Ministère de la Santé ne sont mis sur pied qu'en 1940.

12 — Voir «Esquisse d'une politique hospitalière», *Revue philanthropique*, 1932 et Dr. M. Latier, *Tendances actuelles pour la construction des hôpitaux*, 1936, ou bien encore l'ouvrage plus récent de M. Rochaix, *Essai sur l'évolution des questions hospitalières*, Fédération hospitalière de France, 1959.

13 — Compris entre 35 et 40 o/oo à la fin de l'Ancien Régime, le taux de natalité descend au-dessous de 25 après 1880, au-dessous de 20 o/oo vers 1910.

14 — Pinard demande l'interdiction du travail de toute femme enceinte et mère nourrice, tandis que Bonnaire plus réaliste propose des aménagements. Voir *Le Mouvement Social*, numéro spécial, 1977 : *L'autre front*, article de Mathilde Dubesset, François Thébaud, Catherine Vincent : «Les munitionnettes de la Seine».

15 — Couvelaire ne peut en parler dans sa brochure écrite en 1930. Sous sa direction Suzanne Barot-Hending lui consacre sa thèse de médecine en 1939 :

Les centres collecteurs de lait de femmes, le centre de Donneuses de lait de la Maternité Baudelocque.

16 – Aujourd'hui le lait de femme se vend encore. Pour l'année 1982 les prix de vente et de remboursement ont été fixés par l'arrêté du 18 décembre 1981 (Ministère de la Solidarité nationale, Ministère de la Santé) : 148 francs le litre de lait frais ou congelé et 178 francs les cent grammes de lait lyophilisé.

17 – Deux écrits sur Couvelaire : un article de L. Dartigues dans *Silhouettes médico-chirurgicales humoristiques*, L'expansion scientifique française, 1923 et un ouvrage collectif, *Hommage au professeur Alexandre Couvelaire*, Paris, Masson, 1935.

Outre sa thèse de 1899 Couvelaire a écrit plusieurs brochures et articles :
- *La maternité de l'Hôtel-Dieu : service de Mr Champetier de Ribes, année 1898 statistiques*, Paris, 1899.
- *Considérations sur la technique de l'opération césarienne conservatrice pratiquée à l'ancienne mode*, Paris, 1909.
- *L'enseignement obstétrical à Paris. Leçon d'ouverture*, Extrait de *La Presse Médicale*, n° 72, 1919.
- *Une maternité pour tuberculeuses*, Extrait de *Gynécologie et obstétrique*, juin 1926.
- *Le nouveau-né issu d'une mère tuberculeuse*, Extrait de la *Presse Médicale*, 19 février 1927.
- *Progrès réalisés dans la prophylaxie de la mortalité fœtale pendant la gestation*, Extrait de *Gynécologie et obstétrique*, juin 1929.
- *La nouvelle maternité Baudelocque*, Paris, 1930.
- *Projet de réorganisation des études de sages-femmes*, Extrait de la *Presse Médicale*, 19 novembre 1930.
- *Prophylaxie de la syphilis congénitale*, Extrait de la *Revue française de puériculture*, n° 1, 1933.
- *Regard sur l'Obstétricie* : discours prononcé le 5 octobre 1933 à l'ouverture du 8e congrès de l'Association des gynécologues et obstétriciens, Extrait de la *Presse Médicale*, 18 octobre 1933.

Ainsi que des ouvrages en collaboration :
- Couvelaire, Lesage et Hubert, *Évolution de la puériculture*, Paris, P.U.F., 1933.
- Couvelaire, Lesage et Moine, *La mortalité infantile pendant un siècle (1831-1935)*, Paris, Masson, 1937 et *Étude générale de la mortalité infantile France entière*, Comité national de l'Enfance, Melun, 1938.

18 – Dr. L. Pasteur Vallery-Radot, *Un siècle d'histoire hospitalière 1837-1949*.

19 — Louis Devraigne a été très prolixe. Ses cours et conférences sont imprimés; son thème préféré est la puériculture dans ses aspects médicaux, sociaux et éducatifs, comme le montre la liste de ces ouvrages :
- *Vingt-cinq ans de puériculture et d'hygiène sociale*, Paris, Doin, 1928.
- «Où en est la question de la stérilité féminine ?», in *La Médecine*, 1929, tome 10 (n° 3).
- *Cliniques obstétricales*, Paris, Doin, 1930.
- «La puériculture», Paris, *Les publications sociales agricoles*.
- *La nouvelle maternité de l'hôpital Lariboisière*, Paris, 1934.
- *Propédeutique obstétricale*, Paris, 1934.
- «L'enseignement populaire de la puériculture en France», Extrait de la *Revue française de puériculture*, juin 1934.
- *La pratique obstétricale*, Paris, Masson, 1935.
- *Puériculture sociale. Stérilité et dénatalité*, Paris, Doin, 1936.
- *L'obstétrique à travers les âges*, Paris, Doin, 1939.
- «Accouchement médical, accouchement dirigé, accouchement surveillé» in *Cinq enquêtes cliniques et thérapeutiques*, n° 2, 1939.
- *Pour les futures mamans* (cours moyen), Paris, Doin, 1939.
- «Évolution des idées pour rendre l'accouchement moins douloureux», in *La Médecine*, tome 22, 1939 (n° 10).

20 — Emile Janin consacre sa thèse de médecine en 1929 (présidence de Couvelaire) au Service social: *Fonctionnement du Service social à l'hôpital et en particulier à la maternité de l'hôpital Lariboisière*. Une ancienne sagefemme de Saint-Louis (interviewée) se souvient que l'assistante sociale Melle D. revenait en 1923 d'un voyage aux États-Unis.

21 — A l'époque, comme nous le verrons plus loin, ont lieu de larges débats sur les statuts professionnels dans le secteur social et celui de la santé.

22 — Le prématuré naît avant terme entre le 180 et le 270e jour mais son poids est celui du fœtus normal du même âge; le débile a un poids inférieur. Une de nos témoins, née à Chatou à 7 mois en 1895, a survécu placée dans un carton de chaussures et nourrie par une nourrice venue du Nord; elle raconte qu'on avait dit : «Jetez moi çà, ce n'est pas viable».

23 — Voir Laignel et Lavastine, *Histoire générale de la médecine* où l'histoire de l'obstétrique est rédigée par Devraigne qui a aussi écrit *L'obstétrique à travers les âges*; ses cours et manuels donnent l'état des connaissances.

24 — Question encore d'actualité avec une acuité plus grande; au congrès de gynécologie de Marseille en 1979, un rapport dénonce la fréquence croissante et excessive des césariennes : sur 100 accouchements, 1,5 se terminait par une césarienne en 1938-41; 4 en 1949-1952; 10,8 en 1976 et 13 en 1979 (*Le Monde*, 16 mai 1979).

25 — Moscou est la vitrine du socialisme; la différence ville-campagne que je développe pour la France est certainement très grande aussi en U.R.S.S.

26 — Les sources de ce rapide historique sont l'opus cité de C. Fouquet et Y. Knibielher et Devraigne. A la fin du XIXe siècle sont aussi créées grâce aux efforts de Pauline Kergomard les «écoles maternelles» dont le nom avoue la mission : «faire envahir la famille par l'école», éduquer les mères et les enfants.

27 — Le Dr. Lesnes s'exprime dans la revue *Maternité* de février 1924, le Dr. Vinchon dans *Maman* de juin 1931.

28 — Dans *Prime éducation et morale de classe* (Mouton, 1969), Luc Boltanski développe la thèse de la «mission civilisatrice» entreprise par les puériculteurs dans les classes populaires dès la fin du XIXe siècle. Il est par contre discutable de dénier toute autonomie aux savoirs populaires et de ne les considérer que comme des savoirs en retard sur la science de l'époque.

29 — Le scénario se trouve dans *25 ans de puériculture et d'hygiène sociale*; «Comment je suis devenu scénariste» est raconté par Devraigne dans *Puériculture sociale. Stérilité. Dénatalité.*

30 — Il est difficile d'imaginer à l'époque un titre du type «Parents».

31 — Les vaccinations sont encore très discutées dans l'opinion publique de l'entre-deux-guerres; les médecins, dans l'ensemble, recommandent outre la variole, le B.C.G. (à absorber en trois reprises le 4e, 6e et 8e jour, une demi-heure avant la tétée dans une cuillère d'eau bouillie), et l'antidiphtérique (au cours de la 2e année). Il existe aussi un vaccin contre la typhoïde, mais le monde médical débat sur l'âge auquel il convient de vacciner.

32 — Le rôle de la disparité chromosomique est connu. D'autre part, dans les années trente, certains parlent du rôle de l'acidité vaginale mais les conclusions sont souvent opposées. En 1938 J.L. Rochat affirme, après expérience sur la lapine et quelques essais chez la femme, que l'injection à la future mère de vitamines B donne une proportion élevée de mâles.

33 — L'Association française des femmes médecins (née en 1921, dotée d'un bulletin trimestriel en 1929, elle ne comprend que quelques centaines de femmes, la faculté de médecine leur étant ouverte depuis 1875) marque ainsi sa raison d'être : outre la solidarité entre ses membres, «l'étude des questions, qui, touchant à la médecine peuvent gagner à être envisagées du point de vue féminin».

34 — Présentée pour la première fois le 15 février 1901, cette pièce met en scène, en la personne de Lazarette, le drame des femmes de la campagne

qui abandonnent leurs bébés pour devenir nourrices à la ville où les mères bourgeoises refusent d'allaiter, et oppose le médecin de campagne qui voit mourir les enfants, à son confrère de la ville qui ne se sent pas le droit d'imposer à ses clientes «jolies, spirituelles et ambitieuses» une claustration.

35 — Dans l'apprentissage de la propreté qui intervient plus tardivement s'expriment aussi une très grande rigidité et la volonté d'un dressage précoce.

36 — Voir troisième partie : fonctionnement des œuvres sociales et sort des filles-mères.

37 — A la Maternité de la Sainte Famille j'ai étudié les professions des pères et mères pour les 280 premières naissances des années 1910, 1922, 1928, 1931, 1938.

38 — Sur la situation des sages-femmes et la crise de la profession, deux ouvrages : A. Lemaire, *Le rôle social de la sage-femme*, Paris, 1933; A. Maître, *Manuel juridique des sages-femmes*, Paris, 1928. (Le Dr. Paul Delaunay dans *La Maternité de Paris*, édité en 1909, explique l'origine des sages-femmes agréées). Un dossier à la bibliothèque Marguerite Durand : dossier 610 SAG. Des comptes-rendus de congrès : *1er congrès international des sages-femmes catholiques*, Lille 13-15 avril 1934 et *8e congrès international des accoucheuses*, Paris, 11-13 avril 1938. Des revues : le *Journal des Accoucheuses*, «bulletin officiel de l'Association des accoucheuses et puéricultrices de France et un n[o] spécial de *L'Hygiène sociale* (25 janvier 1934) consacré au «sort des sages-femmes en France».

39 — Il s'agit bien évidemment de l'avortement puis... de l'allaitement maternel.

40 — Éléments de comparaison fournis par Suzanne Cordelier, *La femme au travail*, Paris, 1935 : une infirmière de l'A.P. gagne de 9500 à 11250 francs, une infirmière-visiteuse de 8700 à 14000, une assistante sociale de 12000 à 14000, une secrétaire de direction 30000. Mais une employée des Grands magasins ne peut toucher que 600 francs par mois.

41 — Pour éviter la contamination les sages-femmes laissent les suites de couches à des infirmières de maternité.

42 — La mortalité maternelle est aujourd'hui en France de l'ordre de 1,2 pour 10000.

43 — Outre des articles et des conférences dans des journaux cités, outre l'ouvrage collectif de Couvelaire, Lesage et Moine, la référence la plus complète est : Ch. Candiotte, M. et Cl. Moine, *La mortalité de l'enfant de première année*, Institut national d'hygiène, tome 51, n° 12, 1948.

44 – Comme d'autres pays, la France a connu une remontée de la mortalité infantile pendant la deuxième guerre avec des pointes au début et en fin de conflit liées à l'exode et à la libération.

45 – Les chiffres sont de Lévy-Solal dans sa leçon inaugurale du 2 décembre 1937 et du n° 28 du Bulletin de l'Association française des femmes médecins.
Les maternités rurales sont décrites par Devraigne dans *Puériculture sociale... (op. cit.)*; il ne semble pas y avoir d'étude d'ensemble antérieure à la thèse de Philippe Crivelli en 1948 : *La protection maternelle et infantile en milieu rural*.

46 – Selon A. Landry dans *L'hygiène publique en France*, 1930, certaines mairies mettent à la disposition des médecins «des armoires de l'accouchée», matériel nécessaire à une intervention urgente et des œuvres distribuent des «sacs d'accouchement» avec linge, layette, produits de soins à l'accouchée.

47 – Il est curieux qu'aucune source écrite n'insiste sur la maternité de La Pitié, une aide-soignante y ayant accouché et une sage-femme la décrivent comme renommée et moderne.

48 – Veuve de l'illustre fondateur Pierre Budin, elle fait ce travail en vue de l'Exposition d'hygiène à Lyon en 1931; son article dans *Maman* n'est malheureusement pas très précis; il est dommage qu'elle ne donne pas parallèlement les taux de mortalité infantile. Valéro Bernal (*op. cit.*) donne aussi des indications chiffrées sur les consultations.

49 – Donnons l'exemple de Paris et de sa région : 44 œuvres de la Seine disposent de 342 infirmières-visiteuses; il y a 11 cantines maternelles dans Paris et 25 œuvres de convalescence dans la région parisienne.

50 – Voir Madeleine Lévy, *La reconnaissance des enfants illégitimes en droit français et la protection maternelle et infantile en France*, Paris, 1936. Les Mines de potasse ont créé de nombreux services : un pavillon de santé dans chaque cité ouvrière, des dispensaires d'hygiène sociale, des consultations prénatales, des écoles maternelles avec installation de traitement du rachitisme, les œuvres du Vestiaire du mineur.

51 – Si la psychanalyse est connue entre les deux guerres et révélée au public français en 1922 par un article de Jules Romains dans la *Nouvelle Revue Française*, si elle renforce le camp des inconditionnels de la femme au foyer, et de la femme-mère, elle ne devient réellement une arme contre les femmes qu'après 1945 : elles ne sont plus seulement responsables de la santé des enfants, mais aussi de leur développement psychologique. C'est l'ère des mères coupables.

52 – Voir en annexe l'apport et quelques exemples de témoignages.

53 – Il s'agit des travaux du *Congrès international pour la protection de l'enfance...*, la 1ère Section débat des maisons maternelles : le rapport est très structuré : historique, diverses catégories, organisation, résultats.

54 – Quelques données chiffrées : en 1927 il y a 85 filles-mères sur 470 accouchées; les soins et la pension sont gratuits pour les indigentes, les autres paient 5 francs par jour en 1924, 8 francs en 1927.
Dans les grandes maternités parisiennes, la seule possibilité pour les mères démunies de faire garder leurs enfants pendant l'hospitalisation est de les mettre «au dépôt» qui est une prise en charge par l'Assistance publique.

55 – Le mot «hôtel» souligne que les mères ont une totale liberté de mouvement, cas rare...

56 – Souvent semble-t-il une ancienne de l'Assistance qui doit dissuader les pensionnaires d'abandonner leur nourrisson.

57 – Deux thèses de médecine, sous la présidence de Couvelaire, sont consacrées à St Maurice.
- Roger Michel, *La maison maternelle nationale de St Maurice, sa création, son fonctionnement, ses résultats*, thèse Paris, 1930, n° 222.
- René Delpech, *Étude sur l'avenir immédiat des enfants sortant des maisons maternelles* (statistiques de St Maurice), thèse Paris, 1932, n° 554.
Le Dr. Trillat consacre une longue partie de son rapport au congrès de 1928 à l'organisation des maisons maternelles.

58 – La réglementation en vigueur dans les crèches est : 3 mètres carrés, 9 mètres cubes par enfant, une berceuse pour 6 enfants de moins d'un an, une gardienne pour 12 de plus d'un an.

59 – Voir Murray Ressnick, *Des tests biologiques de l'Antiquité à nos jours*, thèse de Paris en 1939, et le *Journal des Accoucheuses* de mars 1932 : «Des moyens actuels du diagnostic de la grossesse dans les premiers mois».

60 – Cl. Revault d'Allonnes s'appuie sur le *Précis d'obstétrique* de Devraigne de 1946; les mêmes idées sont développées dans *Propédeutique obstétricale* de 1934 et nous y empruntons des descriptions du déroulement de l'accouchement.

61 – Cf. *Regard sur l'obstétrie*, note 17.

62 – La question de la douleur, de l'anesthésie et de l'analgésie sont envisagées dans *Journal des Accoucheuses*, octobre 1931; *La Médecine*, n° 6 de 1929; le *Bulletin de la Société d'obstétrique et de gynécologie* (séance du 10 avril, décembre 1928); le *Bulletin de l'Association française des femmes médecins*, n° 8 et 10, 1932.

63 — L'accouchement pouvait durer plus longtemps : une de nos témoins a supporté un premier de 3 jours.

64 — Sur les lésions du périnée et l'épisiotomie, voir *Maternité* d'octobre 1924 et le *Journal des Accoucheuses* d'octobre 1931 et janvier 1938.

65 — Ceci est un témoignage oral contemporain et ne pouvait pas être écrit à l'époque.

66 — Cité par Huguette Bouchardeau, *op. cit.*

67 — C'est le témoignage d'une cuisinière d'origine polonaise sur sa fille née en 1932; dans son village de l'Aisne, le boulanger donnait le pain pendant trois mois à toute mère qui allaitait. Cette nécessité de l'allaitement apparaît dans la bouche des témoins interviewées pour le livre *La mémoire des femmes* de Christiane Germain et Christine de Panafieu, éditions Sylvie Messinger, 1982.

68 — En 1974 est paru le livre-choc de Elena Gianine Belotti, *Du côté des petites filles*. Dans l'Italie contemporaine des mères ne donnent pas le sein de la même façon au garçon qui a le droit d'être glouton et revendicatif et à la petite fille.

69 — Méfiance que nous avions constatée en étudiant les munitionnettes (note 14). Il serait intéressant de faire l'histoire du développement, du fonctionnement et de l'image de cette institution.

70 — Nous renvoyons aux livres suivants :
- C. Revault d'Allonnes, *op. cit.*, bibliographie très complète.
- Marie-José Jaubert, *Les Bateleurs du mal joli; le Mythe de l'accouchement sans douleur*, Balland, 1979. Ce livre montre les limites de la méthode...
- V. Coquerel-Jeanneau, Monique Weinberger, E. Diebolt, *Les lucines des Lilas et le baby blues*, Hachette, 1980. Témoignages, aperçu historique et introduction longue sur la maternité des Lilas.

71 — Hortense Dufour, *La guenon qui pleure*, Grasset, 1980. L'accouchement à domicile est défendu à Aix par le M.L.A.C., à Montpellier par l'association La Graine.

72 — La première citation de Lucien Febvre est tirée de *Combats pour l'histoire*, 1953; la deuxième de la préface à Charles Morazé, *Trois Essais sur Histoire et Culture*, 1948.